Zum Buch:

Heartsdale, ein kleines Provinzstädtchen im Süden der USA. Hier lebt und arbeitet Sara Linton als Kinderärztin und Gerichtspathologin. Sara ist geschieden, ihr Ex-Mann Jeffrey Tolliver ist Chef der örtlichen Polizei.
Auf der Toilette eines Restaurants findet Sara die sterbende Sibyl Adams, Professorin am örtlichen College, allseits beliebt – und blind. Sibyl wurde offensichtlich missbraucht und zusätzlich mit einer Stichwaffe schwer verletzt. Noch am Ort des Geschehens erliegt sie ihren furchtbaren Verletzungen. Sara muss die Autopsie vornehmen und Jeffrey die Ermittlungen nach dem Täter einleiten. Das erfordert eine enge Zusammenarbeit zwischen den beiden – und lässt vergessene Gefühle wieder hochkochen.
Als kurz darauf erneut eine junge Frau aufs Brutalste misshandelt wird, erkennt Sara, dass zwischen den beiden Verbrechen eine Verbindung besteht …

Zur Autorin:

Karin Slaughter ist eine der weltweit berühmtesten Autorinnen und Schöpferin von über 20 New-York-Times-Bestseller-Romanen. Dazu zählen *Cop Town*, der für den Edgar Allan Poe Award nominiert war, sowie die Thriller *Die gute Tochter* und *Pretty Girls*. Ihre Bücher erscheinen in 120 Ländern und haben sich über 40 Millionen Mal verkauft. Ihr internationaler Bestseller *Ein Teil von ihr* ist 2022 als Serie mit Toni Collette auf Platz 1 bei Netflix erschienen. Eine Adaption ihrer Bestseller-Serie um den Ermittler Will Trent ist derzeit eine erfolgreiche Fernsehserie, weitere filmische Projekte werden entwickelt. Slaughter setzt sich als Gründerin der Non-Profit-Organisation »Save the Libraries« für den Erhalt und die Förderung von Bibliotheken ein. Die Autorin stammt aus Georgia und lebt in Atlanta.

KARIN SLAUGHTER

BELLADONNA

THRILLER

Aus dem amerikanischen Englisch von
Teja Schwaner

HarperCollins

Die Originalausgabe erschien 2001 unter dem Titel
Blindsighted bei HarperCollins, New York.

2. Auflage 2024
Lizenzausgabe im HarperCollins Taschenbuch
© 2020 für die deutschsprachige Ausgabe
by HarperCollins in der
Verlagsgruppe HarperCollins Deutschland GmbH, Hamburg

Alle Rechte an der Übertragung ins Deutsche
bei Rowohlt Verlag GmbH, Hamburg.

Umschlaggestaltung von Hafen Werbeagentur, Werbeagentur
Umschlagabbildung von Mohamad Itani / Trevillion Images,
Groundback Atelier / Shutterstock
Gesetzt aus der Stempel Garamond
von GGP Media GmbH, Pößneck
Druck und Bindung von GGP Media GmbH, Pößneck
Printed in Germany
ISBN 978-3-365-00540-8
www.harpercollins.de

MONTAG

1

Sara Linton lehnte sich im Stuhl zurück und murmelte ein leises »Ja, Mama« in den Hörer. Und fragte sich, ob je der Tag käme, an dem sie zu alt wäre, um von ihrer Mutter übers Knie gelegt zu werden.

»Ja, Mama«, wiederholte Sara und klopfte mit ihrem Stift auf den Tisch. Sie spürte, dass sie ein heißes Gesicht bekam, und eine leichte Übelkeit stieg in ihr auf.

Es klopfte leise an der Bürotür, gefolgt von einem zögernden »Doktor Linton?«.

Sara ließ sich ihre Erleichterung nicht anmerken. »Ich muss Schluss machen«, sagte sie zu ihrer Mutter, die noch eine allerletzte Ermahnung hinterherschickte, bevor sie auflegte.

Nelly Morgan schob die Tür auf und musterte Sara streng. Als Büroleiterin der Heartsdale-Kinderklinik war Nelly so etwas wie eine Sekretärin für Sara. Solange Sara denken konnte, hatte Nelly in der Klinik das Zepter geschwungen. Sogar schon damals, als Sara selbst hier Patientin gewesen war.

Nelly sagte: »Deine Wangen glühen ja.«

»Meine Mutter hat mich angeschrien.«

Nelly hob eine Augenbraue. »Vermutlich hatte sie dazu allen Grund.«

»Na ja«, sagte Sara und hoffte, dass die Sache damit erledigt war.

»Die Laborwerte von Jimmy Powell sind gekommen«, sagte Nelly, ohne den Blick von Sara zu wenden. »Und die Post«, fügte sie hinzu und ließ einen Stapel Briefe in den Eingangskorb fallen. Das Plastikgestell bog sich unter dem Gewicht.

Sara seufzte, als sie das Fax überflog. An einem guten Tag diagnostizierte sie Ohrenentzündungen und Halsschmerzen. Heute würde sie den Eltern eines zwölfjährigen Jungen sagen müssen, dass er an akuter myeloblastischer Leukämie erkrankt war.

»Nicht gut«, vermutete Nelly. Sie arbeitete lange genug in der Klinik, um zu wissen, wie man einen Laborbericht las.

»Nein«, stimmte Sara zu und rieb sich die Augen. »Ganz und gar nicht.« Sie lehnte sich vor und fragte: »Die Powells sind in Disney World, oder?«

»Zu seinem Geburtstag«, sagte Nelly. »Sie müssten heute Abend wieder zurück sein.«

Sara fühlte, wie eine tiefe Traurigkeit sie übermannte. Sie konnte sich einfach nicht daran gewöhnen, Nachrichten dieser Art zu überbringen.

Nelly schlug vor: »Ich kann für sie gleich morgen früh einen Termin machen.«

»Danke«, sagte Sara und legte den Laborbericht in Jimmy Powells Krankenakte. Dann warf sie einen Blick auf die Wanduhr und schnappte nach Luft. »Stimmt das etwa?«, fragte sie und sah zum Vergleich auf ihre Armbanduhr. »Ich sollte Tessa schon vor einer Viertelstunde zum Lunch treffen.«

Nelly sah auf ihre Uhr. »So spät? Es ist schon bald Zeit fürs Dinner.«

»Es ging nicht eher«, sagte Sara und sammelte Kranken-blätter zusammen. Sie stieß versehentlich gegen den Eingangskorb, und sämtliche Post fiel zu Boden.

»Mist«, fluchte Sara.

Nelly wollte helfen, aber Sara hielt sie davon ab. Nicht nur, dass sie es ungern sah, wenn andere Leute die Unordnung beseitigten, die sie angerichtet hatte; sollte Nelly es tatsächlich schaffen, auf die Knie zu sinken, käme sie zweifellos ohne tatkräftige Unterstützung nicht wieder hoch.

»Ich hab's schon«, sagte Sara, raffte die Kuverts zusammen und ließ sie auf den Schreibtisch fallen. »War sonst noch etwas?«

Nelly lächelte. »Chief Tolliver wartet auf Leitung drei.«

Das verhieß nichts Gutes. Sara nahm in der Stadt zwei Pflichten wahr, als Kinderärztin und als Coroner, und Jeffrey Tolliver, ihr Ex-Mann, war der Polizeichef. Es gab nur zwei Gründe für ihn, Sara mitten am Tag anzurufen, und von denen war keiner sonderlich angenehm.

Sara griff nach dem Telefon, bereit, Nachsicht walten zu lassen. »Ich kann nur hoffen, dass jemand gestorben ist.«

Jeffreys Stimme war verzerrt, und sie nahm an, dass er sein Handy benutzte. »Da muss ich dich leider enttäuschen«, sagte er, und dann: »Ich hänge schon zehn Minuten in der Leitung. Was, wenn das jetzt ein Notfall gewesen wäre?«

Sara begann, ein paar Unterlagen in ihrer Aktentasche zu verstauen. Es war ungeschriebenes Klinikgesetz, Jeffrey stets erst durch brennende Reifen springen zu lassen, bevor man ihn mit Sara telefonieren ließ. Sie war richtig überrascht, dass Nelly daran gedacht hatte, ihr zu sagen, dass er in der Leitung war.

»Sara?«

Sie schaute zur Tür und murmelte: »Ich sollte längst weg sein.«

»Was?«, fragte er. Seine Stimme hatte ein leichtes Echo.

»Ich hab gesagt, dass du immer jemanden vorbeischickst, wenn ein Notfall vorliegt«, log sie. »Wo bist du?«

»Im College«, antwortete er. »Ich warte auf die Hilfs-wauwaus.«

Er benutzte ihre Insiderbezeichnung für die Wachleute an der Grant Tech, der Staatsuniversität im Stadtzentrum.

Sie fragte: »Und was gibt's?«

»Ich wollte nur wissen, wie es dir geht.«

»Großartig«, schnauzte sie, zog die Papiere wieder aus der Aktentasche und fragte sich, wieso sie sie überhaupt erst ein-gepackt hatte. Sie blätterte ein paar Karteikarten durch und schob sie in eine Seitentasche.

Sie sagte: »Ich bin schon jetzt zu spät für den Lunch mit Tess. Was kann ich für dich tun?«

Offenbar brüskiert von ihrem schroffen Ton sagte er: »Du hast gestern etwas abgelenkt gewirkt in der Kirche.«

»Ich war aber nicht abgelenkt«, flüsterte sie und ging ihre Post durch. Beim Anblick einer Postkarte hielt sie inne, und sie erstarrte. Auf der Vorderseite der Karte war ein Bild von Saras Alma Mater, der Emory University in Atlanta, zu se-hen. Neben ihrer Adresse in der Kinderklinik standen auf der Rückseite die mit Schreibmaschine getippten Worte »Warum hast du mich verlassen?«.

»Sara?«

Ihr brach der kalte Schweiß aus. »Ich muss Schluss ma-chen.«

»Sara, ich…«

Sie legte auf, bevor Jeffrey seinen Satz beenden konnte, und stopfte drei weitere Krankenblätter zusammen mit der Postkarte in ihre Aktentasche. Sie schlüpfte zur Seitentür hinaus, ohne dass jemand sie sah.

Bei strahlendem Sonnenschein trat Sara auf die Straße. Die Luft war inzwischen kühler als am Morgen, und die dunklen Wolken kündeten Regen für den späteren Abend an.

Ein roter Thunderbird fuhr vorüber, aus dessen Fenster ein Kind seinen Arm baumeln ließ.

»Hallo, Doktor Linton«, rief das Kind.

Sara winkte und antwortete mit einem »Hey!«, als sie über die Straße ging. Sie querte den Rasen vor dem College, bog nach rechts auf den Gehsteig und ging dann weiter in Richtung Main Street. In weniger als fünf Minuten erreichte sie das Restaurant.

Tessa saß in einer Nische an der hinteren Wand des leeren Lokals und aß einen Hamburger. Sie sah nicht gerade erfreut aus.

»Tut mir leid, dass ich zu spät komme«, entschuldigte Sara sich und ging auf ihre Schwester zu. Sie versuchte es mit einem Lächeln, aber Tessa reagierte nicht.

»Du hast zwei gesagt. Jetzt ist es schon fast halb drei.«

»Ich musste noch Papierkram erledigen«, erklärte Sara und schob ihre Aktentasche auf die Sitzbank. Tessa war Klempnerin und ihr gemeinsamer Vater Klempner. Verstopfte Abflussrohre mochten durchaus keine Lappalien sein, aber Linton & Töchter bekamen nur sehr selten Notrufe, wie sie bei Sara an der Tagesordnung waren. Ihre Familie konnte sich nicht vorstellen, wie ein arbeitsreicher Tag für Sara aussah, und war ständig verärgert über ihre Unpünktlichkeit.

»Ich hab um zwei im Leichenschauhaus angerufen«, klärte Tessa sie auf und kaute an einem Pommes frites. »Du warst nicht da.«

Mit einem Seufzer setzte sich Sara und fuhr sich mit den Fingern durchs Haar. »Ich habe noch mal in der Klinik vorbeigeschaut, dann rief Mama an, und irgendwie ist mir die Zeit davongelaufen.« Sie unterbrach sich und sagte dann, was sie immer sagte: »Tut mir leid. Ich hätte dich anrufen sollen.« Als Tessa schwieg, fuhr Sara fort: »Du kannst für den restlichen Lunch auf mich wütend sein, oder du kannst damit aufhören, und ich gebe dir ein Stück Schokosahnetorte aus.«

»Ich möchte lieber Red-Velvet-Torte«, konterte Tessa.

»Geht klar«, erwiderte Sara außerordentlich erleichtert. Es reichte, dass ihre Mutter auf sie wütend war.

»Wo du von Anrufen sprichst«, fing Tessa an, und Sara wusste, worauf sie hinauswollte, bevor ihre Schwester die Frage gestellt hatte: »Von Jeffrey gehört?«

Sara erhob sich, um in die Tasche zu greifen. Sie zog zwei Fünfdollarscheine hervor. »Er hat angerufen, bevor ich die Klinik verließ.«

Tessas bellendes Lachen hallte durchs Restaurant. »Was hat er gesagt?«

»Ich hab aufgelegt, bevor er überhaupt was sagen konnte«, antwortete Sara und gab ihrer Schwester das Geld.

Tessa stopfte die Fünfer in die Gesäßtasche ihrer Jeans. »Mama hat also angerufen? Sie war ziemlich stinkig auf dich.«

»Ich bin auch ziemlich stinkig auf mich«, sagte Sara. Nachdem sie nun seit zwei Jahren geschieden war, konnte sie ihren Ex-Mann immer noch nicht loslassen. Sara schwankte zwischen Hass auf Jeffrey Tolliver und Hass auf sich selbst. Sie wünschte sich, dass nur ein einziger Tag verging, ohne dass sie an ihn denken musste, ohne dass er in ihrem Leben auftauchte. Weder gestern noch heute war ein solcher Tag gewesen.

Ostersonntag war ihrer Mutter wichtig. Obwohl Sara nicht sonderlich religiös war, empfand sie es als nicht zu viel verlangt, an einem Sonntag im Jahr in die Kirche zu gehen und Strumpfhosen zu tragen, um Cathy Linton glücklich zu machen. Sara hatte nicht damit gerechnet, dass Jeffrey ebenfalls in der Kirche sein würde. Gleich nach dem ersten Choral hatte sie ihn aus dem Augenwinkel gesehen. Er saß rechts drei Reihen hinter ihr, und sie beide schienen sich gleichzeitig zu bemerken. Sara hatte sich als Erste gezwungen, wieder wegzusehen.

Wie sie dort in der Kirche saß und den Priester anstarrte, ohne ein einziges Wort zu verstehen, das der Mann sagte, spürte Sara Jeffreys unverwandten Blick im Nacken. Die Intensität dieses Blicks ließ eine Hitze in ihr aufsteigen, sodass sie errötete. Obwohl sie in einer Kirche saß, ihre Mutter auf der einen Seite und Tessa und ihr Vater auf der anderen, fühlte Sara, wie ihr Körper auf den Blick reagierte, der von Jeffrey gekommen war. Irgendetwas an dieser Jahreszeit hatte sie zu einem völlig anderen Menschen gemacht.

Sie rutschte auf ihrem Platz hin und her, stellte sich vor, dass Jeffrey sie berührte und wie sich seine Hände auf ihrer Haut anfühlten, als Cathy Linton ihr den Ellbogen in die Rippen stieß. Die Miene ihrer Mutter verriet, dass sie genau wusste, was Sara in diesem Moment durch den Kopf ging, und dass ihr das ganz und gar nicht gefiel. Cathy hatte voller Ingrimm die Arme über der Brust verschränkt und fand sich mit der Tatsache ab, dass ihre Tochter in der Hölle enden würde, weil sie am Ostersonntag in der Baptistenkirche an Sex dachte.

Es folgte ein Gebet, dann ein weiterer Choral. Nach einer vermeintlich angemessenen Zeitspanne warf Sara einen Blick über die Schulter, um noch einmal nach Jeffrey zu schauen. Aber er war eingeschlafen, das Kinn auf der Brust. Genau das war das Problem mit Jeffrey Tolliver: Die Vorstellung, die man sich von ihm machte, war weitaus besser als die Realität.

Tessa trommelte mit den Fingern auf den Tisch, um Saras Aufmerksamkeit zu wecken. »Sara?«

Sara legte die Hand auf die Brust, denn sie merkte, dass ihr Herz wie gestern Morgen in der Kirche zu stark klopfte. »Was?«

Tessa schickte ihr einen wissenden Blick. »Was hat Jeb denn gesagt?«

»Wovon redest du?«

»Ich hab gesehen, wie du nach dem Gottesdienst mit ihm gesprochen hast«, sagte Tessa. »Was hat er gesagt?«

Sara überlegte, ob sie lügen sollte. Schließlich antwortete sie: »Er hat mich für heute zum Mittagessen eingeladen, aber ich hab ihm gesagt, dass ich dich treffe.«

»Hättest du doch absagen können.«

Sara zuckte die Achseln. »Wir gehen Mittwochabend aus.«

Es fehlte nur noch, dass Tessa vor Begeisterung in die Hände klatschte.

»Mein Gott«, stöhnte Sara. »Wo bin ich da bloß mit meinen Gedanken gewesen?«

»Zur Abwechslung mal nicht bei Jeffrey«, erwiderte Tessa. »Stimmt's?«

Sara nahm die Speisekarte aus dem Serviettenständer, wenngleich sie eigentlich gar nicht darauf zu schauen brauchte. Seit Sara drei Jahre alt war, hatte ihre Familie mindestens einmal pro Woche in der Grant Filling Station gegessen, und die einzige Änderung auf der Speisekarte hatte es gegeben, als der Besitzer Pete Wayne zu Ehren von Präsident Jimmy Carter dem Angebot auf der Nachtischkarte Erdnusskrokant hinzugefügt hatte.

Tessa beugte sich über den Tisch und schob die Speisekarte beiseite. »Ist alles in Ordnung?«

»Es ist wieder die Zeit«, sagte Sara und kramte in ihrer Aktentasche. Sie fand die Postkarte und hielt sie in die Höhe.

Tessa nahm die Karte nicht, und Sara las vor: »Warum hast du mich verlassen?« Sie legte die Karte auf den Tisch und wartete auf Tessas Reaktion.

»Aus der Bibel?«, fragte Tessa, obwohl sie es genau wusste.

Um Fassung bemüht blickte Sara aus dem Fenster. Plötzlich stand sie auf und sagte: »Ich muss mir die Hände waschen.«

»Sara?«

Sie tat Tessas Betroffenheit mit einer Handbewegung ab und versuchte sich zusammenzureißen, bis sie die Toiletten erreicht hatte. Die Tür der Damentoilette klemmte seit Anbeginn der Zeiten, und sie zog mit einem heftigen Ruck an der Klinke. Der kleine, schwarz-weiß gekachelte Raum war kühl. Sie lehnte sich an die Wand, schlug die Hände vor das Gesicht und versuchte, die letzten paar Stunden des Tages aus dem Gedächtnis zu verbannen. Jimmy Powells Laborwerte gingen ihr nicht aus dem Kopf. Vor zwölf Jahren, als Assistenzärztin am Grady Hospital in Atlanta, hatte sie den Tod kennengelernt. Grady hatte die beste Notaufnahme im Südosten, und Sara hatte ihren Teil an heikelsten Verletzungen zu Gesicht bekommen, angefangen bei dem Jungen, der ein Päckchen Rasierklingen verschluckt hatte, bis zu dem Mädchen, an dem eine Abtreibung mit einem Kleiderbügel aus Metall versucht worden war. Das waren schreckliche Fälle, aber in einer so großen Stadt waren sie dennoch keine Seltenheit.

Manche Fälle in der Kinderklinik, wie der von Jimmy Powells Erkrankung, trafen Sara mit der Wucht einer Abrissbirne. Er würde zu einem jener seltenen Patienten werden, bei denen Sara in ihren beiden professionellen Funktionen würde tätig werden müssen. Jimmy Powell, der so gern beim College-Basketball zuschaute und über eine der größten Sammlungen von Rennwagenmodellen verfügte, die Sara je gesehen hatte, würde mit größter Wahrscheinlichkeit innerhalb eines Jahres sterben.

Sara bändigte ihr Haar mit einer Spange zum Pferdeschwanz, während sie darauf wartete, dass sich das Waschbecken mit kaltem Wasser füllte. Sie lehnte sich darüber und hielt inne, weil ihr ein Übelkeit erregender, süßlicher Geruch entgegenschlug. Pete hatte wahrscheinlich Essig in den Ablauf geschüttet. Das war ein alter Klempnertrick gegen fauligen Gestank, aber Sara hasste diesen Essiggeruch.

Sie hielt den Atem an und spritzte sich Wasser ins Gesicht, um wach zu werden. Ein Blick in den Spiegel zeigte, dass auch das nichts geholfen hatte, sich aber ein nasser Fleck direkt unter dem Halsausschnitt ihres T-Shirts abzeichnete.

»Na toll«, murmelte Sara.

Sie wischte sich die Hände an den Hosenbeinen ab, während sie auf die Kabinen zuging. Nachdem sie den Inhalt eines Toilettenbeckens gesehen hatte, ging sie zur nächsten Kabine, der für Rollstuhlfahrer, und öffnete die Tür.

»Oh«, hauchte Sara und trat schnell zurück. Sie blieb erst stehen, als sie das Waschbecken im Kreuz spürte. Sie stützte sich daran ab. Sie hatte einen metallischen Geschmack im Mund und musste sich zwingen, konzentriert zu atmen, um nicht ohnmächtig zu werden. Sie ließ den Kopf sinken, schloss die Augen und zählte bis fünf, bevor sie wieder aufsah.

Sibyl Adams, eine Professorin am College, saß auf der Toilette, den Kopf an die gekachelte Wand gelehnt, die Augen geschlossen. Ihre Hose war bis zu den Knöcheln hinuntergezogen, die Beine waren weit gespreizt. Sie hatte eine Stichwunde im Unterleib. Blut füllte das Toilettenbecken, Blut tropfte auf die Bodenkacheln.

Sara zwang sich, in die Kabine zu gehen, und hockte sich vor die junge Frau. Sibyls Hemd war hochgezogen, und Sara konnte einen langen senkrechten Schnitt erkennen, der über den gesamten Unterleib verlief, den Nabel durchtrennte und am Schambein endete. Ein weiterer Schnitt hatte unter ihren Brüsten eine klaffende waagerechte Wunde hinterlassen. Von ihr stammte auch der größte Teil des Bluts, das noch immer am Körper hinunterrann. Sara legte eine Hand auf die Wunde und versuchte, die Blutung zu stillen, aber das Blut quoll zwischen ihren Fingern hervor, als drückte sie einen Schwamm aus.

Sara wischte sich die Hände am Hemd ab und neigte Sibyls Kopf nach vorn. Ein leises Stöhnen war zu hören, aber Sara vermochte nicht zu sagen, ob nur Luft aus dem Mund einer

Leiche entwich oder ob eine noch lebende Frau um Hilfe flehte. »Sibyl?«, flüsterte Sara unter größten Mühen, denn die Angst schnürte ihr die Kehle zu.

»Sibyl?«, wiederholte sie und schob mit dem Daumen Sibyls Augenlid auf. Die Frau fühlte sich heiß an. Eine Quetschung entstellte die rechte Gesichtshälfte. Sara erkannte den Abdruck einer Faust unter dem Auge. Als sie den blauen Fleck berührte, bewegten sich Knochen unter Saras Fingern und klickten wie zwei Murmeln, die aneinanderstoßen.

Mit zitternder Hand legte Sara die Finger an Sibyls Halsschlagader. Sie spürte ein leichtes Pochen an ihren Fingerspitzen, aber Sara war sich nicht sicher, ob es sich um ihren eigenen Puls handelte oder ob die Frau noch lebte. Sara schloss die Augen und konzentrierte sich darauf, die beiden Empfindungen auseinanderzuhalten.

Ohne Vorwarnung verkrampfte sich der Körper, zuckte heftig, kippte nach vorn und riss Sara zu Boden. Eine Blutlache breitete sich aus, und instinktiv versuchte Sara, die zuckende Frau beiseitezuschieben. Mit Händen und Füßen tastete sie nach einem Halt auf dem glatten Fliesenboden. Schließlich schaffte Sara es, unter der Frau hervorzurutschen. Sie drehte Sibyl auf den Rücken und barg ihren Kopf in den Armen. Plötzlich endeten die Krämpfe. Sara legte ein Ohr an Sibyls Mund, horchte auf Atemgeräusche. Es gab keine.

Sara kniete sich neben Sibyl und drückte auf ihren Brustkorb, in dem Versuch, wieder Leben in ihr Herz zu pressen. Sara hielt der jüngeren Frau die Nase zu und atmete ihr Luft in den Mund. Sibyls Brustkorb hob sich kurz, aber mehr geschah nicht. Sara versuchte es noch einmal und musste würgen, weil die Sterbende ihr Blut in den Mund hustete.

Sie spuckte aus und wollte weitermachen, stellte jedoch fest, dass es zu spät war. Sibyls Augen drehten sich nach hinten, und als sie ein letztes Mal zischend ausatmete, schüttelte ein leichter Schauder ihren Körper. Ein Rinnsal aus Urin breitete sich zwischen ihren Beinen aus.

Sie war tot.

2

Grant County war nach dem guten Grant benannt, nicht Ulysses, sondern Lemuel Pratt Grant, einem Eisenbahnunternehmer, der Mitte des neunzehnten Jahrhunderts die Atlanta-Route weit nach South Georgia hinein und bis zum Meer ausbaute. Auf Grants Schienen transportierten die Züge Baumwolle und andere Waren durch ganz Georgia. Diese Eisenbahnlinie hatte dazu geführt, dass man von Orten wie Heartsdale, Madison und Avondale als Städten Notiz nahm. So manche Stadt in Georgia war nach dem Mann benannt. Zu Beginn des Bürgerkriegs entwickelte Colonel Grant zudem einen Verteidigungsplan für den Fall, dass Atlanta belagert werden sollte; allerdings verstand er sich besser auf Güterzüge als auf Feldzüge.

Während der Depression beschlossen die Bürger von Avondale, Heartsdale und Madison, ihre Polizei, ihre Feuerwehren und auch ihre Schulen unter eine gemeinsame Verwaltung zu stellen. Das half, bei unentbehrlichen öffentlichen Dienstleistungen Geld zu sparen, und bewog außerdem die Bahn, die Grant-Strecke nicht stillzulegen. Als Ganzes war das County nämlich viel größer als die Einzelstädte. 1928 wurde in Madison ein Armeestützpunkt gebaut, das brachte Familien aus allen Teilen der Nation in das winzige Grant County. Ein paar Jahre später wurde Avondale Standort eines

Bahnbetriebswerks auf der Strecke Atlanta-Savannah. Nach einigen weiteren Jahren wurde in Heartsdale das Grant College gegründet. Fast sechzig Jahre lang blühte und gedieh das County, bis die Schließung von Garnisonen, Rationalisierungen und die Finanzpolitik der Reagan-Ära die Wirtschaft von Madison und drei Jahre später die von Avondale Schritt für Schritt ruinierte. Wäre das College nicht gewesen, aus dem 1946 eine technische Universität entstand, die sich auf Agrarwesen spezialisierte, hätte Heartsdale denselben Niedergang erlebt wie seine Schwesterstädte.

So war also das College das Herzblut der Stadt, und die oberste Direktive des Bürgermeisters von Heartsdale an den Polizeichef Jeffrey Tolliver lautete, das College bei Laune zu halten, wenn ihm sein Job lieb war. Und genau das tat Jeffrey, als er bei einer Sitzung mit der Campus-Polizei Maßnahmen gegen die seit kurzer Zeit erhebliche Zunahme von Fahrraddiebstählen erörterte. Plötzlich läutete sein Handy. Anfangs erkannte er Saras Stimme nicht und dachte, jemand erlaube sich mit diesem Anruf einen Scherz. In den acht Jahren, die er sie jetzt kannte, hatte Sara kein einziges Mal so verzweifelt geklungen. Ihre Stimme bebte, als sie drei Wörter aussprach, die er nie aus ihrem Mund erwartet hätte: Ich brauche dich.

Jeffrey bog vor den Toren zum College links ab und lenkte seinen Lincoln Town Car die Main Street hinauf in Richtung des Restaurants. Der Frühling hatte in diesem Jahr besonders früh eingesetzt. Die Hartriegelbäume, die die Straße säumten, blühten bereits und tauchten die Straße in ein weißes Blütenmeer. Die Frauen vom Gartenclub hatten Tulpen in Kübel gepflanzt, die die Gehsteige zierten, und ein paar Kids aus der Highschool waren damit beschäftigt, die Straße zu fegen, statt nachzusitzen. Der Besitzer des Textilgeschäfts hatte einen Kleiderständer mit seiner Ware auf den Gehsteig gestellt, und der Haushaltswarenladen hatte im Freien eine Loggia mit Verandaschaukel errichtet. Jeffrey wusste, dass die Szenerie, die ihn im Diner erwartete, einen starken Kontrast bilden würde.

Er kurbelte die Scheibe herunter, um frische Luft in den stickigen Wagen zu lassen. Die Krawatte lag eng um seinen Hals, und er nahm sie ab. Im Geist rekapitulierte er Saras Anruf wieder und wieder, und dabei versuchte er, ihm etwas zu entnehmen, das über die ganz offensichtlichen Fakten hinausging. Sibyl Adams war in einem Diner niedergestochen und getötet worden.

Zwanzig Jahre als Cop hatten Jeffrey dennoch nicht für eine solche Nachricht gerüstet. Die Hälfte seiner Laufbahn hatte er in Birmingham, Alabama, verbracht, wo Mord nur selten eine Überraschung darstellte. Es war selten eine Woche vergangen, ohne dass er gerufen wurde, mindestens einen Mord zu untersuchen, gewöhnlich Folge der extremen Armut in Birmingham: Drogengeschäfte, die schiefgelaufen waren, häusliche Streitigkeiten, bei denen Waffen zu leicht bei der Hand waren. Wenn Saras Anruf aus Madison oder gar Avondale gekommen wäre, hätte Jeffrey das nicht im Geringsten überrascht. Drogen und gewalttätige Auseinandersetzungen unter rivalisierenden Banden wurden in diesen beiden Städten immer häufiger zu Problemen. Heartsdale war das Juwel. In zehn Jahren betraf der einzige verdächtige Todesfall eine alte Frau, die einen Herzschlag bekommen hatte, als sie ihren Enkel dabei erwischte, wie er ihren Fernseher stehlen wollte.

»Chief?«

Jeffrey griff nach seinem Funkgerät. »Yeah?«

Marla Simms, die Telefonistin auf der Dienststelle, sagte: »Ich habe mich um die Sache gekümmert, so wie Sie es wünschten.«

»Gut«, antwortete er und fügte hinzu: »Bis auf Weiteres Funkstille.«

Marla verzichtete auf die naheliegende Frage und schwieg. Grant war schließlich eine Kleinstadt, und sogar auf der Wache gab es Leute, die reden würden. Jeffrey wollte diese Sache so lange unter Verschluss halten, wie es nur ging.

»Verstanden?«, fragte Jeffrey.

Sie antwortete mit einem: »Ja, Sir.«

Jeffrey schob sein Handy in die Jackentasche und stieg aus dem Auto. Frank Wallace, sein dienstältester Detective, stand bereits Wache vor dem Diner.

»Ist jemand rein oder raus?«, fragte Jeffrey.

Er schüttelte den Kopf. »Brad ist an der Hintertür«, sagte er. »Der Alarm ist ausgeschaltet. Ich nehme an, der Täter hat sich das zunutze gemacht, um rein- und wieder rauszukommen.«

Jeffrey blickte erneut auf die Straße. Betty Reynolds, die Besitzerin des Kramladens, fegte den Gehsteig und warf argwöhnische Blicke in Richtung Diner. Bald würden die Leute kommen, wenn nicht von Neugier getrieben, dann von Hunger.

Jeffrey wandte sich an Frank. »Niemand hat was gesehen?«

»Nicht das Geringste«, bestätigte Frank. »Sie ist zu Fuß von zu Hause hierhergekommen. Pete sagte, sie kommt jeden Montag nach dem Mittagsandrang her.«

Jeffrey nickte knapp und betrat das Lokal. Das Grant Filling Station war so etwas wie der Mittelpunkt der Main Street. Mit seinen großen roten Nischen und den gesprenkelten weißen Resopalflächen, mit den Chromgeländern und den verchromten Strohhalmspendern sah es noch fast so aus wie damals, als Petes Vater es eröffnet hatte. Sogar die groben weißen Linoleumfliesen auf dem Boden, die stellenweise so durchgetreten waren, dass man die schwarzen Klebeflächen sah, stammten noch aus der Anfangszeit. Jeffrey hatte in den vergangenen zehn Jahren fast jeden Mittag hier gegessen. Das Lokal war ein Ort der Entspannung, eine vertraute Zuflucht nach der ständigen Auseinandersetzung mit dem Abschaum der Menschheit. Er sah sich im Raum um, wohl wissend, dass für ihn von jetzt an hier nichts mehr so sein würde wie früher.

Tessa Linton saß an der Theke, den Kopf in die Hände gestützt. Pete Wayne saß ihr gegenüber und starrte mit leerem Blick aus dem Fenster. Nur an dem Tag, als die Raumfähre *Challenger* explodiert war, hatte Jeffrey ihn wie heute ohne seine Papiermütze im Lokal gesehen. Petes Haar war auf seinem Kopf hochgesteckt, dadurch wirkte sein Gesicht noch länger, als es ohnehin bereits war.

»Tess?«, fragte Jeffrey und legte ihr die Hand auf die Schulter. Sie lehnte sich weinend an ihn. Jeffrey strich ihr übers Haar und nickte Pete zu.

Pete Wayne war normalerweise ein fröhlicher Mensch, aber heute wirkte er wie versteinert. Er schien Jeffrey kaum wahrzunehmen, starrte unverwandt zu den Fenstern an der Restaurantfront hinaus und bewegte fast unmerklich die Lippen. Es kam kein Ton heraus.

Nach einigen Augenblicken des Schweigens setzte Tessa sich auf. Sie hantierte an dem Serviettenspender, bis Jeffrey ihr sein Taschentuch anbot. Er wartete, bis sie sich die Nase geputzt hatte, und fragte dann: »Wo ist Sara?«

Tessa faltete das Taschentuch zusammen. »Noch immer auf der Toilette. Ich weiß nicht …« Tessas Stimme versagte. »Da war so viel Blut. Sie wollte mich nicht hineinlassen.«

Er nickte und strich ihr das Haar aus dem Gesicht. Sara war immer sehr besorgt um ihre kleine Schwester, und während ihrer Ehe hatte sich dieser Beschützerinstinkt auf Jeffrey übertragen. Auch nach der Scheidung hatte Jeffrey noch das Gefühl, dass Tessa und die Lintons seine Familie waren.

»Okay? «, fragte er.

Sie nickte. »Geh nur. Sie braucht dich.«

Jeffrey gab sich Mühe, darauf nicht einzugehen. Wäre Sara nicht Coroner des County, würde er sie nie zu Gesicht bekommen. Es sagte viel über ihre Beziehung aus, dass erst jemand sterben musste, damit sie sich mit ihm im selben Raum aufhielt.

Als er in dem Lokal nach hinten ging, spürte er Beklommenheit in sich aufsteigen. Er wusste, dass eine Gewalttat geschehen war. Er wusste, dass man Sibyl Adams getötet hatte. Aber darüber hinaus hatte er nicht die geringste Ahnung, was ihn erwartete, als er die Tür zur Damentoilette mit einem Ruck öffnete. Was er sah, raubte ihm buchstäblich den Atem.

Sara saß mitten im Raum, Sibyl Adams' Kopf auf dem Schoß. Überall war Blut, bedeckte den Leichnam, bedeckte Sara, deren Hemd und Hose von oben bis unten durchtränkt waren, als hätte jemand einen Schlauch genommen und sie mit Blut bespritzt. Blutige Schuh- und Handabdrücke hatten Spuren auf dem Fußboden hinterlassen, als sei es hier zu einem furchtbaren Kampf gekommen.

Jeffrey stand in der Türöffnung, ließ alles auf sich wirken und rang nach Luft.

»Mach bitte die Tür zu«, flüsterte Sara, die Hand auf Sibyls Stirn.

Er tat wie geheißen und schritt an der Wand entlang einmal den Raum ab. Sein Mund öffnete sich, aber er brachte kein Wort heraus. Es galt natürlich, die naheliegenden Fragen zu stellen, aber ein Teil von Jeffrey wollte die Antworten gar nicht wissen. Ein Teil von ihm wollte Sara hinausbringen, sie in sein Auto setzen und wegfahren, bis sich keiner von beiden mehr daran erinnern konnte, wie dieser winzige Toilettenraum aussah und roch. Der morbide Geschmack von Gewalt saß fast greifbar und klebrig in seiner Kehle.

»Sie sieht aus wie Lena«, sagte er schließlich. Damit meinte er Sibyl Adams' Zwillingsschwester, die in seiner Einheit Detective war. »Eine Sekunde lang dachte ich schon ...« Er schüttelte den Kopf, konnte nicht fortfahren.

»Lena hat längere Haare.«

»Yeah«, sagte er, unfähig, den Blick von dem Opfer zu wenden. Jeffrey hatte im Laufe der Zeit eine Menge furchtbare Dinge gesehen, aber noch nie das Opfer eines Gewaltverbrechens persönlich gekannt. Nicht dass er Sibyl Adams gut gekannt hatte, aber in einer so kleinen Stadt wie Heartsdale waren eigentlich alle Nachbarn.

Sara räusperte sich. »Hast du es Lena schon gesagt?«

Ihre Frage traf ihn wie ein Hammerschlag. Nach zwei Wochen im Amt als Polizeichef hatte er Lena Adams direkt von der Akademie in Macon eingestellt. In jenen ersten Tagen war sie wie Jeffrey ein Außenseiter. Acht Jahre später hatte er sie zum Detective befördert. Mit dreiunddreißig Jahren war sie der jüngste Detective und zudem die einzige Frau unter den höheren Beamten. Und jetzt war ihre Schwester gleichsam auf ihrem Hinterhof ermordet worden, kaum zweihundert Meter vom Polizeirevier entfernt. Das Gefühl, auf irgendeine Weise persönlich dafür verantwortlich zu sein, raubte ihm fast den Atem.

»Jeffrey?«

Jeffrey atmete tief ein und langsam wieder aus. »Sie bringt gerade Beweismittel nach Macon«, antwortete er schließlich. »Ich habe die Highway-Streife angerufen und darum gebeten, dass man sie herschickt.«

Sara sah ihn an. Ihre Augen waren rot gerändert, aber sie hatte nicht geweint.

»Wusstest du, dass sie blind war?«, fragte sie.

Jeffrey lehnte sich an die Wand. Irgendwie hatte er diese Tatsache vergessen. »Sie konnte es nicht einmal sehen«, flüsterte Sara und sah auf Sibyl hinab. Wie gewöhnlich hatte Jeffrey keine Ahnung, was Sara dachte. Er beschloss zu warten, bis sie das Wort ergriff. Offenbar brauchte sie eine Weile, um ihre Gedanken zu ordnen. Er vergrub die Hände in den Taschen und ließ den Blick schweifen. Es gab zwei Kabinen mit Holztüren gegenüber eines alten Waschbeckens, das keinen Mischhahn, sondern separate Hähne für kaltes und warmes Wasser hatte. Darüber hing ein gesprenkelter Spiegel in goldenem Rahmen, dessen Farbe abblätterte. Der Raum war keine zehn Quadratmeter groß, und die winzigen schwarzen und weißen Kacheln auf dem Boden ließen ihn noch kleiner erscheinen. Die dunkle Blutlache um den Leichnam verstärkte diesen Eindruck. Mit Klaustrophobie hatte Jeffrey nie Probleme gehabt, aber Saras Schweigen wirkte wie die Anwesenheit einer vierten Person. Im Bemühen um Distanz sah er hinauf zur weißen Decke. Endlich sprach Sara. Ihre Stimme war kräftiger. »Sie saß auf der Toilette, als ich sie gefunden habe.«

Da ihm nichts Besseres einfiel, holte Jeffrey einen kleinen Notizblock mit Spiralbindung hervor. Er zog einen Stift aus der Brusttasche und schrieb mit, während Sara die Ereignisse bis zum gegenwärtigen Augenblick schilderte. Ihre Stimme wurde ausdruckslos, als sie Sibyls Tod in allen klinischen Einzelheiten schilderte.

»Dann habe ich Tess gebeten, mir mein Handy zu bringen.« Sara verstummte, und Jeffrey beantwortete ihre Frage, noch bevor sie sie gestellt hatte.

»Sie ist okay«, beruhigte er sie. »Auf dem Weg hierher hab ich Eddie angerufen.«

»Hast du ihm gesagt, was passiert ist?«

Jeffrey versuchte ein Lächeln. Saras Vater zählte nicht zu seinen größten Fans. »Ich hatte Glück, dass er nicht einfach aufgelegt hat.«

Sara wirkte nicht gerade amüsiert, aber jetzt endlich sah sie Jeffrey in die Augen. In ihrem Blick war eine Verletzlichkeit, die er seit Ewigkeiten nicht mehr gesehen hatte. »Ich muss die Vorbeschau machen, dann können wir sie ins Leichenschauhaus bringen.«

Jeffrey schob den Notizblock in die Jackentasche, während Sara Sibyls Kopf behutsam auf dem Boden ablegte. Sie ging in die Hocke und wischte die Hände an ihrer Hose ab.

Sie sagte: »Ich möchte, dass sie hergerichtet wird, bevor Lena sie zu sehen bekommt.«

Jeffrey nickte. »Sie braucht noch mindestens zwei Stunden. Da sollten wir genug Zeit haben, um die Spuren zu sichern.« Er deutete auf die Kabinentür. Das Schloss war aufgebrochen worden. »War das Schloss schon in dem Zustand, als du sie gefunden hast?«

»Das Schloss ist in dem Zustand, seit ich sieben war«, sagte Sara und zeigte auf ihre Aktentasche neben der Tür. »Reich mir mal ein Paar Handschuhe.«

Jeffrey öffnete die Tasche und achtete darauf, dass er die blutigen Griffe nicht berührte. Aus einer Innentasche zog er ein Paar Latexhandschuhe. Als er sich umdrehte, stand Sara zu Füßen der Leiche. Trotz der Blutflecke auf ihrer Kleidung schien sie sich wieder unter Kontrolle zu haben.

Dennoch musste er sie fragen: »Bist du sicher, dass du das hier tun willst? Wir könnten auch jemanden aus Atlanta kommen lassen.«

Sara schüttelte den Kopf, während sie sich routiniert die Handschuhe überstreifte. »Ich will nicht, dass ein Fremder sie berührt.«

Jeffrey verstand, was sie meinte. Das hier war eine Angelegenheit des County. Deshalb würden sich auch diejenigen, die zum County gehörten, ihrer annehmen.

Sara stemmte die Hände in die Hüften und ging um die Leiche herum. Er wusste, dass sie versuchte, einen unbefangenen Blick für das Geschehen zu gewinnen, sich selbst aus der Gleichung auszuklammern. Jeffrey ertappte sich dabei, dass er seine ehemalige Frau genau musterte, während sie das tat. Sara war hochgewachsen, über eins achtzig groß, mit dunkelgrünen Augen und braunrotem Haar. Er ließ seine Gedanken schweifen, erinnerte sich daran, wie gut es gewesen war, mit ihr zusammen zu sein, als der scharfe Ton ihrer Stimme ihn in die Realität zurückriss.

»Jeffrey!«, bellte Sara und sah ihn streng an.

Er starrte zurück, und er merkte, dass seine Gedanken an einen anderen, scheinbar sichereren Ort gewandert waren.

Sie hielt seinem Blick noch einen Moment stand und wandte sich dann zur Toilettenkabine um. Jeffrey nahm noch ein Paar Handschuhe aus ihrer Tasche und streifte sie über, während Sara redete.

»Wie ich schon sagte«, fuhr sie fort, »saß sie auf der Toilette, als ich sie gefunden habe. Wir haben das Gleichgewicht verloren und sind zu Boden gefallen, und danach habe ich sie auf den Rücken gedreht.«

Sara besah sich Sibyls Hände und untersuchte die Fingernägel. »Nichts. Ich vermute, sie wurde überrascht und wusste gar nicht, wie ihr geschah.«

»Glaubst du, es ist schnell gegangen?«

»So schnell auch wieder nicht. Was er getan hat, sieht für mich aus wie geplant. Der Tatort war sehr sauber, bis ich gekommen bin. Sie wäre in die Toilettenschüssel ausgeblutet.« Sara wandte den Blick ab. »Oder sie wäre gar nicht verblutet, wenn ich nicht zu spät hier aufgetaucht wäre.«

Jeffrey versuchte sie zu trösten. »Wie willst du das wissen?«

Sie reagierte mit einem Achselzucken. »Da sind ein paar Quetschungen an ihren Handgelenken, wo sie gegen die Haltegriffe gestoßen ist. Und außerdem«, sie spreizte Sibyls Beine ein wenig, »sieh mal hier, an ihren Beinen.«

Jeffrey folgte ihrer Aufforderung. An der Innenseite beider Knie war die Haut abgeschürft. »Was ist das?«, fragte er.

»Der Toilettensitz«, sagte sie. »Die untere Kante ist ziemlich scharf. Ich vermute, sie hat die Beine zusammengepresst, als sie sich zur Wehr setzte. Man kann sehen, dass Haut daran haften geblieben ist.«

Jeffrey warf einen Blick auf die Toilette und sah dann wieder Sara an. »Meinst du, er hat sie auf der Toilette nach hinten gedrückt und dann zugestochen?«

Sara antwortete nicht. Stattdessen wies sie auf Sibyls nackten Rumpf. »Der Schnitt ist nicht tief bis etwa zur Mitte des Kreuzes«, erklärte sie und drückte auf den Bauch, um die Wunde so zu öffnen, dass er sah, was sie meinte. »Ich nehme an, es war eine doppelseitige Klinge. Man erkennt die V-Form beiderseits des Schnitts.« Ohne Zögern ließ Sara den Zeigefinger in die Wunde gleiten, die schmatzend nachgab. Jeffrey schluckte und wandte den Blick ab. Als er sich wieder umdrehte, sah Sara ihn fragend an.

»Alles okay?«

Er nickte stumm.

Sie bewegte den Finger in dem klaffenden Loch in Sibyl Adams' Brust. Blut sickerte aus der Wunde. »Ich würde sagen, es handelt sich mindestens um eine Zehn-Zentimeter-Klinge«, schloss sie und ließ ihn dabei nicht aus den Augen. »Ist dir das hier unangenehm?«

Er schüttelte den Kopf, obwohl sich ihm bei dem Laut der Magen umdrehte.

Sara ließ den Finger wieder herausgleiten und fuhr fort: »Es war eine sehr scharfe Klinge. An dem Einstich weist nichts auf ein Zögern hin, also muss er von Anfang an genau gewusst haben, was er tat.«

»Und was war das?«

Ihr Tonfall war sachlich. »Er hat ihr ein Zeichen in den Unterleib geschlitzt. Die Schnitte sind sehr überlegt ausgeführt, einmal von oben nach unten, einmal quer und dann noch ein Stich in den Oberkörper. Ich denke, das war die tödliche Wunde. Todesursache ist wahrscheinlich Verbluten.«

»Sie ist verblutet?«

Sara zuckte die Achseln. »Im Augenblick deutet noch alles darauf hin, ja. Sie ist verblutet. Es hat ungefähr zehn Minuten gedauert. Die Krämpfe waren Folge des Schocks.«

Jeffrey deutete auf die Wunden. »Das ist doch ein Kreuz, oder?«

Sara schaute sich die Schnitte genau an. »Würde ich auch sagen. Was anderes kann es doch kaum sein, oder?«

»Meinst du, es soll so etwas wie eine religiöse Message sein?«

»Wer kann das bei einer Vergewaltigung schon sagen?«, erwiderte sie und stutzte, als sie seinen Gesichtsausdruck sah. »Was?«

»Sie wurde vergewaltigt?«, fragte er und suchte bei Sibyl Adams nach Anzeichen von Gewaltanwendung. Es waren jedoch weder Quetschungen an ihren Oberschenkeln noch Abschürfungen im Beckenbereich zu entdecken. »Hast du was gefunden?«

Sara schwieg. Schließlich sagte sie: »Nein. Ich meine, ich weiß nicht.«

»Was hast du denn gefunden?«

»Nichts.« Ihre Gummihandschuhe schnalzten, als sie sie von den Fingern zog. »Nur das, was ich dir gesagt habe. Ich kann das auch im Schauhaus zu Ende bringen.«

»Ich kann nicht …«

»Ich werde Carlos anrufen, damit er sie abholt«, sagte sie und meinte damit ihren Assistenten. »Treffen wir uns dort, wenn du hier fertig bist, okay?« Als er nicht antwortete, sagte sie: »Wegen der Vergewaltigung, ich weiß es nicht, Jeff. Wirklich nicht. Es war nur eine Vermutung.«

Jeffrey wusste nicht, was er sagen sollte. Er wusste nämlich nur zu genau, dass seine Ex-Frau auf ihrem Fachgebiet niemals Vermutungen anstellte. »Sara?«, fragte er. Und dann: »Geht es dir gut?«

Sara lachte zynisch. »Ob es mir gut geht?«, wiederholte sie. »Mein Gott, Jeffrey, was für eine blöde Frage.« Sie ging zur Tür und sagte bestimmt: »Du musst die Bestie finden, die das hier getan hat.«

»Ich weiß.«

»Nein, Jeffrey.« Sara drehte sich um und sah ihn durchdringend an. »Das hier ist ein ritueller Gewaltakt, keine Zufallstat. Sieh dir ihren Körper an. Sieh doch, wie sie hier zurückgelassen wurde.« Sara hielt kurz inne. »Wer immer Sibyl Adams getötet hat, muss seine Tat sorgfältig geplant haben. Er wusste, wo er sie finden konnte. Er ist ihr auf die Toilette gefolgt. Das hier ist ein kalkulierter Mord, verübt von jemandem, der damit ein Zeichen setzen wollte.«

Als ihm klar wurde, dass sie recht hatte, fühlte er sich wie vor den Kopf geschlagen. Er hatte diese Art von Mord schon gesehen. Er wusste ganz genau, wovon sie sprach. Das war nicht das Werk eines Amateurs. Wer immer dies hier getan hatte, putschte sich wahrscheinlich schon zu einer weitaus grausameren Tat auf.

Sara schien immer noch nicht zu glauben, dass er verstanden hatte. »Meinst du, dass er es bei einem Mord belassen wird?«

Diesmal zögerte Jeffrey keine Sekunde. »Nein.«

3

Lena Adams hatte einen blauen Honda Civic vor sich und betätigte stirnrunzelnd die Lichthupe. Die ausgeschilderte Geschwindigkeitsbegrenzung auf diesem Stück der Georgia 1-20 war fünfundsechzig, aber wie die meisten Bewohner Georgias sah auch Lena in den Schildern kaum mehr als einen wohlgemeinten Rat an die Touristen, die nach Florida fuhren oder von dort kamen. Und wie konnte es auch anders sein – die Nummernschilder des Civic waren aus Ohio.

»Nun mach schon«, stöhnte sie und schaute auf den Tacho. Sie war eingeklemmt zwischen einem riesigen Laster zu ihrer Rechten und dem Yankee in seinem Civic vor sich, der anscheinend entschlossen war, sie nur ein bisschen über der erlaubten Geschwindigkeit zu halten. Einen Moment lang wünschte sich Lena, sie hätte einen der Streifenwagen von Grant County genommen. Nicht nur, dass es sich darin angenehmer fuhr als in ihrem Celica, sondern überdies hatte man das Vergnügen, den Rasern einen Höllenschreck einjagen zu können.

Wie durch ein Wunder wurde der Laster langsamer und ließ den Civic einscheren. Lena reagierte auf die rüde Geste des Fahrers mit einem fröhlichen Winken. Sie konnte nur hoffen, dass er seine Lektion gelernt hatte. Eine Autofahrt durch den Süden war Darwinismus in Reinkultur.

Der Tacho des Celica kletterte auf fünfundachtzig, als sie die Stadtgrenze von Macon hinter sich ließ. Lena nahm eine Kassette aus der Hülle. Sibyl hatte ihr Musik ausschließlich zum Autofahren aufgenommen. Lena legte die Kassette ein und lächelte, als die Musik anfing, weil sie die ersten Takte von Joan Jetts »Bad Reputation« erkannte. Dieser Song war während ihrer Highschool-Zeit die Hymne der Schwestern gewesen, und sie waren an so manchem Abend spät über abgelegene Straßen gerast und hatten lauthals »Ich geb einen Scheiß auf meinen schlechten Ruf« gesungen. Dank eines auf Abwege geratenen Onkels wurden die Mädchen zum armen weißen Pack gezählt, ohne wirklich besonders arm zu sein oder gar, dank ihrer halb spanischen Mutter, sonderlich weiß.

Beweismaterial zum Labor des Georgia Bureau of Investigation nach Macon zu transportieren war, im Großen und Ganzen betrachtet, kaum mehr als ein Kurierjob, aber Lena war froh, dafür eingeteilt worden zu sein. Jeffrey hatte gesagt, sie könne den Tag nutzen, um sich abzuregen. Das hieß, freundlich ausgedrückt, sie möge ihr hitziges Temperament unter Kontrolle bringen. Frank Wallace und Lena kriegten sich ständig in die Wolle wegen eines Problems, das von Anfang an ihre partnerschaftliche Zusammenarbeit beeinträchtigt hatte. Der achtundfünfzigjährige Frank war nämlich nicht besonders erbaut, dass Frauen bei der Polizei Dienst taten, und noch weniger gern sah er eine Frau als Partnerin an seiner Seite. Sehr oft schloss er Lena bei Ermittlungen aus, während sie ständig versuchte, ihre Beteiligung zu erzwingen. Es musste etwas passieren. Da Frank jedoch in zwei Jahren pensioniert wurde, wusste Lena, dass sie eigentlich nur in Ruhe abzuwarten brauchte.

In Wahrheit war Frank gar kein so übler Kerl. Auch wenn er unter jener Verschrobenheit litt, die fortgeschrittenes Alter mit sich bringt, schien er sich doch alle Mühe zu geben. An einem guten Tag vermochte sie zu erkennen, dass seine anmaßende Art nicht seinem Ego entstammte, sondern tiefer begründet war. Er zählte zu der Sorte Männer, die Frauen die Türen aufhielten, und im Haus nahm er stets seinen Hut ab. Frank war sogar bei den Freimaurern. So jemand ließ seine Kollegin keine Vernehmung führen, geschweige denn, dass er ihr das Kommando bei einer Razzia überließ. An einem schlechten Tag hätte Lena ihn am liebsten in seine Garage gesperrt und den Motor seines Wagens gestartet.

Jeffrey hatte recht damit gehabt, dass der Ausflug ihr half, sich abzuregen. Lena war zeitig in Macon angekommen, hatte dank der Sechszylindermaschine des Celica eine halbe Stunde wettgemacht. Sie mochte ihren Boss, der das absolute Gegenteil von Frank Wallace war. Frank handelte strikt aus dem Bauch heraus, während Jeffrey eher ein Kopfmensch war. Jeffrey zählte zudem zu jenen Männern, die sich in Gesellschaft von Frauen wohlfühlten und nichts dagegen hatten, wenn diese ihre Meinung zum Ausdruck brachten. Die Tatsache, dass er Lena schon vom ersten Tag an dazu motiviert hatte, einmal den Rang eines Detective zu bekleiden, war ihr nicht entgangen. Jeffrey hatte sie nicht befördert, um eine vom County festgelegte Quote zu erfüllen oder um besser dazustehen als sein Vorgänger: Das hier war schließlich Grant County, mit einer Stadt, die bis vor fünfzig Jahren noch auf keiner Landkarte verzeichnet gewesen war. Jeffrey hatte Lena den Job anvertraut, weil er ihre Arbeit und ihren Verstand schätzte. Die Tatsache, dass sie eine Frau war, hatte damit nichts zu tun.

»Scheiße«, zischte Lena, als sie das Blaulicht hinter sich aufblitzen sah. Sie ging vom Gas und fuhr rechts ran, der Civic fuhr an ihr vorbei. Der Yankee hupte und winkte. Jetzt war Lena an der Reihe, dem Mann aus Ohio den Finger zu zeigen.

Der Beamte der Georgia Highway Patrol stieg in aller Ruhe aus seinem Wagen. Lena griff nach ihrer Handtasche auf dem Rücksitz und kramte nach ihrer Dienstmarke. Als sie sich wieder umdrehte, stellte sie zu ihrer Überraschung fest, dass der Cop direkt hinter ihrem Wagen stand. Die Hand hatte er an der Waffe, und sie hätte sich dafür ohrfeigen können, dass sie nicht gewartet hatte, bis er näher herangekommen war. Wahrscheinlich nahm er jetzt an, dass sie nach ihrer Waffe suchte.

Lena ließ die Dienstmarke in den Schoß fallen und hob die Hände. »Tut mir leid«, sagte sie durch das offene Fenster.

Der Cop trat zögernd einen Schritt auf sie zu, und seine kantigen Kiefer mahlten, als er neben dem Wagen stand. Er nahm die Sonnenbrille ab und musterte sie prüfend.

»Hören Sie«, sagte sie, die Hände noch immer erhoben. »Ich bin im Dienst.«

Er unterbrach sie. »Sind Sie Detective Salina Adams?«

Sie senkte die Hände und sah den Streifenpolizisten fragend an. Er war recht klein, aber sein Oberkörper war derart muskulös, als wollte er damit den Mangel an Körpergröße kompensieren. Seine Arme waren so dick, dass sie vom Körper abstanden. Sein Oberkörper schien aus den Nähten seiner uniform zu platzen.

»Lena«, sagte sie und warf einen Blick auf sein Namensschild. »Kenne ich Sie?«

»Nein, Ma'am«, erwiderte er und stülpte sich seine Sonnenbrille wieder auf. »Wir haben einen Anruf von Ihrem Chief bekommen. Ich soll Sie nach Grant County zurückbegleiten.«

»Wie bitte?«, fragte Lena, überzeugt, sich verhört zu haben. »Von meinem Chief? Von Jeffrey Tolliver?«

Er nickte kurz. »Ja, Ma'am.« Bevor sie ihm eine weitere Frage stellen konnte, war er schon auf dem Rückweg zu seinem Wagen. Lena wartete, bis er wieder auf die Straße gefahren war, und setzte sich hinter ihn. Er beschleunigte zügig und fuhr neunzig. Sie überholten den blauen Civic, aber Lena scherte sich nicht darum. Sie konnte nur denken: »Was hab ich denn diesmal verbrochen?«

4

Obwohl das Heartsdale Medical Center den markanten Abschluss der Main Street bildete, wirkte es nicht halb so imposant, wie sein Name hätte vermuten lassen. Gerade eben zwei Stockwerke hoch, war das kleine Krankenhaus zu kaum mehr in der Lage, als sich der Schürfwunden und verdorbenen Mägen anzunehmen, die nicht auf die Sprechstunden der Ärzte warten konnten. Ungefähr dreißig Minuten entfernt gab es in Augusta ein größeres Krankenhaus, in dem die schwereren Fälle behandelt wurden. Hätte sich nicht das Leichenschauhaus des County in seinem Kellergeschoss befunden, wäre das Medizinische Zentrum schon vor langer Zeit abgerissen worden, um einem Studentenwohnheim zu weichen.

Wie der Rest der Stadt war auch das Krankenhaus während des Aufschwungs in den Dreißigerjahren erbaut worden. Erdgeschoss sowie erster Stock waren seither renoviert worden, aber das Leichenschauhaus war der Krankenhausverwaltung offenbar weniger wichtig. Die Wände waren mit hellblauen Fliesen gekachelt, die so alt waren, dass sie langsam wieder in Mode kamen. Die Fußböden waren mit braunem und grünem Linoleum im Karomuster ausgelegt. Die Decke hatte so manchen Wasserschaden erlitten, war aber fast immer wieder ausgebessert worden. Die Geräte waren veraltet, aber sie funktionierten.

Saras Büro befand sich im rückwärtigen Teil, vom Rest des Leichenschauhauses durch ein großes Glasfenster abgetrennt. Sie saß hinter ihrem Schreibtisch, schaute aus dem Fenster und gab sich alle Mühe, ihre Gedanken zu sammeln. Sie konzentrierte sich auf das stete Rauschen im Leichenschauhaus: das Surren des Kompressors für den Gefrierschrank, das Plätschern des Wassers aus dem Schlauch, mit dem Carlos den Fußboden abspritzte. Da sie sich unter der Erde befanden, wurden die Geräusche von den Wänden des Leichenschauhauses eher geschluckt als zurückgeworfen, und irgendwie empfand sie das vertraute Summen und Brummen als beruhigend. Das schrille Läuten des Telefons durchbrach die Ruhe.

»Sara Linton«, sagte sie, denn sie rechnete mit Jeffrey. Stattdessen meldete sich ihr Vater.

»He, Baby.«

Sara lächelte. Beim Klang von Eddie Lintons Stimme wurde ihr leichter ums Herz. »He, Daddy.«

»Ich hätte einen Witz für dich.«

»So?« Sie versuchte unbefangen zu wirken, denn sie wusste, dass ihr Vater dazu neigte, seinen Stress mit Humor zu bewältigen. »Und wie geht der?«

»Ein Kinderarzt, ein Anwalt und ein Priester sind auf der *Titanic*, als die zu sinken beginnt«, fing er an. »Der Kinderarzt sagt: ›Rettet die Kinder!‹ Der Anwalt sagt: ›Scheiß auf die Kinder!‹ Und der Priester sagt: ›Haben wir dazu noch Zeit?‹«

Sara lachte, aber eigentlich nur, um ihrem Vater den Gefallen zu tun. Er schwieg, wartete wohl darauf, dass sie etwas sagte. »Wie geht's Tessie?«

»Macht ein Nickerchen«, wusste er zu berichten. »Und wie geht's dir?«

»Ach, alles in Ordnung.« Sara zeichnete Kreise auf ihren Kalender. Eigentlich kritzelte sie nie, aber sie musste einfach etwas mit ihren Händen anfangen. Einerseits hätte sie gern in ihrer Tasche nachgeschaut, ob Tessa daran gedacht hatte, die Postkarte hineinzulegen. Andererseits wollte sie gar nicht wissen, wo die Karte war.

Eddie unterbrach ihre Gedanken. »Mom sagt, du musst morgen zum Frühstück kommen.«

»So?«, fragte Sara und zeichnete Quadrate um die Kreise.

Seine Stimme intonierte einen Singsang. »Waffeln und Hafergrütze und Toast und Speck.«

»He«, sagte Jeffrey.

Sara hob ruckartig den Kopf und ließ den Stift fallen. »Du hast mich erschreckt«, sagte sie, und dann zu ihrem Vater: »Daddy, Jeffrey ist hier...«

Eddie Linton gab eine Reihe unverständlicher Töne von sich. Seiner Meinung nach half bei allen Problemen mit Jeffrey Tolliver nur ein exakt gezielter Steinwurf an den Kopf.

»Also gut«, sagte Sara in den Hörer und bedachte Jeffrey mit einem verkniffenen Lächeln. Er betrachtete die Gravur im Glas, wo ihr Vater ein Stück Klebeband über den Nachnamen TOLLIVER geklatscht und dann mit schwarzem Filzschreiber LINTON darauf geschrieben hatte. Da Jeffrey Sara mit der einzigen Graveurin der Stadt betrogen hatte, stand zu bezweifeln, dass die Beschriftung in näherer Zeit professioneller korrigiert werden würde.

»Daddy«, unterbrach Sara, »ich seh dich dann morgen früh.« Sie legte auf, bevor er etwas entgegnen konnte.

Jeffrey sagte: »Lass mich raten – er lässt mir liebe Grüße ausrichten?«

Sara ignorierte den Kommentar, denn sie wollte sich auf kein persönliches Gespräch mit Jeffrey einlassen. So umgarnte er sie nämlich. Wiegte sie in dem glauben, ein ganz normaler Mann zu sein, der zu Ehrlichkeit und Hilfsbereitschaft in der Lage war, während dieser Jeffrey in Wirklichkeit wahrscheinlich schon in dem Moment, da er das Gefühl hatte, Saras Wohlwollen wieder erworben zu haben, einen Strang suchte, über den er schlagen konnte.

Er sagte: »Wie geht's denn Tessa so?«

»Gut«, sagte Sara. Sie nahm ihre Brille aus dem Etui und setzte sie auf. »Wo ist Lena?«

Er warf einen Blick auf die Uhr an der Wand. »Noch ungefähr eine Autostunde entfernt. Frank lässt mich ausrufen, wenn es nur noch zehn Minuten sind.«

Sara stand auf und zupfte ihre weiße Arzthose an der Taille zurecht. Sie hatte oben im Krankenhaus geduscht und ihre blutige Kleidung in einen Beutel für Beweismittel gesteckt für den Fall, dass sie für den Prozess benötigt wurde.

Sie fragte: »Hast du dir überlegt, was du ihr sagen willst?«

Er schüttelte verneinend den Kopf. »Ich hoffe nur, wir finden etwas Konkretes, bevor ich mit ihr spreche. Lena ist ein Cop. Sie wird Antworten wollen.«

Sara lehnte sich über die Tischplatte und klopfte an die Scheibe. Carlos sah auf. »Sie können jetzt gehen«, sagte sie. Dann fügte sie erklärend zu Jeffrey hinzu: »Er bringt noch Blut- und Urinproben ins Labor. Die werden dort heute Abend noch untersucht.«

»Gut.«

Sara lehnte sich in ihrem Stuhl zurück. »Hast du was Brauchbares in der Toilette gefunden?«

»Wir haben ihren Stock und ihre Brille hinter dem Toilettenbecken gefunden. Alles sauber gewischt.«

»Und die Kabinentür?«

»Nichts«, sagte er. »Ich meine, nicht nichts, aber jede Frau der Stadt ist da schon rein und raus. Beim letzten Zählen hatte Matt schon über fünfzig verschiedene Abdrücke.« Er zog einige Polaroids aus der Tasche und warf sie auf den Schreibtisch. Außer Nahaufnahmen der Leiche auf dem Boden waren darunter auch Bilder von Saras blutigem Schuh und von Handabdrücken.

Sara nahm eines der Bilder und sagte: »Ich schätze, es war nicht gerade hilfreich, dass ich am Tatort Spuren hinterlassen habe.«

»Du hattest ja wohl kaum eine andere Wahl.«

Sie behielt ihre Gedanken für sich und ordnete die Bilder in eine logische Reihenfolge.

Er wiederholte ihre frühere Einschätzung. »Wer immer das getan hat, wusste genau, was er wollte. Er wusste, dass sie das Restaurant allein besuchen würde. Er wusste, dass sie nicht sehen konnte. Er wusste, dass das Lokal um diese Tageszeit kaum besucht war.«

»Meinst du, er hat sie erwartet?«

Jeffrey reagierte mit einem Achselzucken. »Scheint jedenfalls so. Er ist wahrscheinlich durch die Hintertür hereingekommen und wieder hinausgegangen. Pete hatte die Alarmanlage abgeschaltet, damit sie die Tür zum Lüften offenlassen konnten.«

»Yeah«, sagte sie. Sie entsann sich, dass die Hintertür des Esslokals öfter geöffnet als zugesperrt war.

»Also sind wir auf der Suche nach jemandem, der sich

mit ihren Aktivitäten auskannte, stimmt's? Und der mit den Räumen des Lokals und ihrer Anordnung vertraut war.«

Sara wollte diese Frage nicht beantworten, denn sie unterstellte, dass der Mörder jemand war, der in Grant wohnte, jemand, der die Leute und die Lokale so gut kannte wie ein Ortsansässiger. Stattdessen stand sie auf und ging zu dem Aktenschrank aus Metall auf der anderen Seite ihres Schreibtisches. Sie nahm einen frischen Laborkittel heraus, streifte ihn über und sagte: »Ich habe bereits Röntgenaufnahmen gemacht und ihre Kleidung untersucht. Sie ist so weit fertig.«

Jeffrey drehte sich um und musterte den Tisch, der mitten im Leichenschauhaus stand. Auch Sara blickte dorthin, und es kam ihr vor, als sei Sibyl Adams im Tod viel kleiner als zu Lebzeiten.

Jeffrey fragte: »Hast du sie gut gekannt?«

Sara geriet ins Grübeln. Schließlich sagte sie: »Ich denke schon. Wir haben beide letztes Jahr in der Mittelschule Berufsberatung gemacht. Und dann bin ich ihr, wie du weißt, manchmal in der Bibliothek begegnet.«

»In der Bibliothek?«, staunte Jeffrey. »Ich dachte, sie war blind.«

»Aber es gibt doch auch Hörbücher.« Sie blieb direkt vor ihm stehen und verschränkte die Arme. »Du, ich muss dir was sagen. Lena und ich hatten vor einigen Wochen Streit.«

Offensichtlich war er überrascht. Sara hatte es auch überrascht, es gab nicht viele Leute in der Stadt, mit denen sie nicht auskam. Aber Lena Adams gehörte offenbar dazu.

Sara erläuterte: »Sie hat Nick Shelton vom GBI angerufen und um einen toxikologischen Bericht zu einem Fall nachgesucht.«

Jeffrey schüttelte verständnislos den Kopf. »Wieso denn das?«

Sara zuckte die Achseln. Sie wusste immer noch nicht, warum Lena sie übergangen hatte, zumal bekannt war, dass Sara sehr gut mit Nick Shelton zusammenarbeitete, dem Außenagenten des Georgia Bureau of Investigation für Grant County.

»Und?«, beharrte Jeffrey.

»Ich weiß nicht, was Lena damit erreichen wollte, dass sie Nick direkt anrief. Wir haben das dann aus der Welt geschafft. Es floss zwar kein Blut, aber ich möchte auch nicht behaupten, dass wir als Freundinnen auseinandergegangen sind.«

Lena stand in dem Ruf, gern andere Leute vor den Kopf zu stoßen. Als Sara und Jeffrey noch verheiratet gewesen waren, hatte Jeffrey oft über Lenas Temperamentsausbrüche geklagt.

»Wenn sie«, er hielt inne, »wenn sie vergewaltigt worden ist, Sara. Ich weiß ja nicht.«

»Fangen wir an«, antwortete Sara eilig und ging an ihm vorbei in den Leichenschauraum. Sie blieb vor dem Materialschrank stehen, weil sie einen Chirurgenkittel suchte. Sie blieb, die Hände an den Schranktüren, stehen und spulte im Geiste noch einmal ihr Gespräch ab.

»Sara?«, fragte er. »Stimmt was nicht?«

Sara fühlte Zorn über seine dumme Frage in sich aufsteigen. »Ob etwas nicht stimmt?« Sie fand den sterilen Kittel und knallte die Türen mit solcher Wucht zu, dass der Metallrahmen schepperte. Sara drehte sich um und riss die Folie auf. »Was nicht stimmt, ist, dass ich es leid bin, von dir ständig gefragt zu werden, ob etwas nicht stimmt, wenn so verdammt klar ist, was nicht stimmt.« Sie hielt inne, riss den Kittel ungeduldig aus der Verpackung. »Denk doch mal nach, Jeffrey. Heute ist eine Frau buchstäblich in meinen Armen gestorben. Und es war keine Fremde, sondern eine Frau, die ich kannte. Ich sollte jetzt zu Hause sein, ausgiebig duschen oder mit den Hunden spazieren gehen, aber stattdessen muss ich jetzt da rübergehen und sie aufschneiden und sie noch schlimmer zurichten. Damit ich sagen kann, ob du anfangen solltest, alle Perversen der Stadt zum Verhör zu holen oder nicht.«

Ihre Hände zitterten vor Zorn, als sie den Kittel überzuziehen versuchte. Ein Ärmel hatte sich verdreht, und sie drehte sich, um besser an ihn heranzukommen. Jeffrey sprang ihr bei.

Übellaunig fuhr sie ihn an: »Ich schaff's schon alleine.«

Er hob die Hände, als wolle er sich ergeben. »Tut mir leid.«

Sara bekam die Bänder des Kittels nicht zu fassen und brachte es schließlich fertig, sie falsch zu knoten. »Scheiße«, zischte sie und versuchte krampfhaft, den Knoten wieder zu lösen.

»Ich könnte Brad überreden, mit den Hunden Gassi zu gehen«, erbot sich Jeffrey.

Sara ließ resigniert die Hände sinken. »Darum geht es doch gar nicht, Jeffrey.«

»Ich weiß«, erwiderte er, nahm die Bänder und begann, den Knoten zu lösen. Sie ließ ihren Blick zu seinem Hinterkopf wandern, wo sie ein paar graue Strähnen zwischen den schwarzen Haaren bemerkte. Am liebsten hätte sie ihn dazu gebracht, dass er sie tröstete und nicht immer nur versuchte, aus allem einen Witz zu machen. Sie wünschte sich, dass er wie durch ein Wunder Einfühlungsvermögen entwickelte. Aber nach zehn Jahren hätte sie es besser wissen müssen.

Er lockerte den Knoten mit einem Grinsen, als hätte er durch diese simple Handlung schlagartig alles zum Guten gewendet.

Sara nahm die Bänder und machte eine Schleife.

Er berührte ihr Kinn. »Alles okay«, sagte er, und diesmal war es keine Frage.

»Yeah«, stimmte sie zu und trat einen Schritt zur Seite. »Alles okay.« Sie nahm ein Paar Einweghandschuhe und machte sich an die Arbeit. »Bringen wir die äußere Leichenschau hinter uns, bevor Lena zurückkommt.«

Sara trat an den Autopsietisch aus Keramik, der in der Raummitte im Fußboden verankert war. Die weiße Tischplatte mit nach oben gebogenen Rändern umfing Sibyls zarten Körper. Carlos hatte ihren Kopf auf einen schwarzen Gummiblock gebettet und ein weißes Tuch über sie gebreitet. Wäre da nicht die schwarze Stelle über ihrem Auge gewesen, hätte man annehmen können, dass sie schlief.

»Mein Gott«, flüsterte Sara, als sie das Tuch wegzog. Der Abtransport des Leichnams vom Tatort hatte noch schlimmeren Schaden angerichtet. Im grellen Licht des Leichenschauhauses waren alle Merkmale der Wunde überdeutlich zu erkennen. Die Einschnitte im Abdomen waren lang und deutlich konturiert. Sie bildeten ein beinahe symmetrisches Kreuz mit einer tiefen Furche im Schnittpunkt. Bei Leichen nahmen Wunden ein dunkles, ja fast schwarzes Aussehen an. Die Risse in Sibyl Adams' Haut klafften auf wie winzige feuchte Münder.

»Sie besaß nicht viel Körperfett«, erläuterte Sara. Sie deutete auf den Bauch, wo der Einschnitt sich gleich über dem Nabel verbreitete. Die Schnittwunde dort war tiefer, und die

Haut war gespreizt wie bei einem zu engen Oberhemd, an dem ein Knopf weggeplatzt war. »Im unteren Abdomenbereich, wo die Eingeweide durch die Klinge verletzt wurden, befindet sich Kot. Ich weiß nicht, ob der Stich absichtlich so tief geführt wurde oder ob es zufällig geschah.«

Sie deutete auf die Wundränder. »Hier an der Spitze der Wunde kannst du die Riefung erkennen. Vielleicht hat er das Messer hin und her bewegt. Es gedreht. Außerdem ...« Sie überlegte, während sie weitermachte. »Es gibt Kotspuren an ihren Händen sowie an den Haltestangen in der Toilettenkabine, und daher muss ich annehmen, dass sie aufgeschlitzt wurde, die Hände auf den Bauch presste und schließlich aus irgendeinem Grund die Haltestangen umklammerte.«

Sie sah zu Jeffrey auf, um abzuschätzen, wie er sich hielt. Er schien wie angewurzelt dazustehen, vom Anblick des Leichnams wie gelähmt. Sara wusste aus Erfahrung, dass der Verstand ihr einen Streich spielen und die Hinweise auf eine brutale Gewalttat verschleiern konnte. Auch für Sara war der neuerliche Anblick von Sibyl noch schlimmer als der erste.

Sara legte die Hände auf den Leichnam und stellte zu ihrer Überraschung fest, dass er noch warm war. Die Temperatur im Leichenschauhaus war immer niedrig, sogar im Sommer, weil der Raum sich unter der Erde befand. Sibyl hätte eigentlich inzwischen sehr viel weiter abgekühlt sein müssen.

»Sara?«, fragte Jeffrey.

»Nichts«, entgegnete sie, eigentlich noch nicht dazu bereit, Vermutungen auszusprechen. Sie drückte an der Wunde im Schnittpunkt des Kreuzes herum. »Es war eine zweischneidige Klinge«, begann sie zögernd. »Damit müsstest du etwas anfangen können. Die meisten Stichverletzungen stammen doch von gezackten Jagdmessern, stimmt's?«

»Stimmt.«

Sie wies auf eine bräunliche Stelle an der Wunde. Beim Säubern des Leichnams hatte Sara viel mehr sehen können, als ihre erste Untersuchung in der Toilette ergeben hatte. »Das stammt von der Parierstange und sagt uns, dass er das Messer bis zum Anschlag hineingestoßen hat. Ich kann mir vorstellen, dass ich Absplitterungen an der Wirbelsäule entdecke, wenn ich sie aufmache. Ich habe beim Tasten schon Unregelmäßigkeiten gefühlt. Wahrscheinlich sind da auch noch Knochensplitter drin.«

Jeffrey forderte sie mit einem Kopfnicken zum Weiterreden auf.

»Wenn wir Glück haben, finden wir irgendwo auch noch einen Abdruck der Klinge. Und wenn nicht, dann hilft uns vielleicht die Quetschung weiter, die durch die Parierstange verursacht worden ist. Ich kann die Haut abtrennen und präparieren, nachdem Lena ihre Schwester gesehen hat.«

Sie deutete auf den Mittelpunkt des Kreuzes. »Das war ein kräftiger Stoß, und deswegen würde ich vermuten, dass der Mörder von oben zugestoßen hat. Siehst du, dass die Wunde einen Winkel von ungefähr fünfundvierzig Grad hat?« Sehr aufmerksam betrachtete sie den Einstich und versuchte zu verstehen, was geschehen war. »Ich würde sagen, dass der Stich in den Unterleib anders ist als der, der die Brustwunde verursacht hat. Aber das ergibt keinen Sinn.«

»Warum?«

»Die Einstiche sind verschieden.«

»Und wie ist das möglich?«

»Kann ich nicht sagen«, antwortete sie wahrheitsgemäß. Sie ließ dieses Thema für den Augenblick fallen und konzentrierte sich stattdessen auf die Stichwunde im Mittelpunkt des Kreuzes. »Also, er steht wahrscheinlich vor ihr, in den Knien eingeknickt, und er führt das Messer seitlich nach hinten«, sie demonstrierte das, indem sie die Hand zurückzog, »bevor er es ihr in die Brust rammt.«

»Er hat für die Tat zwei Messer benutzt?«

»Kann ich noch nicht sagen«, räumte Sara ein und wandte sich wieder der Bauchwunde zu. Irgendetwas stimmte nicht.

Jeffrey kratzte sich am Kinn und betrachtete die Brustwunde. Er fragte: »Warum kein direkter Stich ins Herz?«

»Nun, zum einen liegt das Herz nicht mittig im Brustkorb, wohin der Stich geführt werden musste, um den Mittelpunkt des Kreuzes zu treffen. Seine Entscheidung hat also auch eine ästhetische Komponente. Zum anderen schützen die Rippen Herz und Lunge. Er hätte wiederholt zustechen müssen, um da durchzukommen. Und damit hätte er die klare Kontur des Kreuzes verdorben, oder?« Sara holte tief Luft. »Bei einer Herzverletzung wäre eine große Menge Blut ausgetreten, und es wäre noch dazu mit beträchtlicher Geschwindigkeit hervorgesprudelt. Vielleicht hat er das vermeiden wollen.« Sie zuckte die Achseln, sah zu Jeffrey auf. »Ich denke, er hätte das Messer auch unter den Brustkorb und dann aufwärts führen können, wenn er das Herz hätte treffen wollen, aber das wäre ein Vabanquespiel gewesen.«

»Willst du damit sagen, dass der Angreifer über medizinische Kenntnisse verfügen muss?«

Sara fragte: »Weißt du, wo das Herz ist?«

Er legte eine Hand auf die linke Brustseite.

»Richtig. Und du weißt auch, dass sich deine Rippen nicht ganz in der Mitte treffen.«

Er tippte mit den Fingern auf seine Brustmitte. »Was ist das hier?«

»Das Sternum«, antwortete sie. »Der Einstich sitzt jedoch tiefer. Und zwar im Schwertfortsatz. Ich kann nicht sagen, ob das reines Glück war oder beabsichtigt.«

»Und das heißt?«

»Das heißt, wenn du auf Teufel komm raus einer Person ein Kreuz in den Bauch schlitzen und dann ein Messer in die Mitte stoßen willst, dann wäre dies die beste Stelle, wenn du möchtest, dass das Messer tief eindringt. Das Sternum hat drei Teile«, sagte sie und deutete auf ihre Brust. »Der obere Teil ist das Manubrium, der Hauptteil ist der Corpus, der mit dem Processus, dem Schwertfortsatz endet. Von diesen drei Teilen ist der Schwertfortsatz vergleichsweise weich. Besonders bei jemandem in diesem Alter. Sie ist wie alt, Anfang dreißig?«

»Dreiunddreißig.«

»So alt wie Tessa«, flüsterte Sara, und eine Sekunde lang sah sie ihre Schwester vor sich. Doch dann konzentrierte sie sich wieder auf den Leichnam. »Der Schwertfortsatz verkalkt mit zunehmendem Alter. Der Knorpel wird härter. Wenn ich also jemandem in die Brust stechen wollte, würde ich dort mein X machen.«

»Vielleicht wollte er nicht in ihre Brüste stechen?«

Sara überlegte. »Das hier scheint mir persönlicher zu sein.« Sie suchte nach den richtigen Worten. »Ich weiß nicht, ich würde eher denken, dass er ihre Brüste verletzen wollte. Verstehst du, was ich meine?«

»Besonders wenn es sexuelle Motive gibt«, meinte Jeffrey. »Ich meine, bei Vergewaltigungen geht es doch normalerweise um Macht, oder nicht? Es hat damit zu tun, dass jemand einen Zorn auf Frauen hat, dass er sie kontrollieren will. Warum sollte er sie also dort aufschlitzen und nicht an der Stelle, die sie zur Frau macht?«

»Bei einer Vergewaltigung geht es auch um Penetration«, entgegnete Sara. »Und das trifft hier zweifellos zu. Ein wuchtiger Einstich, der fast ungehindert in den Körper dringt. Ich glaube nicht …« Sie hielt inne, starrte auf die Wunde. Ihr kam ein neuer Gedanke. »Guter Gott«, flüsterte sie.

»Was ist denn?«, fragte Jeffrey.

Ein paar Sekunden lang bekam sie keinen Ton heraus. Sie hatte das Gefühl, als schnürte irgendetwas ihre Kehle zu.

»Sara?«

Ein Piepton erklang. Jeffrey schaute auf seinem Pager nach. »Das kann nicht Lena sein«, sagte er. »Darf ich mal telefonieren?«

»Sicher.« Sara kreuzte die Arme, als wollte sie sich vor den eigenen Gedanken schützen. Sie wartete, bis Jeffrey hinter ihrem Schreibtisch Platz genommen hatte, und fuhr erst dann mit der Untersuchung fort.

Sie drehte die Lampe so, dass sie den Beckenbereich besser sehen konnte. Sie richtete das Spekulum aus und betete im Stillen zu Gott, zu jedem, der sie erhören wollte – aber vergeblich. Als Jeffrey an ihre Seite zurückkehrte, gab es keinen Zweifel mehr.

»Und?«, fragte er.

Saras Hände zitterten, als sie die Handschuhe abstreifte. »Sie wurde gleich zu Beginn des tätlichen Angriffs sexuell missbraucht.« Sie brach ab, ließ die verschmutzten Handschuhe auf den Tisch fallen und rief sich ins Gedächtnis, wie Sibyl Adams auf der Toilette gesessen hatte, die Hände auf die offene Wunde in ihrem Unterleib gepresst, und sich dann an die Haltestangen beiderseits der Kabine klammerte und absolut nicht fassen konnte, wie ihr geschah.

Sara stützte sich auf den Rand des Obduktionstisches. »In ihrer Vagina befinden sich Kotspuren.«

Jeffrey schien nicht ganz folgen zu können. »Es kam also zuerst zur Sodomie?«

»Es gibt keine Anzeichen für eine anale Penetration.«

»Aber du hast doch Kot gefunden«, sagte er, denn er begriff immer noch nicht.

»Tief in ihrer Vagina«, sagte Sara. Sie wollte es nicht aussprechen, wusste aber, dass es nicht anders ging. Sie nahm ein uncharakteristisches Zittern in ihrer Stimme wahr, als sie sagte: »Der Einschnitt in ihren Bauch ist absichtlich so tief ausgeführt worden, Jeffrey.« Sie schwieg und musste nach Worten suchen, um die entsetzliche Tat zu beschreiben, die sie entdeckt hatte.

»Er hat sie vergewaltigt«, sagte Jeffrey. »Es gab eine vaginale Penetration.«

»Ja«, antwortete Sara. Noch immer auf der Suche nach einer Möglichkeit, es unmissverständlich auszudrücken. Schließlich sagte sie: »Es kam zu einer vaginalen Penetration, nachdem er zuvor gewaltsam in die Wunde eingedrungen war.«

5

Der Abend war schnell hereingebrochen, und mit der untergehenden Sonne war auch die Temperatur gesunken. Jeffrey überquerte die Straße, als Lena auf den Parkplatz der Wache fuhr. Sie stieg aus und kam auf ihn zu.

»Was ist denn los?«, fragte sie, aber ihm war klar, dass sie bereits wusste, dass etwas passiert war. »Ist was mit meinem Onkel?«, fragte sie und rieb sich die Arme, um die Kälte zu vertreiben. Sie trug nur ein dünnes T-Shirt und Jeans, nicht ihre normale Arbeitskleidung, denn die Fahrt nach Macon war sozusagen außerdienstlich gewesen.

Jeffrey zog sein Jackett aus und reichte es ihr. Das, was Sara ihm eröffnet hatte, lastete wie ein Stein auf seiner Brust. Wenn Jeffrey ein Wort mitzureden hätte, würde Lena niemals genau erfahren, was mit Sibyl Adams geschehen war. Sie würde niemals erfahren, was diese Bestie ihrer Schwester angetan hatte.

»Gehen wir rein«, sagte er und fasste sie am Arm. »Ich will aber nicht reingehen«, entgegnete sie und riss sich los. Sein Jackett fiel zwischen ihnen zu Boden.

Jeffrey bückte sich, um es aufzuheben. Als er wieder aufsah, hatte Lena die Hände in die Hüften gestemmt. Solange er sie kannte, war Lena Adams schon bei dem nichtigsten Anlass aus der Haut gefahren. Eigentlich hatte Jeffrey gedacht, dass sie eine Schulter brauchte, um sich auszuweinen, oder tröstende Worte. Er konnte sich einfach nicht daran gewöhnen, dass Lena keine sanfte Seite besaß. Er hätte sich auf ihre Wut gefasst machen sollen.

Jeffrey zog sich das Jackett über. »Ich möchte nicht hier draußen darüber sprechen.«

»Was wollen Sie denn sagen?«, verlangte sie zu wissen. »Sie wollen sagen, dass er am Steuer saß, stimmt's? Und von der Straße abgekommen ist, stimmt's?« Sie zählte die Punkte an den Fingerspitzen ab und konfrontierte ihn beinahe wortgetreu mit den Vorschriften aus dem Polizeihandbuch für den Fall, dass jemand darüber informiert werden muss, dass ein Familienmitglied zu Tode gekommen ist. Überfallen Sie die Angehörigen nicht damit. Geben Sie dem Familienmitglied oder geliebten Menschen Zeit, sich mit dem Gedanken vertraut zu machen.

Lena richtete sich weiterhin nach der vorgeschriebenen Reihenfolge, und bei jedem Satz wurde ihre Stimme lauter. »Wurde er von einem anderen Wagen angefahren? Was? Und man hat ihn ins Krankenhaus gebracht? Und man hat versucht, ihn zu retten, aber es doch nicht geschafft? Sie haben alles in ihrer Macht Stehende getan, wie?«

»Lena …«

Sie ging zurück zu ihrem Wagen und drehte sich dann noch mal um. »Wo ist meine Schwester? Haben Sie es ihr schon gesagt?«

Jeffrey atmete tief ein und ganz langsam aus.

»Sieh sich einer das an«, zischte Lena, drehte sich zur Polizeidienststelle und winkte. Marla Simms blickte aus einem der vorderen Fenster. »Komm doch raus, Marla«, rief Lena.

»Kommen Sie«, sagte Jeffrey, bemüht, sie zu besänftigen.

Sie wich vor ihm zurück. »Wo ist meine Schwester?«

Seine Lippen wollten sich nicht bewegen. Mit äußerster Willensanstrengung brachte er heraus: »Sie war im Diner.«

Lena drehte sich um und ging in Richtung des Lokals.

Jeffrey fuhr fort: »Sie ging auf die Toilette.«

Lena blieb abrupt stehen.

»Dort hatte sich jemand versteckt. Er hat ihr ein Messer in die Brust gestoßen.« Jeffrey wartete darauf, dass sie sich umdrehte. Lena verharrte absolut bewegungslos. Er fuhr fort: »Dr. Linton hat mit ihrer Schwester Tessa zu Mittag gegessen. Sie ist auf die Toilette gegangen und hat Sibyl gefunden.«

Lena drehte sich langsam um.

»Sara hat versucht, sie zu retten.«

Lena sah ihm direkt in die Augen. Er zwang sich dazu, nicht wegzusehen.

»Sie ist tot?«

Die Worte taumelten in der Luft wie Nachtfalter vor einer Straßenlaterne.

Lena führte ihre Hand zum Mund. Sie ging ein paar unsichere Schritte im Halbkreis und drehte sich wieder zu Jeffrey um. Ihr fragender Blick schien ihn zu durchbohren. Sollte das etwa ein Scherz sein? War er zu solcher Grausamkeit fähig?

»Sie ist tot«, wiederholte er.

Lena atmete stoßweise. Es war ihr förmlich anzusehen, wie es in ihrem Kopf arbeitete, wie sie die Information zu bewältigen suchte. Lena ging auf die Wache zu, blieb dann stehen. Mit offenem Mund drehte sie sich zu Jeffrey um. Ohne ein weiteres Wort lief sie in Richtung Diner.

»Lena!«, rief Jeffrey und rannte hinter ihr her. Sie trug leichte Turnschuhe und war sehr schnell. Jeffreys klobige

Straßenschuhe waren für eine Verfolgung eher hinderlich, und er bemühte sich mit aller Kraft, sie einzuholen.

Er rief wieder ihren Namen, als sie sich dem Lokal näherte, aber sie raste daran vorbei und bog links zum Medizinischen Zentrum ab.

»Nein, nein«, stöhnte Jeffrey und trieb sich noch schneller voran. Sie war auf dem Weg zum Schauhaus. Noch mal rief er ihren Namen, aber Lena lief, ohne sich umzusehen, auf die Auffahrt des Krankenhauses zu. Sie warf sich gegen die Schiebetüren, sodass sie aus der Führungsschiene sprangen und der Alarm ausgelöst wurde.

Jeffrey war ihr auf den Fersen. Er umrundete die Ecke zur Treppe und hörte, wie Lenas Sohlen auf dem Gummibelag der Stufen quietschten. Ein Dröhnen hallte durch das schmale Treppenhaus, als sie die Tür zum Leichenschauhaus aufriss.

Jeffrey blieb auf der vierten Stufe von unten stehen. Er hörte Saras überraschtes »Lena«, gefolgt von einem schmerzerfüllten Seufzer.

Er zwang sich dazu, die letzten Stufen hinunterzugehen und das Leichenschauhaus zu betreten.

Lena stand über ihre Schwester gebeugt und hielt ihre Hand. Sara hatte ganz offensichtlich versucht, die schlimmsten Verletzungen mit einem Tuch zu bedecken, aber der größte Teil von Sibyls Oberkörper war noch zu sehen.

Lena atmete keuchend, ihr Körper bebte, als hätte sie Schüttelfrost.

Sara warf Jeffrey strafende Blicke zu. Er konnte nur abwehrend die Hände heben. Er hatte sie noch aufzuhalten versucht.

»Wann ist es passiert?«, fragte Lena stotternd. »Wann ist sie gestorben?«

»Gegen vierzehn Uhr dreißig«, antwortete Sara. An ihren Handschuhen klebte Blut, und sie klemmte sie unter die Achseln, um sie zu verbergen.

»Sie fühlt sich so warm an.«

»Ich weiß.«

Lena senkte die Stimme. »Ich war in Macon, Sibby«, sagte sie zu ihrer Schwester und strich ihr das Haar aus der Stirn. Jeffrey war froh, dass Sara sich die Mühe gemacht hatte, wenigstens einen Teil des Blutes auszukämmen.

Im Leichenschauhaus herrschte Stille. Es war unheimlich, Lena neben der toten Frau stehen zu sehen. Sibyl war ihre eineiige Zwillingsschwester, beide waren zierliche Frauen, kaum eins sechzig groß und knapp sechzig Kilo schwer. Ihre Haut hatte denselben olivfarbenen Teint. Lenas dunkelbraunes Haar war länger als das ihrer Schwester, Sibyls lockiger. Der Gesichtsausdruck der Schwestern hätte gegensätzlicher nicht sein können: Die eine wirkte unbeteiligt und emotionslos, die andere von tiefer Trauer zerrissen.

Sara wandte sich ab und zog die Handschuhe aus. »Gehen wir nach oben?«, schlug sie vor.

»Sie waren doch dabei«, sagte Lena mit leiser Stimme. »Was haben Sie getan, um ihr zu helfen?«

Sara blickte auf ihre Hände. »Ich habe das getan, was ich tun konnte.«

Lena streichelte die Wange ihrer Schwester, und sie klang etwas gereizter, als sie fragte: »Und was genau war das?«

Jeffrey wollte dazwischentreten, aber Sara warf ihm einen strengen Blick zu, um ihn daran zu hindern. Seine Chance, die Situation zu retten, war vor zehn Minuten gewesen, nicht jetzt.

»Es ging sehr schnell«, sagte Sara zögernd zu Lena. »Sie bekam Krämpfe.«

Lena legte Sibyls Hand zurück auf den Tisch. Sie zog das Tuch bis unter das Kinn ihrer Schwester und sagte: »Sie sind doch nur Kinderärztin, oder nicht? Was genau haben Sie gemacht, um meiner Schwester zu helfen?« Sie gab Sara keine Möglichkeit, ihrem Blick auszuweichen. »Warum haben Sie keinen richtigen Arzt gerufen?«

Sara lachte kurz auf, ungläubig. Sie atmete tief ein, bevor sie antwortete: »Lena, ich glaube, Sie sollten sich jetzt lieber von Jeffrey nach Hause fahren lassen.«

»Ich will aber nicht nach Hause fahren«, entgegnete Lena gefasst. »Haben Sie einen Krankenwagen gerufen? Haben Sie Ihren Freund hier gerufen?« Mit einem Kopfnicken wies sie auf Jeffrey.

Sara verschränkte die Hände hinter dem Rücken. Sie musste sich mit aller Kraft zusammenreißen. »Wir werden uns jetzt nicht darüber unterhalten. Dazu sind Sie viel zu aufgeregt.«

»Ich bin zu aufgeregt«, wiederholte Lena und ballte die Fäuste. »Sie meinen, ich bin aufgewühlt?«, sagte sie, diesmal lauter. »Sie meinen, ich bin zu verdammt aufgewühlt, um mit Ihnen darüber zu sprechen, warum Sie verdammt noch mal meiner Schwester nicht geholfen haben?«

So schnell, wie sie auf dem Parkplatz losgerannt war, stürzte Lena sich jetzt auf Sara.

»Sie sind Ärztin!«, schrie Lena. »Wie konnte sie sterben, obwohl eine verdammte Ärztin danebenstand?«

Sara blickte schweigend zur Seite.

»Sie können mir ja nicht einmal in die Augen schauen«, sagte Lena. »Oder?«

Sara änderte ihre Blickrichtung nicht.

»Sie haben meine Schwester sterben lassen, und Sie können mir verdammt noch mal nicht einmal richtig ins Gesicht sehen.«

»Lena«, sagte Jeffrey, der jetzt endlich eingriff. Er legte ihr eine Hand auf den Arm, wollte sie zurückhalten.

»Lassen Sie mich los«, schrie sie und trommelte mit den Fäusten auf ihn ein. Er packte ihre Hände und hielt sie fest. Sie ging trotzdem weiter auf ihn los, kreischte, spuckte und trat um sich. Aber er ließ sie nicht los, ertrug die Beschimpfungen, ließ sie alles rauslassen, bis sie zusammenbrach und vor ihm auf dem Boden lag. Jeffrey hockte sich neben sie und nahm sie in den Arm. Sie schluchzte hemmungslos. Als er nach Sara schauen wollte, war sie nirgends mehr zu entdecken.

Jeffrey zog mit einer Hand ein Taschentuch aus seiner Schreibtischschublade und hielt mit der anderen den Telefonhörer ans Ohr. Mit dem Tuch tupfte er sich das Blut von den Lippen, als die metallische Version von Saras Stimme ihn aufforderte, auf den Piepton zu warten.

»He«, sagte er und nahm das Tuch vom Mund. »Bist du da?« Er wartete einige Sekunden. »Ich wollte mich nur vergewissern, dass es dir gut geht, Sara.« Weitere Sekunden vergingen. »Wenn du nicht abnimmst, komme ich bei dir vorbei.« Er hätte eigentlich erwartet, dass darauf eine Reaktion kommen würde, aber nichts geschah. Er ließ den Anrufbeantworter bis zum Ende ablaufen und legte auf.

Frank klopfte an die Bürotür. »Die Kleine ist auf der Toilette«, sagte er und meinte damit Lena. Jeffrey wusste, dass Lena es hasste, Kleine genannt zu werden, aber Frank Wallace wusste nicht, wie er sonst seinem Partner zeigen sollte, dass er Mitgefühl empfand und besorgt war.

Frank sagte: »Sie hat 'ne fiese Rechte, stimmt's?«

»Yeah.« Jeffrey faltete das Taschentuch so, dass er eine saubere Ecke benutzen konnte. »Sie weiß, dass ich auf sie warte?«

»Ich sorge dafür, dass sie keine Umwege macht«, erbot sich Frank.

»Gut«, sagte Jeffrey. »Danke.«

Er sah, wie Lena durch den Wachraum ging, das Kinn trotzig nach vorn gereckt. Als sie in seinem Büro angelangt war, schloss sie in aller Ruhe die Tür hinter sich und ließ sich auf einen der beiden Stühle sinken, die ihm gegenüberstanden. Sie machte ein Gesicht wie eine beschämte Schülerin, die zum Direktor gerufen worden war.

»Tut mir leid, dass ich Sie geschlagen habe«, murmelte sie.

»Yeah«, erwiderte Jeffrey und hielt das Taschentuch in die Höhe. »Mehr hab ich nur beim Spiel Auburn gegen Alabama abgekriegt.« Sie reagierte nicht, und er fügte hinzu: »Und da stand ich auf der Tribüne.«

Lena stützte einen Arm auf die Stuhllehne und legte das Kinn in die Hand. »Haben Sie irgendwelche Anhaltspunkte?«, fragte sie. »Oder Verdächtige?«

»Wir lassen im Moment alles durch den Computer laufen«, sagte er. »Morgen früh sollten wir eine Liste haben.«

Sie legte die Hand über die Augen. Er faltete das Taschentuch, wartete darauf, dass sie etwas sagte.

Sie flüsterte: »Sie wurde vergewaltigt?«

»Ja.«

»Wie schlimm?«

»Das weiß ich nicht.«

»Sie wurde aufgeschlitzt«, sagte Lena. »Irgend so ein Jesus-Freak?«

Seine Antwort entsprach der Wahrheit: »Ich weiß es nicht.«

»Sie scheinen verdammt wenig zu wissen«, sagte sie schließlich.

»Da haben Sie recht«, stimmte er zu. »Ich muss ihnen einige Fragen stellen.«

Lena hob nicht den Blick, aber er sah, dass sie ein Nicken andeutete.

»Hat sie sich mit jemandem getroffen?«

Jetzt sah sie doch auf. »Nein.«

»Irgendwelche männlichen Freunde von früher?«

Ein leichtes Flackern in ihrem Blick, und ihre Antwort kam nicht so schnell wie vorher. »Nein.«

»Sind Sie da sicher?«

»Ja, ganz sicher.«

»Nicht mal jemand von vor Jahren? Sibyl ist – wann war das – vor ungefähr sechs Jahren hergezogen?«

»Richtig«, sagte Lena und klang wieder feindselig. »Sie hat einen Job am College angenommen, um in meiner Nähe sein zu können.«

»Hat sie mit jemandem zusammengelebt?«

»Was soll das heißen?«

Jeffrey ließ das Taschentuch fallen. »Es heißt, was es heißt, Lena. Sie war blind. Ich nehme an, da war sie auf Hilfe angewiesen. Also, lebte sie mit jemandem zusammen?«

Lena schürzte die Lippen, als überlegte sie, ob sie antworten sollte oder nicht. »Sie hatte mit Nan Thomas zusammen ein Haus an der Cooper.«

»Mit der Bibliothekarin?« Das würde erklären, warum Sara ihr in der Bibliothek begegnet war.

Lena sagte mit gedämpfter Stimme: »Ich muss Nan ja wohl auch von dem Ganzen hier berichten.«

Jeffrey nahm an, dass Nan Thomas bereits Bescheid wusste. In Grant blieb nichts lange geheim. Dennoch bot er an: »Ich kann es ihr auch sagen.«

»Nein«, sagte sie und warf ihm einen vernichtenden Blick zu. »Ich denke, es ist besser, wenn sie es von jemandem erfährt, den sie kennt.«

Was unterschwellig damit gemeint war, entging Jeffrey nicht, aber er entschied sich gegen die Konfrontation. Lena war auf einen neuen Streit aus, so viel war klar. »Ich bin sicher, dass sie bereits etwas gehört hat. Doch Einzelheiten wird sie keine erfahren haben.«

»Sie wird nichts von der Vergewaltigung wissen, meinen Sie?« Lena wippte nervös mit dem Bein. »Ich nehme an, ich sollte ihr nichts von dem Kreuz erzählen?«

»Wohl besser nicht«, antwortete er. »Wir müssen einige der Details zurückhalten für den Fall, dass jemand gesteht.«

»Den würde ich gern in die Finger kriegen, der ein falsches Geständnis macht«, flüsterte Lena. Ihr Bein bewegte sich noch immer.

»Sie sollten heute Nacht nicht allein bleiben«, sagte er. »Möchten Sie, dass ich Ihren Onkel anrufe?« Er wollte nach dem Telefon greifen, aber sie hielt ihn mit einem »Nein« davon ab.

»Mir geht es gut«, sagte sie und stand auf. »Ich sehe Sie dann morgen.«

Auch Jeffrey erhob sich, froh, zu einem Ende zu kommen. »Ich rufe Sie an, sobald wir was haben.«

Sie sah ihn verblüfft an. »Wann ist die Einsatzbesprechung?«

Er merkte, worauf sie hinauswollte. »Ich werde Sie an diesem Fall nicht mitarbeiten lassen, Lena. Das müssen Sie wissen.«

»Sie verstehen nicht«, sagte sie. »Wenn Sie mich nicht daran mitarbeiten lassen, dann hat ihre Freundin demnächst noch eine Leiche auf dem Tisch.«

6

Lena trommelte mit der Faust an Sibyls Haustür. Sie wollte schon zurück zu ihrem Wagen gehen und ihren Zweitschlüssel holen, als Nan Thomas die Tür öffnete.

Nan war kleiner als Lena, wog aber ungefähr fünf Kilo mehr. Mit ihren kurzen graubraunen Haaren und dicken Brillengläsern sah sie ganz genau so aus, wie man sich die typische Bibliothekarin vorstellte.

Nans Augen waren rot geweint und geschwollen. Tränen liefen ihr immer noch über die Wangen. Sie hielt ein zusammengeknülltes Papiertaschentuch in der Hand.

Lena sagte: »Ich nehme an, Sie haben es schon gehört.«

Nan machte eine Kehrtwendung, ging ins Haus zurück und ließ die Tür für Lena offen. Die beiden Frauen waren noch nie gut miteinander ausgekommen. Wäre Nan Thomas nicht Sibyls Geliebte gewesen, hätte Lena wohl kaum je ein Wort mit ihr gewechselt.

Das Haus war ein Bungalow aus den Zwanzigerjahren. Die ursprüngliche Architektur war größtenteils erhalten, von den Holzfußböden bis zu den schlichten Türfüllungen. Die Vordertür führte in einen großen Wohnraum mit einem Kamin auf der einen Seite und dem Esszimmer auf der anderen, von wo aus die Küche abging. Zwei kleine Schlafzimmer und ein Bad vervollständigten den einfachen Grundriss.

Lena ging zielstrebig den Flur entlang. Sie öffnete die erste Tür zu ihrer Rechten und betrat das Schlafzimmer, das Sibyl sich als Arbeitsraum eingerichtet hatte. Alles war penibel aufgeräumt, in erster Linie wohl aus reiner Notwendigkeit. Da Sibyl blind war, mussten sich alle Dinge stets an ihrem Platz befinden, damit sie sie auch finden konnte. Bücher in Braille waren in regalen gestapelt. Zeitschriften, ebenfalls in Blindenschrift, lagen ausgebreitet auf dem Couchtisch vor einem alten Futon. Auf einem Schreibtisch auf der gegenüberliegenden Seite stand ein Computer. Lena schaltete ihn ein, als Nan das Zimmer betrat.

»Was denken Sie sich eigentlich dabei?«

»Ich muss ihre persönlichen Dinge überprüfen.«

»Und wieso?«, fragte Nan und trat an den Schreibtisch. Sie legte die Hand auf die Tastatur, als könnte sie Lena dadurch Einhalt gebieten.

»Ich muss prüfen, ob etwas Eigentümliches vorgefallen ist, ob jemand sie verfolgt hat.«

»Und wieso gerade hier?«, fragte Nan. Sie nahm die Tastatur an sich. »Den Computer hat sie nur für ihre Arbeit benutzt. Sie könnten doch nicht einmal mit der Software zur Spracherkennung umgehen.«

Lena griff sich die Tastatur. »Das kriege ich schon raus.«

»Nein, kriegen Sie nicht«, widersprach Nan. »Das hier ist auch mein Haus.«

Lena stemmte die Hände in die Hüften und ging mitten ins Zimmer. Sie entdeckte einen Stapel Papier neben einer alten Schreibmaschine für Blindenschrift. Sie nahm die Seiten zur Hand und wandte sich an Nan. »Was ist das hier?«

Nan stürzte auf sie zu und entriss ihr die Seiten. »Das ist ihr Tagebuch.«

»Können Sie das lesen?«

»Das ist ihr persönliches Tagebuch«, wiederholte Nan entsetzt. »Es enthält ihre ganz privaten Gedanken.«

Lena biss sich auf die Unterlippe und überlegte sich eine bessere Taktik. Dass sie Nan Thomas nie hatte leiden können, war in diesem Haus kein Geheimnis. »Sie können Braille lesen, nicht wahr?«

»Etwas.«

»Sie müssen mir sagen, was hier steht, Nan. Jemand hat sie umgebracht.« Sie tippte auf die Seiten. »Vielleicht war jemand hinter ihr her. Vielleicht hatte sie vor etwas Angst und wollte es uns nicht sagen.«

Nan wandte sich ab und fuhr mit dem Finger über die oberste Reihe der Punkte, aber Lena merkte, dass sie nicht wirklich las. Lena hatte den Eindruck, dass sie die Seiten nur berührte, weil Sibyl es auch getan hatte, und dadurch wohl hoffte, etwas von Sibyl in sich aufzunehmen.

Nan sagte: »Montags ist sie immer essen gegangen, um mal etwas zu tun, bei dem sie ganz auf sich allein gestellt war.«

»Ich weiß.«

»Wir wollten uns heute Abend eigentlich Burritos machen.« Nan legte den Stapel Papier auf den Schreibtisch. »Tun Sie, was Sie tun müssen«, sagte sie. »Ich bin im Wohnzimmer.«

Lena wartete, bis sie gegangen war, und machte sich dann wieder an ihre Arbeit. Was den Computer betraf, hatte Nan recht gehabt. Lena wusste nicht, wie die Software funktionierte. Sibyl hatte das Gerät auch nur für die Arbeit am College benutzt. Sibyl hatte in den Computer diktiert, was sie brauchte, und ihre Assistentin hatte dafür gesorgt, dass Kopien ausgedruckt wurden.

Das zweite Schlafzimmer war ein wenig größer als das erste. Lena stand in der Türöffnung und ließ das säuberlich gemachte Bett auf sich wirken. Gemütlich eingepackt zwischen den Kissen lag Pu, der Teddybär. Pu war alt und stellenweise abgescheuert. In ihren Kindertagen war Sibyl nur höchst selten ohne Pu aufgetreten, und den Teddybären wegzuwerfen war ihnen wie eine Schandtat vorgekommen. Lena lehnte sich gegen den Türrahmen und sah vor ihrem geistigen Auge ein Bild von Sibyl als Kind. Sie stand da mit ihrem Teddybären Pu. Lena schloss die Augen und überließ sich der Erinnerung. Viel hatte es in ihrer Kindheit nicht gegeben, an das Lena sich gern erinnerte, aber ein besonderer Tag ragte heraus. Ein paar Monate nach dem Unfall, durch den Sibyl erblindet war, gab Lena ihrer Schwester, die auf der Schaukel saß, immer wieder Schwung. Sibyl hielt Pu ganz fest an die Brust gedrückt, hatte den Kopf in den Nacken geworfen, weil sie den Luftzug spürte, und lächelte. Ein so großes Vertrauen herrschte zwischen ihnen, dass Sibyl ohne jede Furcht auf die Schaukel stieg und sich sicher war, dass Lena sie weder zu hoch noch zu schnell schaukelte. Lena hatte sich verantwortlich gefühlt und war stolz darauf. Sie gab Sibyl Schwung, bis ihr die Arme wehtaten.

Lena rieb sich die Augen und schloss die Schlafzimmertür. Sie ging ins Badezimmer und öffnete den Arzneischrank. Bis auf Sibyls gewohnte Vitamine und Kräuter war er leer. Lena öffnete den Wandschrank und wühlte sich durch Toilettenpapier und Tampons, Haargel und Handtücher. Wonach sie suchte, wusste Lena nicht. Sibyl würde niemals etwas verstecken. Denn sie wäre die Letzte gewesen, die es wieder-gefunden hätte.

»Sibby«, hauchte Lena und wandte sich wieder zum Spie-gel über dem Waschbecken. Sie sah Sibyl, nicht sich. Lena flüsterte ihrem Spiegelbild zu: »Sag mir etwas. Bitte.«

Sie schloss die Augen und versuchte, sich zu orientieren, wie Sibyl es getan hätte. Das Badezimmer war klein, Lena konnte beide Wände mit den Händen berühren, wenn sie in der Mitte stand. Sie öffnete die Augen und seufzte enttäuscht. Nichts.

Nan Thomas saß im Wohnzimmer auf der Couch. Sie hatte Sibyls Tagebuch auf dem Schoß und sah nicht auf, als Lena hereinkam. »Ich habe die Eintragungen der letzten Tage ge-lesen«, sagte sie mit ausdrucksloser Stimme. »Nichts Unge-wöhnliches. Sie machte sich nur Sorgen um eine Studentin im ersten Semester, die durchzufallen drohte.«

Lena stützte sich an der Wand ab. »Waren im letzten Mo-nat irgendwelche Handwerker da?«

»Nein.«

»Jemand, der Post abgegeben hat? Kein Bote von UPS oder Fedex?«

»Niemand Neues. Wir sind hier in Grant County, Lee.«

Lena sträubten sich die Haare, als sie den vertrauten Na-men hörte. Sie gab sich alle Mühe, ihren Zorn zu unterdrü-cken. »Sie hat nicht gesagt, dass sie das Gefühl hatte, verfolgt zu werden oder dergleichen?«

»Ganz und gar nicht. Sie verhielt sich absolut normal.« Nan presste die Tagebuchseiten an die Brust. »Mit ihren Stu-denten war alles in Ordnung. Mit uns war alles in Ordnung.« Ein leichtes Lächeln trat auf ihre Lippen. »Wir hatten vor, an diesem Wochenende einen Tagesausflug nach Eufalla zu machen.«

Lena zog ihre Autoschlüssel aus der Tasche. »In Ordnung«, sagte sie knapp. »Ich denke, wenn irgendwas auftaucht, sollten Sie mich anrufen.«

»Lee …«

Lena hob eine Hand. »Bitte nicht.«

Nan reagierte auf die Ermahnung mit einem Stirnrunzeln. »Ich werde Sie anrufen, wenn mir etwas einfällt.«

Um Mitternacht leerte Lena ihre dritte Flasche Rolling Rock. Sie fuhr außerhalb von Madison über die Bezirksgrenze von Grant County. Sie erwog kurz, die leere Flasche aus dem Wagenfenster zu werfen, aber hielt sich in letzter Minute zurück. Sie lachte über ihr verqueres Moralempfinden: Sie fuhr zwar unter Alkoholeinfluss, aber die Landschaft zu verunreinigen kam nicht infrage. Irgendwo musste man schließlich die Grenze ziehen.

Als Lenas Mutter Angela Norton aufwuchs, hatte sie mit ansehen müssen, wie ihr Bruder Hank tiefer und tiefer in einen bodenlosen Sumpf von Alkohol und Drogenmissbrauch versank. Hank hatte Lena erzählt, dass ihre Mutter strenge Abstinenzlerin gewesen war. Als Angela ihren Calvin Adams geheiratet hatte, hatte das einzige Verbot, auf dem sie bestand, von ihm verlangt, dass er niemals mit seinen Polizistenkollegen zum Trinken ging. Von Cal wusste man zwar, dass er manchmal über die Stränge schlug, aber im Großen und Ganzen kam er dem Wunsch seiner Frau nach. Im dritten Monat ihrer Ehe machte er eine routinemäßige Verkehrskontrolle an einer unbefestigten Straße außerhalb von Reece, Georgia, als der Fahrer seine Waffe zog. Von zwei Schüssen in den Kopf getroffen starb Calvin Adams, ehe sein Körper den Boden berührte.

Mit dreiundzwanzig war Angela kaum auf ein Leben als Witwe vorbereitet gewesen. Als sie beim Begräbnis ihres Mannes in Ohnmacht fiel, schrieb ihre Familie das ihrem schwachen Nervenkostüm zu. Nach vier Wochen morgendlicher Übelkeit nannte ihre Ärztin dann die Diagnose: Angela war schwanger.

Im Laufe der Schwangerschaft wurde Angela immer verzagter. Eine wirklich glückliche Frau war sie ohnehin nie gewesen. Das Leben in Reece war nicht leicht, und die Norton-Familie hatte ihre Erfahrung mit schwierigen Zeiten. Hank Norton war berüchtigt wegen seines Jähzorns und galt als einer jener gewalttätigen Trunkenbolde, denen man besser nicht in einer dunklen Gasse begegnete. In der Obhut ihres älteren Bruders hatte Angela gelernt, sich lieber aus allen Streitigkeiten herauszuhalten. Zwei Wochen nachdem sie ihre Zwillingsmädchen zur Welt gebracht hatte, erlag Angela Adams einer Infektionskrankheit. Sie war gerade vierundzwanzig Jahre alt. Hank Norton war als einziger Verwandter bereit, ihre beiden Mädchen bei sich aufzunehmen.

Wenn man Hanks Erzählungen Glauben schenkte, hatten Sibyl und Lena sein Leben völlig umgekrempelt. An dem Tag, als er sie in sein Haus brachte, hatte er aufgehört, Raubbau mit seinem Körper zu betreiben. Er behauptete, allein durch ihre Existenz Gott gefunden zu haben, und sagte heute noch, er könne sich bis in alle Einzelheiten daran erinnern, wie es gewesen war, Lena und Sibyl zum ersten Mal im Arm zu halten.

In Wahrheit hatte Hank nur aufgehört, sich Speed zu spritzen, als die Mädchen zu ihm kamen. Mit dem Trinken hörte er erst sehr viel später auf. Als das geschah, waren die Mädchen acht. Ein schlechter Tag bei der Arbeit hatte Hank dazu veranlasst, sich volllaufen zu lassen. Als er keinen Schnaps mehr hatte, beschloss er, nicht zu Fuß zum Spirituosenhändler zu gehen, sondern das Auto zu nehmen. Er kam nicht mal bis auf die Straße. Sibyl und Lena spielten im Vorgarten Ball. Lena wusste immer noch nicht, was Sibyl sich dabei gedacht hatte, bis in die Auffahrt hinter dem Ball herzulaufen. Der Wagen hatte sie von der Seite erwischt. Die Stoßstange hatte sie mit voller Wucht an der Schläfe getroffen, als sie sich bückte, um den Ball aufzuheben.

Die Behörden des County waren eingeschaltet worden, aber die Untersuchung verlief im Sande. Von Reece aus brauchte man mit dem Auto vierzig Minuten zum nächsten Krankenhaus. Hank hatte genügend Zeit, nüchtern zu werden und eine glaubwürdige Geschichte zu erfinden. Lena konnte sich noch daran erinnern, wie sie mit ihm im Wagen gesessen und beobachtet hatte, wie seine Lippen sich bewegten, als er sich die Geschichte ausdachte. Zu jener Zeit war die achtjährige Lena nicht ganz sicher, was überhaupt passiert war, und als sie von der Polizei befragt wurde, hatte sie Hanks Geschichte bestätigt.

Noch immer träumte Lena ab und zu von dem Unfall, und in diesen Träumen prallte Sibyls Körper kaum anders als der Ball auf den Boden. Dass Hank angeblich seither keinen Tropfen Alkohol mehr getrunken hatte, war für Lena ohne jede Bedeutung. Der Schaden war irreparabel.

Sie machte noch eine Flasche Bier auf und nahm beide

Hände vom Lenkrad, um den Schraubverschluss abzudrehen. Sie trank einen großen Schluck und verzog das Gesicht. Alkohol hatte sie noch nie sonderlich gereizt. Lena hasste es, sich nicht unter Kontrolle zu haben, hasste den betrunkenen Zustand und die Benommenheit. Sich zu betrinken war etwas für schwache Menschen, eine Krücke für diejenigen, die nicht genügend Kraft besaßen, ihr eigenes Leben zu leben, auf eigenen Füßen zu stehen. Sich zu betrinken hieß, vor etwas davonzulaufen. Lena nahm noch einen Schluck Bier und dachte, eben jetzt sei genau der richtige Zeitpunkt dafür.

Der Celica brach aus, als sie zu schnell in die Ausfahrt abbog. Lena lenkte mit einer Hand gegen und hielt die Bierflasche fest in der anderen. Eine scharfe Rechtskurve brachte sie zum »Stop 'n' Save« von Reece. Das Innere des Ladens war dunkel. Wie die meisten Geschäfte in der Stadt schloss auch die Tankstelle um 22 Uhr. Aber wenn die Erinnerung sie nicht täuschte, musste man nur um das Gebäude herumgehen, um auf eine Gruppe Teenager zu stoßen, die Alkohol tranken, Zigaretten rauchten und auch sonst alle jene Dinge taten, von denen ihre Eltern nichts wissen wollten. Lena und Sibyl waren an so manchem dunklen Abend hierherspaziert, nachdem sie sich unter Hanks nicht sonderlich wachsamen Augen davongeschlichen hatten.

Lena sammelte die leeren Flaschen zusammen und stieg aus dem Wagen. Sie stolperte, weil ihr Fuß an der Tür hängen blieb. Eine Flasche rutschte ihr aus der Hand und zerbrach auf dem Beton. Fluchend trat sie die Scherben von ihren Reifen weg und ging zum Mülleimer. Als sie die leeren Flaschen hineinwarf, starrte Lena auf ihr Spiegelbild im Sicherheitsglas der Schaufensterscheibe. Eine Sekunde lang meinte sie, Sibyl zu sehen. Sie legte die Hand auf die Scheibe, berührte ihre Lippen und ihre Augen.

»Mein Gott«, seufzte Lena. Dies war einer der vielen Gründe, warum sie nicht trinken mochte. Sie war ja schon fast ein Fall für die Klapsmühle.

Musik plärrte von der Bar auf der anderen Straßenseite herüber. Hank betrachtete es als Prüfung seiner Willensstärke, dass er eine Bar besaß, aber keinen Tropfen trank. »The Hut« sah ein wenig nach Südsee aus. Das Dach war so hoch wie nötig mit Reet gedeckt, und der First war mit verrostetem Blech beschlagen. Fackeln mit orangen und roten Glühbirnen statt echter Flammen standen links und rechts vom Eingang, und die Tür war so gestrichen, dass es aussah, als sei sie aus Gras. Zwar blätterte überall die Farbe von den Wänden ab, aber man konnte das Bambusmuster noch ahnen.

Betrunken, wie sie war, besaß Lena dennoch genügend Selbstkontrolle, um nach links und rechts zu sehen, bevor sie die Straße überquerte. Mit schlurfenden Schritten, die Arme zur Seite ausgestreckt, um das Gleichgewicht zu halten, ging sie über den Kies des Parkplatzes. Von den ungefähr fünfzig Fahrzeugen auf dem Platz waren vierzig Pick-ups. Da man sich im »Neuen« Süden befand, hatten die Kleinlaster keine Gewehrhalterungen mehr, sondern Chromleisten und goldene Zierstreifen an den Seiten. Die anderen Autos waren Jeeps und Geländewagen. Startnummern für Nascar-Rennen waren auf die rückwärtigen Scheiben gemalt. Hanks cremefarbener Mercedes von 1983 war die einzige Limousine auf dem Platz.

In »The Hut« stank es nach Zigarettenrauch, und Lena musste ganz flach atmen, um nicht zu würgen. Ihre Augen brannten, als sie zum Tresen ging. In den vergangenen zwanzig Jahren hatte sich nicht viel verändert. Der Fußboden war klebrig von Bier, und unter den Füßen knirschten Erdnussschalen. Zur Linken befanden sich Nischen, in denen wahrscheinlich mehr DNA-Material zu finden war als im Labor des FBI von Quantico. Rechts erstreckte sich eine lange Bar aus Fünfzig-Gallonen-Fässern und Fichtenkernholz. An der hinteren Wand befand sich die Bühne, links und rechts von ihr jeweils die Damen- und Herrentoiletten. In der Mitte des Raums lag das, was Hank die Tanzfläche nannte. Abends war sie meistens brechend voll von Männern und Frauen. »The Hut« war eine »Halbdrei-Bar«, womit gemeint war, dass um halb drei Uhr morgens alle Gäste noch blendend aussahen.

Hank war nirgends zu sehen, aber Lena wusste, dass er bei einem »Je-ka-mi«-Abend wie heute nicht weit sein konnte. Jeden zweiten Montag waren die Gäste der »Hut« herzlich eingeladen, auf die Bühne zu gehen und sich vor dem Rest der Stadt zum Narren zu machen. Bei dem Gedanken daran grauste es Lena. Im Vergleich zu Reece war Heartsdale eine geschäftige Metropole. Wäre nicht die Reifenfabrik gewesen, die meisten Männer hier im Raum hätten schon vor Jahren die Flucht ergriffen. Aber so waren sie zufrieden, sich zu Tode zu trinken und dabei so zu tun, als seien sie froh und glücklich.

Lena rutschte auf den erstbesten freien Barhocker. Der Countrysong aus der Musikbox hatte einen stampfenden Bassrhythmus; sie stützte die Ellbogen auf die Theke und hielt sich die Ohren zu, um sich möglichst ungestört beim Denken zuzuhören.

Jemand stieß gegen ihren Arm, und als sie den Kopf hob,

sah sie den Prototyp eines Hinterwäldlers neben sich sitzen. Sein Gesicht war sonnenverbrannt, und zwar vom Hals aufwärts bis zwei Zentimeter unter dem Haaransatz, weil er wahrscheinlich im Freien gearbeitet und dabei seine Baseballkappe getragen hatte. Sein Hemd war so gestärkt, dass man es hätte hinstellen können, und die Manschetten lagen eng um seine dicken Handgelenke. Die Musikbox verstummte plötzlich, und Lena mahlte mit den Kinnbacken, damit es in den Ohren knackte und sie sich nicht mehr so vorkam, als sei sie in einem Tunnel.

Der Gentleman-Nachbar knuffte sie mit dem Ellenbogen in die Seite, grinste und sagte: »He, Lady.«

Lena verdrehte die Augen und weckte die Aufmerksamkeit des Barkeepers. »JD on the rocks«, bestellte sie.

»Das geht auf mich«, sagte der Mann und knallte einen Zehndollarschein auf die Theke. Wenn er sprach, kollidierten seine Wörter wie die Waggons eines entgleisten Güterzugs, und Lena wurde klar, dass er viel betrunkener war, als sie je werden wollte.

Der Mann bedachte sie mit einem lüsternen Grinsen. »Weißt du was, Zuckerpuppe, ich würde gern was Biblisches mit dir anstellen.«

Sie beugte sich dicht an sein Ohr. »Sollte ich je feststellen, dass du es getan hast, werd ich dir mit meinem Zündschlüssel die Eier rausreißen.«

Er öffnete den Mund, um etwas zu entgegnen, wurde aber vom Barhocker gerissen, bevor er ein Wort herausbekam. Hank hielt den Mann am Hemdkragen gepackt und stieß ihn dann in die Menge. Der Blick, mit dem ihr Onkel sie musterte, war genauso grimmig wie der, mit dem sie ihn ansah.

Lena hatte Hank nie gemocht. Anders als Sibyl war sie jemand, der nur schwer verzeihen konnte. Auch wenn Lena Sibyl nach Reece fuhr, damit sie den Onkel besuchen konnte, verbrachte sie den größten Teil der Zeit im Auto oder saß auf der Vordertreppe, Autoschlüssel in der Hand, um sofort aufbrechen zu können, sobald Sibyl wieder zur Haustür herauskam.

Trotz der Tatsache, dass Hank sich im Alter von zwanzig bis fast vierzig ständig Speed in die Venen gespritzt hatte, war er keineswegs ein Idiot. Dass Lena mitten in der Nacht bei ihm auftauchte, konnte nur eins bedeuten.

Sie sahen einander immer noch starr an, als die Musik von Neuem loslegte, die Wände zu erschüttern schien und den Boden so stark vibrieren ließ, dass man es auf dem Barhocker spürte. Was Hank fragte, las sie eher von seinen Lippen ab, als dass sie es hören konnte: »Wo ist Sibyl?«

An die Bar angebaut und eher wie eine Außentoilette wirkend, war Hanks Büro nicht viel mehr als ein kleiner Holzverschlag mit Blechdach. Eine Glühbirne hing an einem fast durchgescheuerten Kabel, das wahrscheinlich gleich nach der großen Depression im Rahmen eines staatlichen Hilfsprogramms installiert worden war. Plakate von Bier- und Schnapsfirmen dienten als Tapeten. Weiße Kartons mit Spirituosen waren vor der rückwärtigen Wand aufgestapelt, sodass vielleicht noch drei Quadratmeter Platz blieben für einen Schreibtisch und je einen Stuhl auf beiden Seiten. Um die Stühle und den Tisch herum häuften sich Schachteln voller Quittungen und Belege, die Hank als Betreiber der Bar im Laufe der Jahre angesammelt hatte. Ein Bach, der hinter der Bar entlangfloss, sorgte dafür, dass stets Feuchtigkeit und Moder in der Luft lagen. Lena nahm an, dass Hank gern an diesem düsteren und muffigen Ort arbeitete.

»Ich sehe, du hast renoviert«, sagte Lena und stellte ihr Glas auf eine Schachtel. Hank warf einen flüchtigen Blick auf das Glas und sah wieder Lena an. »Du trinkst doch gar nicht.«

Sie hob das Glas und prostete ihm zu. »Auf die Spätentwicklerin.«

Hank setzte sich auf seinen Bürostuhl, die Hände vor dem Bauch verschränkt. Er war hochgewachsen und dürr, und seine Haut neigte dazu, im Winter schuppig zu werden. Hanks Vater war Spanier, aber äußerlich ähnelte er weit mehr seiner Mutter, einer käsigen Frau, die so sauertöpfisch war, wie sie aussah. Lena war es immer so vorgekommen, als besäße Hank große Ähnlichkeit mit einer Albinoschlange.

Er fragte: »Was treibt dich in diese Gegend?«

»Wollte nur mal reinschauen«, kriegte sie über den Rand des Glases heraus. Der Whiskey hinterließ einen bitteren Geschmack. Sie ließ den Blick nicht von Hank, als sie das Glas leerte und es dann mit Schwung auf die Schachtel zurückstellte. Lena konnte sich nicht erklären, was sie zurückhielt. Jahrelang hatte sie darauf gewartet, einmal die Oberhand über Hank Norton zu gewinnen. Jetzt war ihre Chance gekommen, ihm so wehzutun, wie er Sibyl wehgetan hatte.

»Hast du jetzt auch angefangen, Kokain zu schnupfen, oder nur geheult?«

Lena fuhr sich mit dem Handrücken über den Mund. »Was meinst du wohl?«

Hank starrte sie an und rieb sich die Hände. Das war mehr

als eine nervöse Angewohnheit, wie Lena wusste. Hank hatte schon früh Arthritis bekommen, weil er sich immer wieder Speed in die Venen seiner Hände gespritzt hatte. Da die meisten Venen durch die starken Zusatzstoffe, mit denen die Droge gestreckt wurde, verkalkt waren, funktionierte auch in den Armen der Blutkreislauf nicht mehr so gut. Meist waren seine Hände eiskalt und schmerzten unentwegt.

Er hörte plötzlich auf, sich die Hände zu reiben. »Bringen wir's hinter uns, Lee. Ich muss eine Show für die Bühne stemmen.«

Lena wollte den Mund öffnen, aber sie brachte keinen Ton heraus. Zum Teil war sie ärgerlich über seine arrogant-schnodderige Art, die er ihr gegenüber schon seit jeher an den Tag gelegt hatte. Zum anderen wusste sie nicht, wie sie es ihm sagen sollte. Sosehr Lena ihren Onkel auch hasste, war er doch ein menschliches Wesen. Hank war in Sibyl vernarrt gewesen. Während der Highschool-Zeit konnte Lena ihre Schwester nicht überallhin mitnehmen, und so war Sibyl oft zu Hause bei Hank geblieben. Die enge Beziehung zwischen beiden war unbestreitbar, und sosehr Lena auch den Wunsch verspürte, ihren Onkel leiden zu sehen, hatte sie doch eine gewisse Hemmung. Lena hatte Sibyl geliebt, Sibyl hatte Hank geliebt.

Hank griff nach einem Kugelschreiber, drehte ihn zwischen den Fingern und ließ ihn über den Tisch wandern, bevor er schließlich fragte: »Was gibt's denn für Probleme, Lee? Brauchst du Geld?«

Wenn es so einfach wäre, dachte Lena.

»Auto kaputt?«

Sie schüttelte langsam den Kopf.

»Es ist wegen Sibyl«, stellte er fest, und dabei drohte seine Stimme zu versagen.

Als Lena nicht antwortete, nickte er und faltete die Hände, als wollte er beten. »Sie ist krank?«, fragte er. Man merkte seiner Frage an, dass er das Schlimmste befürchtete. In diesem einen Satz lag mehr Gefühl, als Lena ihren Onkel je hatte ausdrücken sehen. Sie betrachtete ihn, als sähe sie ihn zum ersten Mal. Seine käsige Haut hatte eine Vielzahl jener roten Flecken, die blasse Männer mit zunehmendem Alter im Gesicht bekommen. Sein Haar, schon silbrig grau, solange sie sich erinnern konnte, hatte jetzt unter der Sechzig-Watt-Glühbirne einen stumpfen gelblichen Schimmer. Sein Hawaiihemd war zerknittert, was er sich sonst eigentlich nie leistete, und seine Hände zitterten leicht.

Lena machte es so, wie Jeffrey Tolliver es auch getan hatte. »Sie war im Diner in der Stadtmitte«, fing sie an. »Du weißt schon, gegenüber von dem Kleidergeschäft.« Er nickte. »Sie ging zu Fuß. Das hat sie jede Woche ein Mal gemacht, sie wollte etwas tun, bei dem sie auf sich allein gestellt war.«

Hank schlug die Hände vors Gesicht und rechnete mit dem Schlimmsten.

»Also, ähm …« Lena hob das Glas, weil sie etwas tun musste. Sie schlürfte den letzten Rest Whiskey von den Eiswürfeln und fuhr fort: »Sie ging auf die Toilette, und dort hat sie jemand umgebracht.«

In dem winzigen Büroraum war kaum ein Ton zu hören. Grashüpfer zirpten draußen. Der Bach gluckerte. Das ferne Dröhnen der Musikbox klang aus der Bar herüber.

Ohne Vorwarnung drehte Hank sich um, kramte in den Kartons und fragte: »Was hast du heute Abend getrunken?«

Lena war von der Frage überrascht. Trotz der Gehirnwäsche bei den Anonymen Alkoholikern war Hank Norton ein Meister darin, allem unangenehmen aus dem Weg zu gehen. Dieses Bedürfnis, möglichst alles zu verdrängen, hatte Hank überhaupt erst zum Alkohol und zu den Drogen gebracht. Sie spielte mit. »Bier im Auto«, sagte sie, froh, dass er die grässlichen Einzelheiten nicht hören wollte. »Hier dann JD.«

Eine Flasche Jack Daniels in der Hand, hielt er inne. »Bier vor Schnaps, und du hast 'n Klaps«, zitierte er, und bei den letzten Worten versagte seine Stimme.

Lena streckte ihm ihr Glas entgegen und ließ die Eiswürfel klirren. Sie beobachtete Hank, als er ihr einschenkte, und wunderte sich nicht, dass er sich die Lippen leckte.

»Und wie bekommt dir die Arbeit?«, fragte Hank. Seine Unterlippe zitterte leicht. Sein Gesicht drückte grenzenlosen Kummer aus, aber die Worte, die aus seinem Mund kamen, hörten sich völlig anders an. Er sagte: »Kriegst du alles hin?«

Lena nickte. Endlich verstand sie die Bedeutung des Wortes surreal. In diesem winzigen Raum erschien ihr nichts fassbar. Das Glas lag schwer in ihrer Hand. Hank war meilenweit entfernt. Sie träumte nur.

Lena wollte heraus aus diesem Traum. Sie leerte hastig ihr Glas. Der Alkohol brannte wie Feuer in ihrer Kehle, als hätte sie glühenden Asphalt geschluckt.

Hank sah auf das Glas, sah nicht Lena an.

Mehr brauchte sie nicht. Sie sagte: »Sibyl ist tot, Hank.«

Unvermittelt rannen ihm Tränen aus den Augen, und Lena dachte, dass er sehr, sehr alt aussah. Sie hatte den Eindruck, eine Blume verwelken zu sehen. Er zog sein Taschentuch heraus und putzte sich die Nase.

Lena wiederholte die Worte fast so, wie Jeffrey Tolliver es früher am Abend getan hatte. »Sie ist tot.«

Mit bebender Stimme fragte er: »Bist du sicher?«

Lena nickte fast hektisch. »Ich hab sie gesehen.« Und dann: »Jemand hat sie richtig übel aufgeschlitzt.«

Sein Mund öffnete und schloss sich wie bei einem Fisch. Er behielt Lena im Blick, wie er es immer getan hatte, wenn er versuchte, sie einer Lüge zu überführen. Schließlich aber sah er woandershin und murmelte: »Das ergibt doch gar keinen Sinn.«

Sie hätte hinüberreichen und seine alte Hand tätscheln können, vielleicht sogar versuchen können, ihn zu trösten, aber sie tat es nicht. Lena saß wie versteinert auf ihrem Stuhl. Statt an Sibyl zu denken, was eigentlich ihre erste Reaktion gewesen war, konzentrierte sie sich jetzt auf Hank, auf seine feuchten Lippen, seine Augen, die Haare, die ihm aus der Nase wuchsen.

»Oh, Sibby.« Er seufzte und wischte sich die Tränen ab. Lena sah seinen Adamsapfel hüpfen, als er schluckte. Er griff nach der Flasche, ließ seine Hand auf deren Hals ruhen. Ohne zu fragen, drehte er die Kappe ab und schenkte Lena noch einmal nach. Diesmal reichte die dunkle Flüssigkeit fast bis hinauf an den Rand des Glases.

Zeit verstrich, dann putzte sich Hank laut die Nase und tupfte sich die Augen mit dem Taschentuch ab. »Ich kann mir absolut nicht vorstellen, dass jemand sie umzubringen versucht.« Seine Hände zitterten immer stärker, als er das Taschentuch Lage um Lage kleiner zusammenfaltete. »Ergibt doch gar keinen Sinn«, stammelte er. »Bei dir, da könnte ich's noch verstehen.«

»Vielen Dank auch.«

Schon war Hank verärgert. »Fahr bloß nicht gleich aus der Haut. Ich meine, bei dem Job, den du hast.«

Dazu sagte Lena nichts. Das war eine wohlvertraute Aufforderung.

Er stützte sich mit den Händen auf den Tisch und starrte Lena an. »Wo bist du gewesen, als es geschah?«

Lena stürzte den Drink hinunter. Diesmal brannte er nicht mehr so stark. Als sie das Glas auf den Tisch stellte, starrte Hank sie immer noch an.

Leise murmelte sie: »Macon.«

»War es eine Tat aus Hass?«

Lena griff nach der Flasche. »Ich weiß nicht. Vielleicht.« Der Whiskey gluckerte aus der Flasche, als sie sich nachschenkte. »Vielleicht hat er gerade sie ausgesucht, weil sie lesbisch war. Vielleicht hat er sie auch ausgesucht, weil sie blind war.« Lena sah mit einem Seitenblick, wie gequält er darauf reagierte. Sie beschloss, ihre Spekulation zu erläutern. »Vergewaltiger neigen dazu, sich Frauen auszusuchen, die sie kontrollieren können, Hank. Sie war ein leichtes Opfer.«

»Also ist es am Ende auch noch meine Schuld?«

»Das hab ich nicht gesagt.«

Er schnappte sich die Flasche. »Gut«, fuhr er sie an und ließ die halb leere Flasche wieder in den Karton fallen. Jetzt klang er wütend und darauf bedacht, auf das Wesentliche zurückzukommen. Wie Lena war auch Hank unbehaglich zumute, wenn Emotionen ins Spiel kamen. Sibyl hatte oft gesagt, Hank und Lena kämen hauptsächlich deswegen nicht miteinander aus, weil sie einander so ähnlich waren. Als sie hier mit Hank saß und seinen Kummer und Zorn in sich aufnahm, die den winzigen Verschlag erfüllten, sah Lena ein, dass Sibyl recht gehabt hatte. Sie sah sich selbst, wie sie in zwanzig Jahren sein würde, und konnte nichts dagegen tun, der Entwicklung keinen Einhalt gebieten.

Hank fragte: »Hast du mit Nan gesprochen?«

»Yeah.«

»Wir müssen uns um die Beerdigung kümmern«, sagte er, nahm einen Stift und zeichnete eine Art Kasten auf seinen Kalender. Oben drüber schrieb er in Großbuchstaben BE-GRÄBNIS. »Meinst du, es gibt jemanden in Grant, der das vernünftig machen könnte?« Er wartete auf ihre Antwort und fügte hinzu: »Ich meine, die meisten ihrer Freunde waren doch von da.«

»Was?«, fragte Lena, das Glas an ihren Lippen. »Wovon redest du eigentlich?«

»Lee, wir müssen Vorbereitungen treffen. Wir müssen uns doch um Sibby kümmern.«

Lena leerte das Glas. Als sie Hank ansah, verschwammen seine Gesichtszüge. Ja, eigentlich wirkte der ganze Raum verschwommen. Sie hatte das Gefühl, sich auf einer Achterbahn zu befinden, und entsprechend reagierte auch ihr Magen. Lena presste die Hand vor den Mund und kämpfte gegen die Übelkeit.

Hank hatte diesen Gesichtsausdruck wahrscheinlich schon sehr oft gesehen, und meistens im Spiegel. Er stand neben ihr und hielt ihr einen Papierkorb unter das Kinn, als sie den Kampf verlor.

DIENSTAG

7

Sara beugte sich über den Ausguss in der Küche im Haus ihrer Eltern und löste mit der Zange ihres Vaters den Wasserhahn. Sie hatte den größten Teil des Abends im Leichenschauhaus mit der Autopsie von Sibyl Adams zugebracht. In ein dunkles Haus zurückzukehren und allein zu schlafen war nicht nach ihrem Geschmack gewesen. Dazu kam dann auch noch Jeffreys letzte Drohung auf ihrem Anrufbeantworter, noch einmal bei ihr vorbeizukommen, und so hatte Sara nicht mehr die geringste Wahl gehabt, wo sie vergangene Nacht hätte schlafen sollen. Sie war bei sich nur schnell reingeschlichen, um die Hunde zu holen, und hatte sich noch nicht einmal die Zeit genommen, ihren OP-Kittel abzulegen.

Sie wischte sich den Schweiß von der Stirn und sah auf die Uhr an der Kaffeemaschine. Es war halb sieben morgens, und sie hatte gerade mal zwei Stunden geschlafen. Wenn sie die Augen schloss, musste sie an Sibyl Adams auf der Toilette denken, die nicht sah, was mit ihr geschah, aber umso mehr spürte, was der Angreifer ihr antat.

Das einzig Gute war, dass der heutige Tag niemals so schlimm werden konnte wie der gestrige, es sei denn, es käme zu irgendeiner Art familiärer Katastrophe.

Cathy Linton spazierte in die Küche, öffnete einen Schrank und nahm eine Kaffeetasse heraus, bevor sie gewahr wurde, dass ihre älteste Tochter neben ihr stand. »Was machst du denn hier?«

Sara legte einen neuen Dichtungsring ein. »Der Wasserhahn hat getropft.«

»Zwei Klempner in der Familie«, klagte Cathy und goss sich Kaffee ein, »und meine Tochter, die Ärztin, muss einen tropfenden Wasserhahn reparieren.«

Sara lächelte und drehte die Zange mit ganzer Kraft. Die Lintons waren eine Familie von Klempnern, und Sara hatte die meisten Tage ihrer Schulferien im Sommer damit verbracht, ihrem Vater beim Reinigen von Abflüssen und Schweißen von Rohren zur Hand zu gehen. Manchmal dachte sie, sie habe nur deswegen die Highschool ein Jahr früher abgeschlossen und im Sommer für die Universitätsreife gearbeitet, um nicht mit ihrem Vater in von Spinnen verseuchten Hohlräumen unter dem Fußboden nach der Wasserleitung zu suchen. Nicht dass sie ihren Vater nicht liebte, aber im Gegensatz zu Tessa hatte sie ihre Angst vor Spinnen nie überwinden können.

Cathy rutschte auf den Küchenhocker. »Hast du letzte Nacht hier geschlafen?«

»Ja«, antwortete Sara, die sich die Hände wusch. Sie drehte den Wasserhahn zu und lächelte zufrieden, als er nicht mehr tropfte. Das Gefühl, etwas gut gemacht zu haben, nahm ihr ein wenig Last von den Schultern.

Cathy lächelte anerkennend. »Wenn diese Medizinsache sich nicht auszahlt, kannst du immer aufs Klempnern zurückgreifen.«

»Weißt du, das hat Daddy mir auch gesagt, als er mich am ersten Tag zum College gefahren hat.«

»Ich weiß«, sagte Cathy, »und dafür hätte ich ihn umbringen können.« Sie trank einen Schluck Kaffee und sah Sara über den Rand ihrer Tasse an. »Warum bist du nicht zu dir nach Hause gefahren?«

»Ich hab bis spät gearbeitet und wollte gern herkommen. Das ist doch in Ordnung?«

»Aber natürlich ist das in Ordnung«, sagte Cathy und warf Sara ein Handtuch zu. »Sei nicht albern.«

Sara trocknete sich die Hände ab. »Hoffentlich hab ich euch nicht geweckt, als ich gekommen bin.«

»Mich jedenfalls nicht«, antwortete Cathy. »Warum hast du denn nicht bei Tess geschlafen?«

Sara beschäftigte sich angestrengt damit, das Handtuch akkurat aufzuhängen. Tessa hatte eine Wohnung mit zwei Schlafzimmern über der Garage. In den letzten Jahren hatte es immer wieder einmal Nächte gegeben, in denen Sara nicht allein zu Hause hatte schlafen wollen. Normalerweise übernachtete sie dann bei ihrer Schwester, dann riskierte sie nicht, ihren Vater zu wecken, der in solchen Fällen unweigerlich in aller Breite diskutieren wollte, von welchen Problemen sie gequält wurde.

Sara antwortete: »Ich wollte sie nicht stören.«

»Blödsinn.« Cathy lachte. »Du lieber Gott, Sara, fast eine Viertelmillion Dollar hat das College geschluckt, und sie haben dir nicht mal beigebracht, besser zu lügen?«

Sara nahm ihren Lieblingsbecher aus dem Regal und schenkte sich Kaffee ein. »Vielleicht hättet ihr mich lieber Jura studieren lassen sollen.«

Cathy schlug die Beine übereinander und runzelte die Stirn. Sie war eine kleine Person, die sich mit Yoga in Form hielt. Ihr blondes Haar und ihre blauen Augen waren an Tessa vererbt worden, nicht an Sara. Wäre da nicht die Ähnlichkeit im Temperament gewesen, hätte wohl kaum jemand auf die Idee kommen können, dass Cathy und Sara Mutter und Tochter waren.

»Na?«, sagte Cathy nachhelfend.

Sara konnte sich ein Lächeln nicht verkneifen. »Sagen wir einfach, Tess war … gerade beschäftigt, als ich reinkam, und belassen es dabei.«

»Beschäftigt? Allein?«

»Nein.« Um ihre Verlegenheit zu verbergen, lachte Sara laut, spürte aber, wie ihr das Blut zu Kopf stieg. »Mein Gott, Mutter.«

Nach einigen Augenblicken senkte Cathy die Stimme und fragte: »War es Devon Lockwood?«

»Devon?« Der Name überraschte Sara. Sie hatte nicht genau sehen können, mit wem Tessa im Bett zugange gewesen war, aber Devon Lockwood, der neue Gehilfe, den Eddie Linton vor zwei Wochen eingestellt hatte, war der Letzte, mit dem sie gerechnet hätte.

Cathy mahnte sie, leise zu sein. »Sonst hört uns dein Vater noch.«

»Was hört ihr Vater?«, fragte Eddie, der in die Küche geschlurft kam. Seine Augen strahlten, als er Sara sah. »Da ist ja mein Baby«, sagte er und küsste mit lautem Schmatzen ihre Wange. »Warst du es, die ich heute Morgen hab kommen hören?«

»Das war ich«, gestand Sara.

»Ich hab ein paar Farbproben in der Garage«, bot er an. »Vielleicht können wir sie uns nach dem Frühstück ansehen und eine hübsche Farbe für dein Zimmer aussuchen.«

Sara trank ihren Kaffee. »Ich ziehe hier nicht wieder ein, Dad.«

Sein ausgestreckter Zeigefinger schnellte auf ihre Tasse zu. »Das da hemmt dein Wachstum.«

»Wenn das kein Glück wäre«, murrte Sara. Seit der neunten Klasse war sie das größte Mitglied ihrer engeren Familie und hatte sogar ihren Vater um Haaresbreite übertroffen.

Sara rutschte auf den Hocker, von dem ihre Mutter aufgestanden war. Sie beobachtete ihre Eltern, die ihren morgendlichen Gepflogenheiten nachgingen. Ihr Vater ging in der Küche umher und war ihrer Mutter im Weg, bis Cathy ihn schließlich mit sanfter Gewalt auf einen Stuhl bugsierte. Ihr Vater strich sich die Haare nach hinten und beugte sich über die Morgenzeitung. Seine grau melierten Haare standen in drei verschiedene Richtungen ab, seine Augenbrauen waren buschig. Das T-Shirt, das er trug, war so alt und zerschlissen, dass sich über den Schulterblättern Löcher gebildet hatten. Das Muster seiner Pyjamahosen war schon vor fünf Jahren verblichen, und seine Pantoffeln lösten sich an den Fersen auf. Dass sie von ihrer Mutter den Zynismus und von ihrem Vater den Sinn für Mode geerbt hatte, würde Sara ihren Eltern nie verzeihen.

Eddie sagte: »Ich muss sagen, der *Observer* kann anscheinend gar nicht genug kriegen von dieser Sache.«

Sara warf einen Blick auf die Schlagzeile der Lokalzeitung von Grant. Sie lautete: »College-Professorin fällt grausigem Mord zum Opfer.«

»Was steht denn da?«, fragte Sara, weil sie sich doch nicht beherrschen konnte.

Er fuhr mit dem Finger über die Zeilen, während er las.

»›Sibyl Adams, eine Professorin am GIT, wurde gestern in der Grant Filling Station barbarisch erschlagen. Die örtliche Polizei steht vor einem Rätsel. Polizeichef Jeffrey Tolliver‹« – Eddie verstummte und murmelte dann im Flüsterton »dieser Hundesohn« – »›berichtet, dass man allen erdenklichen Hinweisen nachgeht, um den Mörder der jungen Professorin seiner gerechten Strafe zuzuführen.‹«

»Sie wurde nicht erschlagen«, sagte Sara. Der Schlag in Sibyl Adams' Gesicht hatte sie nicht getötet. Sara dachte daran, was die Autopsie ergeben hatte, und musste sich unwillkürlich schütteln.

Eddie schien ihre Reaktion zu bemerken. »Wurde ihr sonst noch etwas angetan?«

Sara war verblüfft, dass ihr Vater diese Frage stellte. Normalerweise gab man sich in ihrer Familie alle erdenkliche Mühe, keine Fragen zu stellen, die diese Seite von Saras Leben betrafen. Sie hatte von Anfang an geahnt, dass sie sich alle nicht mit ihrem Zweitjob anfreunden würden.

Sara fragte: »Was zum Beispiel?«, bevor sie verstand, was ihr Vater meinte. Cathy, die damit beschäftigt war, den Pfannkuchenteig anzurühren, stand das Entsetzen ins Gesicht geschrieben.

Tessa kam durch die Schwingtür in die Küche gestürmt. Offenbar hatte sie erwartet, Sara allein vorzufinden. Ihre Lippen öffneten sich zu einem perfekten O.

Cathy, die inzwischen am Herd stand und Pfannkuchen buk, warf ihr ein »Guten Morgen, Sonnenschein!« über die Schulter zu.

Tessa hielt den Kopf gesenkt und steuerte geradewegs auf den Kaffee zu.

»Gut geschlafen?«, fragte Eddie.

»Wie ein Baby«, erwiderte Tessa und drückte ihm einen Kuss auf den Scheitel.

Cathy schwenkte den Bratenwender in Saras Richtung. »Du könntest von deiner Schwester noch was lernen.«

Tessa war so klug, diese Bemerkung zu ignorieren. Sie öffnete die Tür, die auf die Terrasse führte, und forderte Sara mit einer Kopfbewegung auf, ihr nach draußen zu folgen.

Sara tat wie geheißen und hielt den Atem an, bis die Tür fest hinter ihr geschlossen war. Sie flüsterte: »Devon Lockwood?«

»Noch hab ich ihnen nichts von deiner Verabredung mit Jeb erzählt«, konterte Tessa.

Sara presste die Lippen aufeinander. Stumm besiegelte sie damit den Waffenstillstand.

Tessa setzte sich auf die Hollywoodschaukel und schlug ein Bein unter. »Was hast du denn so spät noch gemacht?«

»Ich war im Leichenschauhaus«, antwortete Sara und setzte sich neben ihre Schwester. Sie rieb sich die Arme, um die morgendliche Kühle zu vertreiben. Sie trug noch immer ihren OP-Kittel und darunter nur ein dünnes weißes T-Shirt. »Ich musste ein paar Dinge nachprüfen. Lena …« Sie unterbrach sich, weil sie nicht sicher war, ob sie Tessa erzählen konnte, was gestern Abend im Leichenschauhaus geschehen war. Die Anschuldigungen schmerzten noch immer, obwohl Sara wusste, dass Lena aus ihrer Trauer und ihrem Schmerz heraus so gesprochen hatte.

Sie sagte: »Ich wollte es hinter mich bringen.«

Tessa fragte betroffen: »Hast du was gefunden?«

»Ich habe Jeffrey einen Bericht gefaxt. Ich glaube, der gibt ihm ein paar Anhaltspunkte, die sich zu verfolgen lohnen.«

Sie machte eine Pause, um sich zu überzeugen, dass Tessa ihr Aufmerksamkeit schenkte. »Hör mir zu, Tessie. Sei bitte vorsichtig, okay? Ich meine, halt die Türen verschlossen. Geh nicht allein aus. Und dergleichen.«

»Yeah.« Tessa drückte ihr die Hand. »Okay. Klar.«

»Ich meine …« Sara hielt wieder inne. Sie wollte ihre Schwester nicht ängstigen, wollte aber auch nicht, dass sie in Gefahr geriet. »Ihr seid beide im selben Alter. Du und Sibyl. Verstehst du, worauf ich hinauswill?«

»Yeah«, antwortete Tessa, aber es war deutlich zu merken, dass sie nicht weiter darüber reden mochte. Sara konnte ihrer Schwester keinen Vorwurf machen. Da sie bis in intimste Einzelheiten wusste, was Sibyl Adams zugestoßen war, empfand es Sara als schwierig, sich dem kommenden Tag zu stellen.

»Die Postkarte, die hab ich …«, hob Tessa an, aber Sara winkte gleich ab.

»Ich habe sie in meiner Aktentasche gefunden«, sagte sie. »Danke.«

»Yeah«, sagte Tessa kleinlaut.

Sara blickte auf den See hinaus. Sie dachte nicht an die Postkarte, sie dachte nicht an Sibyl Adams oder Jeffrey oder sonst etwas. Es lag eine so friedliche Atmosphäre über dem Wasser, dass Sara sich zum ersten Mal seit Wochen entspannt fühlte. Wenn sie die Augen zusammenkniff, konnte sie den Bootssteg hinter dem Haus erkennen. Er besaß, wie die meisten der Bootsstege am See, ein überdachtes Bootshaus, eine Art kleinen schwimmenden Schuppen.

Sie stellte sich vor, wie sie auf einem der Liegestühle saß, an einer Margarita nippte und einen Schundroman las. Warum sie an so etwas dachte, wusste Sara eigentlich auch nicht. In letzter Zeit fand sie kaum Gelegenheit, sich einmal in Ruhe hinzusetzen, den Geschmack von Alkohol mochte sie ohnehin nicht, und wenn der Tag vorüber war, hatte sie so viele Krankenblätter, pädiatrische Fachzeitschriften und forensische Handbücher gelesen, dass ihre Augen streikten.

Tessa unterbrach ihre Gedanken. »Viel Schlaf hast du letzte Nacht wohl nicht gehabt.«

Kopfschüttelnd lehnte sie sich an die Schulter ihrer Schwester.

»Wie ging es denn gestern mit Jeffrey?«

»Wenn ich doch nur eine Pille nehmen könnte, um ihn einfach zu vergessen.«

Tessa legte Sara den Arm um die Schulter. »Konntest du deswegen nicht schlafen?«

Sara seufzte und schloss die Augen. »Ich weiß nicht. Ich musste immer an Sibyl denken. Und an Jeffrey.«

»Zwei Jahre sind eine zu lange Zeit, um jemandem nachzutrauern«, sagte Tessa. »Wenn du wirklich über ihn hinwegkommen willst, musst du unbedingt mit Männern ausgehen.« Sie wehrte Saras Protest ab. »Ich meine, richtig ausgehen und den Typen nicht gleich abservieren, wenn er dir etwas näherkommt.«

Sara setzte sich auf und zog die Knie an den Oberkörper. Sie wusste, was ihre Schwester sagen wollte. »Ich bin anders als du. Ich kann nicht einfach so mit jemandem ins Bett gehen.« Tessa sah darin keinen Vorwurf, und das hatte Sara auch keinesfalls erwartet. Dass Tessa Linton ein aktives Sexleben genoss, war in der Stadt so ziemlich jedem außer ihrem Vater bekannt.

»Ich war erst sechzehn, als Steve und ich zusammenkamen«, holte Sara aus. Sie bezog sich auf ihren ersten ernst zu nehmenden Freund. »Und dann, na ja, du weißt ja, was in Atlanta passiert ist.« Tessa nickte. »Jeffrey hat dafür gesorgt, dass ich Spaß am Sex hatte. Zum ersten Mal in meinem Leben fühlte ich mich als ganzer Mensch.« Sie ballte die Fäuste, als könne sie so an dem Gefühl festhalten. »Du kannst dir nicht vorstellen, was es für mich bedeutet hat, plötzlich aufzuwachen nach all den Jahren, in denen sich alles um Schule und Ausbildung drehte, in denen ich mit niemandem ausging und eigentlich kein Privatleben hatte.«

Tessa schwieg und ließ Sara reden.

»Ich erinnere mich noch an unsere erste Verabredung«, fuhr sie fort. »Er fuhr mich im Regen nach Hause, auf einmal hielt er an. Ich dachte schon, er macht einen Scherz, weil wir ein paar Minuten zuvor noch darüber gesprochen hatten, wie gern wir im Regen spazierengingen. Aber er ließ das Scheinwerferlicht an und stieg aus dem Wagen.« Sara schloss die Augen und sah Jeffrey vor sich, wie er im Regen stand, den Kragen seines Jacketts hochgeschlagen. »Eine Katze lag auf der Straße. Sie war angefahren worden und allem Anschein nach tot.«

Tessa wartete schweigend. Dann sagte sie: »Und?«

»Er hob sie auf und trug sie von der Fahrbahn, damit sie nicht noch einmal überfahren wurde.«

Tessa konnte ihr Entsetzen nicht verhehlen. »Er hat sie aufgehoben?«

»Yeah.« Bei der Erinnerung an die Szene lächelte Sara verliebt. »Er wollte eben nicht, dass noch jemand drüberfuhr.«

»Er hat eine tote Katze angefasst?«

Sara musste über ihre Reaktion lachen. »Hab ich dir das denn noch nie erzählt?«

»Daran würde ich mich bestimmt erinnern.«

Sara lehnte sich auf der Schaukel zurück und benutzte ihren Fuß, um sie stillzuhalten. »Beim Essen hat er mir dann erzählt, wie sehr er Katzen hasste. Da hat er also im Dunkeln mitten auf der Straße angehalten, auch noch im Regen, um eine tote Katze beiseitezuschaffen, damit niemand sie überfuhr.«

Tessa konnte ihren Ekel nicht verbergen. »Und dann ist er mit den Tote-Katze-Händen wieder ins Auto gestiegen?«

»Ich bin gefahren, weil er nichts anfassen wollte.«

Tessa rümpfte die Nase. »Ist das jetzt der Moment, wo's romantisch wird? Ich habe nämlich schon so ein komisches Gefühl im Bauch.«

Sara warf ihr einen Seitenblick zu. »Ich hab ihn zum Haus zurückgefahren, und natürlich musste er mit hereinkommen, um sich die Hände zu waschen.« Sara lachte. »Sein Haar war ganz nass vom Regen, und er hielt die Hände in die Höhe wie ein Chirurg, der sich den Kittel nicht schmutzig machen möchte.« Sara hielt die Hände in die Luft, die Handflächen nach innen. »Und?«

»Und ich habe ihn mit in die Küche genommen, damit er sich die Hände waschen konnte. Da gab es nämlich antibakterielle Seife, und weil er nicht auf den Behälter drücken konnte, ohne ihn zu verunreinigen, hab ich das für ihn getan.« Sie seufzte tief. »Und er beugte sich über das Becken, um sich die Hände zu waschen, und dann hab ich sie ihm eingeseift, und sie fühlten sich so stark und warm an, er ist auch immer so verdammt selbstsicher. Er hat nur aufgeblickt und mich direkt auf die Lippen geküsst, ohne auch nur eine Sekunde zu zögern, als hätte er schon die ganze Zeit gewusst, dass ich bei der Berührung seiner Hände nur an eines hatte denken können: Wie es sich wohl anfühlen würde, wenn diese Hände mich berührten.«

Tessa wartete, bis sie fertig war, und sagte dann: »Bis auf das mit der toten Katze war das die romantischste Geschichte, die ich je gehört habe.«

»Na ja.« Sara stand auf und trat an das Geländer. »Er bringt es ganz bestimmt fertig, dass alle seine Freundinnen sich vorkommen, als seien sie etwas Besonderes. Ich denk, darauf versteht er sich sehr gut.«

»Sara, du wirst wohl nie verstehen, dass Sex für verschiedene Leute auch verschiedene Bedeutung hat. Manchmal geht es nur ums Ficken.« Sie hielt inne. »Manchmal will jemand nur etwas Aufmerksamkeit erwecken.«

»Meine Aufmerksamkeit hat er nun wirklich geweckt.«

»Er liebt dich noch immer.«

Sara drehte sich um und setzte sich aufs Geländer. »Er will mich nur deswegen wiederhaben, weil er mich verloren hat.«

»Wenn es dir wirklich ernst damit wäre, dass er aus deinem Leben verschwindet«, fing Tessa an, »dann würdest du deinen Job im County aufgeben.«

Sara öffnete den Mund, um zu antworten, aber sie hatte keine Idee, wie sie ihrer Schwester klarmachen sollte, dass sie an manchen Tagen eben nur wegen ihrer Arbeit für das County nicht verrückt wurde. Sara ertrug nämlich nur eine begrenzte Anzahl von Halsentzündungen und Ohrenschmerzen, ohne dass irgendwann ihr Verstand aussetzte. Ihren Job als Coroner aufzugeben hieße, auf einen Teil ihres

Lebens zu verzichten, an dem sie trotz der makabren Aspekte ehrlichen Gefallen fand.

Da sie wusste, dass Tessa das niemals verstehen würde, sagte Sara: »Ich weiß nicht, was ich tun werde.«

Es folgte keine Reaktion. Tessa wandte sich ab. Sara folgte ihrem Blick durch das Küchenfenster. Jeffrey Tolliver stand am Herd und unterhielt sich mit ihrer Mutter.

Das Haus der Lintons besaß zwei Ebenen und war im Laufe seiner vierzigjährigen Existenz immer wieder umgebaut worden. Als Cathy ihr Interesse für die Malerei entdeckte, wurde ein Studio mit Toilette hinten an das Haus angebaut. Als Sara sich geradezu mit Besessenheit auf ihre Schularbeiten stürzte, wurde ein Arbeitszimmer mit Toilette und Waschbecken auf dem Boden eingerichtet. Als Tessa an Jungen Interesse zu finden begann, wurde das Kellergeschoss dergestalt umgebaut, dass Eddie aus jedem beliebigen Teil des Hauses in allerhöchstens drei Sekunden unten bei ihr sein konnte. Zu beiden Seiten des Zimmers gab es Treppen, und die nächstgelegene Toilette befand sich ein Stockwerk höher.

Im Kellergeschoss hatte sich seit Tessas Auszug ins College nicht viel verändert. Der Teppich war avocadogrün, und das Ausziehsofa besaß eine dunkle Rostfarbe. Ein kombinierter Tischtennis-/Billardtisch war Mittelpunkt des Zimmers. Sara hatte sich die Hand gebrochen, als sie hinter einem Pingpongball hergehechtet und gegen den Fernsehapparat geprallt war.

Billy und Bob, Saras Hunde, lagen auf der Couch, als Sara und Jeffrey die Treppe hinunterkamen. Sie klatschte in die Hände, aber die Greyhounds regten sich nicht, bis Jeffrey leise pfiff. Sie wedelten sofort mit dem Schwanz, als er hinging, um sie zu streicheln.

Jeffrey redete nicht lange um den heißen Brei herum, während er Bob am Bauch kraulte: »Ich hab dich den ganzen Abend telefonisch zu erreichen versucht. Wo warst du denn?«

Sara fand, dass ihn das überhaupt nichts anging. Sie fragte: »Hast du schon etwas über Sibyl herausfinden können?«

Er schüttelte den Kopf. »Nach Lenas Aussage hat sie niemanden regelmäßig getroffen. Damit wäre wohl ein erzürnter Freund ausgeschlossen.«

»Jemand aus ihrer Vergangenheit?«

»Niemand«, antwortete er. »Ich werde ihrer Mitbewohnerin heute wohl einige Fragen stellen. Sie hat mit Nan Thomas zusammengewohnt. Du weißt schon, die Bibliothekarin?«

»Ja«, sagte Sara. Ihr war, als könne sie sich einen Reim darauf machen. »Hast du meinen Bericht schon bekommen?«

Er schüttelte verständnislos den Kopf. »Was?«

»Damit war ich nämlich gestern Abend beschäftigt – mit der Autopsie.«

»Was?«, wiederholte er. »Du kannst doch keine Autopsie machen, ohne dass noch jemand dabei ist.«

»Das weiß ich auch, Jeffrey«, blaffte Sara zurück. *Eine* Person, die ihre Kompetenz anzweifelte, reichte ihr für zwölf Stunden voll und ganz. Sie sagte: »Deswegen habe ich ja Brad Stephens angerufen.«

»Brad Stephens?« Er drehte ihr den Rücken zu und murmelte leise einen Kommentar, während er Billy unter dem Kinn kraulte.

»Was hast du gesagt?«

»Dass du dich in letzter Zeit seltsam benimmst, habe ich gesagt.« Er drehte sich wieder um und sah sie an. »Du hast die Autopsie mitten in der Nacht vorgenommen?«

»Tut mir leid, wenn du das eigenartig findest, aber ich habe nun mal zwei Jobs, um die ich mich kümmern muss, nicht nur den für dich.« Er wollte sie unterbrechen, aber sie ließ sich nicht beirren. »Für den Fall, dass du es vergessen hast: Zusätzlich zu dem, was ich im Leichenschauhaus tue, habe ich noch eine Klinik voller Patienten. Patienten, die ich, nebenbei gesagt« – sie sah auf ihre Uhr, ohne wirklich zu registrieren, wie spät es war –, »in ein paar Minuten aufsuchen muss.« Sie stemmte die Hände in die Hüften. »Gab es einen bestimmten Grund, weswegen du vorbeigekommen bist?«

»Ich wollte nach dir sehen«, sagte er. »Offenbar ist alles in Ordnung. Sollte mich auch nicht überraschen. Bei dir ist ja immer alles in Ordnung.«

»Stimmt.«

»Sara Linton, die Frau aus Stahl.«

Sie warf ihm einen herablassenden Blick zu. Sie hatten diese Szene zur Zeit ihrer Scheidung so oft durchgespielt, dass sie die Argumente beider Seiten auswendig konnte. Sara war zu eigenmächtig. Jeffrey war zu fordernd.

Sie sagte: »Ich muss gehen.«

»Moment mal«, sagte er. »Der Bericht?«

»Hab ich dir bereits gefaxt.«

Jetzt war es an ihm, die Hände in die Hüften zu stemmen. »Ja, habe ich kapiert. Meinst du, du hast was gefunden?«

»Ja«, antwortete sie und fügte dann hinzu: »Nein.« Es war ihr zuwider, wenn er mitten aus einem Streit heraus auf etwas kam, das mit der Arbeit zu tun hatte. Es war ein billiger

Trick, aber dennoch erwischte er sie stets kalt damit. Sie fing sich und sagte: »Ich muss noch die Ergebnisse der Blutuntersuchung heute Morgen abwarten. Nick Shelton will mich um neun anrufen, dann kann ich dir mehr sagen.« Sie fügte hinzu: »Ich hab das auf Seite eins meines Berichts notiert.«

»Warum hast du aus der Blutuntersuchung einen Eilauftrag gemacht?«, fragte er.

»Instinkt«, antwortete Sara. Mehr wollte sie ihm im Moment nicht verraten. Sara widerstrebte es, Teilinformationen weiterzugeben. Sie war schließlich Ärztin und keine Wahrsagerin. Jeffrey wusste das sehr wohl.

»Geh es mit mir durch«, sagte er. Sara stützte wieder die Hände in die Hüfte. Nein, das wollte sie nicht. Trotzdem sah sie zur Treppe und vergewisserte sich, dass niemand zuhörte.

»Lies den Bericht«, sagte sie.

»Bitte«, sagte er trotzdem. »Ich will es von dir hören.«

Sara lehnte sich an die Wand. Für einen Sekundenbruchteil schloss sie die Augen. Nicht, weil sie sich der Tatsachen entsinnen wollte, sondern um ein wenig Distanz zu dem zu gewinnen, was sie wusste.

Sie fing an: »Sie wurde auf der Toilette überfallen. Wahrscheinlich war sie wegen ihrer Blindheit und des Überraschungsmoments leicht zu überwältigen. Ich glaube, er hat gleich zu Anfang auf sie eingestochen, hat ihr T-Shirt hochgehoben und mit seinem Messer das Kreuz geritzt. Der Schnitt in ihren Bauch kam zuerst. Er ist für ein vollständiges Eindringen nicht tief genug. Ich vermute, er hat seinen Penis hauptsächlich eingeführt, um sie zu beschmutzen. Dann hat er sie vaginal vergewaltigt, wodurch sich die Kotspuren erklären ließen, die ich dort gefunden habe. Ich bin nicht sicher, ob er ejakuliert hat. Und ich denke auch nicht, dass es ihm darum gegangen ist.«

»Du meinst also, es ging ihm viel eher um die Schändung?«

Sie zuckte die Achseln. Viele Vergewaltiger litten unter irgendeiner Form von sexueller Funktionsstörung. Warum sollte es bei diesem anders sein? Besonders das Eindringen in die Bauchhöhle wies deutlich darauf hin.

Sie sagte: »Vielleicht geht es um den Kick, es an einem halb öffentlichen Ort zu tun. Auch wenn die Mittagsgäste fast alle gegangen waren, hätte doch jemand hereinkommen und ihn überraschen können.«

Er kratzte sich nachdenklich am Kinn.

»Sonst noch etwas?«

»Kannst du etwas Zeit erübrigen und vorbeikommen?«, fragte er. »Ich könnte für neun Uhr dreißig eine Lagebesprechung ansetzen.«

»Eine ausgiebige Lagebesprechung?«

Er schüttelte den Kopf. »Ich will nicht, dass jemand von den Einzelheiten erfährt«, sagte er mit Nachdruck, und zum ersten Mal seit Langem war sie völlig einverstanden mit ihm.

Sie sagte: »Sehr richtig.«

»Kannst du also gegen neun Uhr dreißig vorbeikommen?«, wiederholte er.

Sara ging ihre Vormittagstermine durch. Jimmy Powells Eltern würden um acht bei ihr im Büro erscheinen. Gleich zwei unangenehme und traurige Pflichten nacheinander würden ihr wahrscheinlich den Tag erträglicher machen. Aber mehr noch, sie wusste, je schneller sie die Detectives über die Ergebnisse der Autopsie von Sibyl Adams informierte, desto eher konnten sie sich auf den Weg machen, den Mann zu finden, der sie umgebracht hatte.

»Yeah«, sagte sie und ging zur Treppe. »Ich werde da sein.«

»Moment noch«, sagte er. »Lena wird auch dabei sein.«

Sara drehte sich um und schüttelte den Kopf. »Kommt gar nicht infrage. Niemals werde ich vor Sibyls Schwester die Einzelheiten ihres Todes beschreiben.«

»Sie muss aber dabei sein, Sara. Vertrau mir bitte.« Er erriet an ihrer Miene, was in ihrem Kopf vorging. Er sagte: »Sie will diese Einzelheiten wissen. So geht sie eben mit derlei Dingen um, sie ist ein Cop.«

»Es wird ihr aber nicht guttun.«

»Sie hat sich so entschieden«, wiederholte er. »Sie erfährt die Tatsachen so oder so, Sara. Und es ist besser, sie erfährt von uns die Wahrheit, als dass sie irgendwelche Lügen in den Zeitungen liest.« Er verstummte und merkte, dass er sie immer noch nicht hatte überzeugen können. »Wenn es um Tessa ginge, würdest du auch wissen wollen, was geschehen ist.«

»Jeffrey«, sagte Sara. Sie spürte, dass sie wider besseres Wissen nachzugeben bereit war. »Sie darf doch ihre Schwester nicht so im Gedächtnis behalten.«

Er zuckte die Achseln. »Vielleicht ja doch.«

Um Viertel vor acht Uhr morgens wachte Grant County gerade auf. Ein unerwarteter Nachtregen hatte alle Pollen weggespült, und obwohl es noch kühl war, fuhr Sara ihren BMW Z3 offen. Den Wagen hatte Sara in der Krisenstimmung nach der Scheidung erworben, als sie etwas brauchte, um sich die Laune zu verbessern. Das hatte gute zwei Wochen lang gewirkt, aber danach kam sie sich ein wenig albern vor, weil das auffällige Auto ständig angestarrt und kommentiert wurde. Einen solchen Wagen fuhr man einfach nicht in einer Kleinstadt, zumal Sara auch noch Ärztin war, und zwar Kinderärztin. Wäre sie nicht in Grant geboren und aufgewachsen, Sara wäre gezwungen gewesen, den Wagen zu verkaufen, oder sie hätte die Hälfte ihrer Patienten verloren. So aber musste sie sich ständig von ihrer Mutter anhören, wie lächerlich es war, wenn eine Person, der es kaum gelang, die einzelnen Kleidungsstücke ihrer Garderobe aufeinander abzustimmen, einen so auffälligen Sportwagen fuhr.

Auf dem Weg zur Klinik winkte Sara Steve Mann zu, dem Inhaber des Haushaltswarenladens. Er winkte zurück, ein überraschtes Lächeln auf den Lippen. Steve war inzwischen verheiratet und hatte drei Kinder, aber Sara wusste, dass er noch immer in sie verschossen war, weil die erste Liebe eben nicht so rasch erlischt. Da er ihr erster echter Freund gewesen war, spürte Sara noch immer Zuneigung, aber mehr auch nicht. Sie entsann sich jener peinlichen Momente, in denen sie als Teenager auf dem Rücksitz von Steves Wagen betatscht worden war. Daran, dass sie an dem Tag, nachdem sie zum ersten Mal Sex miteinander gehabt hatten, zu verlegen gewesen war, ihm ins Gesicht zu sehen.

Steve war einer von jenen Männern, die glücklich und zufrieden damit waren, in Grant ihre Wurzeln zu schlagen. Fröhlich verabschiedete er sich von seiner Zeit als Quarterback-Star an der Robert E. Lee Highschool, um bei seinem Vater im Laden zu arbeiten. In jenem Alter hatte sich Sara nichts sehnlicher gewünscht, als Grant zu verlassen, nach Atlanta zu gehen und ein Leben zu führen, das aufregender und anspruchsvoller war als alles, was ihre Heimatstadt zu bieten hatte. Wie es hatte geschehen können, dass sie wieder hier landete, war Sara ebenso ein Rätsel wie allen anderen.

Sie sah angestrengt geradeaus, als sie an der Grant Filling Station vorbeifuhr, denn sie wollte nur ungern an den gestrigen Nachmittag erinnert werden. Sie war so sehr darauf bedacht, diese Seite der Straße zu meiden, dass sie beinahe Jeb McGuire überfahren hätte, der bei der Apotheke auf die Straße trat.

Sara hielt neben ihm an und entschuldigte sich: »Tut mir leid.«

Jeb lachte, als er zu ihrem Wagen gelaufen kam. »Versuchst wohl, dich um unsere Verabredung morgen zu drücken?«

»Natürlich nicht«, brachte Sara heraus und zwang sich zu einem Lächeln. Bei allem, was am Vortag geschehen war, hatte sie völlig ihre Zusage vergessen, mit ihm auszugehen. Sie hatte sich ab und zu mit Jeb getroffen, als er vor elf Jahren nach Grant gezogen war und die Apotheke der Stadt gekauft hatte. Zwischen ihnen hatte sich nichts Ernstes entwickelt, und ihre Beziehung hatte sich bereits ziemlich abgekühlt, als Jeffrey auf der Bildfläche erschienen war. Warum sie sich einverstanden erklärt hatte, nach all der Zeit wieder mit ihm auszugehen, konnte Sara nicht sagen.

Jeb strich sich die Haare aus der Stirn. Er war ein schlaksiger Mann mit der Figur eines Langstreckenläufers. Tessa hatte seinen Körper einmal mit Saras Greyhounds verglichen. Er sah gut aus und musste ganz sicher nicht allzu lange suchen, wenn er eine Frau finden wollte, die mit ihm ausging.

Er beugte sich über Saras Wagen und fragte: »Hast du dir überlegt, was du zu Abend essen möchtest?«

Sara zuckte die Achseln. »Ich kann mich nicht entscheiden«, log sie. »Also überrasch mich.«

Jeb runzelte die Stirn. Cathy Linton hatte recht. Sie war eine furchtbar schlechte Lügnerin.

»Ich weiß, wo du gestern hineingeraten bist«, begann er und deutete auf das Diner. »Ich könnte gut verstehen, wenn du mir absagen möchtest.«

Sara spürte, wie ihr Herz bei diesem Angebot schneller zu schlagen begann. Jeb McGuire war ein netter Mann. Als Apotheker der Stadt erfreute er sich eines gewissen Maßes an Vertrauen und Respekt bei seinen Kunden. Das einzige Problem bestand darin, dass er eben zu nett war, zu gefällig. Er hatte sich noch nie mit Sara gestritten, weil er sich für nichts wirklich engagieren konnte. Und deswegen sah Sara in ihm auch eher eine Art Bruder als einen potenziellen Liebhaber.

»Ich will aber nicht absagen«, erwiderte sie, und seltsamerweise wollte sie es auch nicht. Vielleicht würde es ihr guttun, öfter auszugehen. Vielleicht hatte Tessa ja recht. Vielleicht war es an der Zeit.

Jeb strahlte. »Wenn es nicht zu kalt ist, könnte ich mein Boot klarmachen und dich mit auf den See nehmen.«

Sie sah ihn amüsiert an. »Ich dachte, du wolltest dir erst im nächsten Jahr eins kaufen?«

»Geduld war noch nie meine Stärke«, erwiderte er, obwohl die Tatsache, dass er sich mit Sara unterhielt, das Gegenteil bewies. Er zeigte mit dem Daumen Richtung Apotheke, um anzudeuten, dass er gehen musste. »Ich seh dich dann gegen sechs, okay?«

»Sechs«, bestätigte Sara. Sie hatte das Gefühl, dass etwas von seiner Vorfreude auf sie abfärbte. Marty Ringo, die bei ihm als Kassiererin arbeitete, stand am Eingang, und er legte ihr den Arm um die Schulter, als er die Tür aufschloss.

Sara rollte auf den Parkplatz der Klinik. Die Heartsdale Children's Clinic war ein rechteckiges Gebäude, an dessen Front sich ein achteckiger Raum aus Glasbausteinen wölbte, der den Patienten als Wartebereich diente. Man konnte von Glück sagen, dass Dr. Barney, der das Gebäude persönlich entworfen hatte, als Arzt mehr Qualitäten besaß denn als Architekt. Der Warteraum zeigte nach Süden, und die Glasbausteine machten ihn im Sommer zu einem Backofen und im Winter zu einem Gefrierschrank. Man wusste von Patienten, deren Fieber extrem anstieg, und anderen, bei denen es stark sank, je nachdem zu welcher Jahreszeit sie auf ihren Arzt warten mussten.

Das Wartezimmer war kühl und leer, als Sara die Tür öffnete. Sie sah sich in dem düsteren Raum um und dachte nicht zum ersten Mal, dass sie ihn eigentlich mal renovieren müsste. Stühle, die man kaum anders als rein zweckdienlich bezeichnen konnte, waren für die kleinen Patienten und ihre Eltern aufgestellt worden. Sara und Tessa hatten, begleitet von Cathy, so manchen Tag auf diesen Stühlen verbracht und darauf gewartet, dass ihre Namen aufgerufen wurden. Eine Spielecke mit drei Tischen war abgeteilt, wo die Kinder malen oder lesen konnten, während sie warteten. Ausgaben von *Highlights* lagen neben den Magazinen *People* und *House & Garden*. Buntstifte waren sorgfältig in ihre Kästchen sortiert, Zeichenpapier lag daneben.

Zurückblickend fragte sich Sara, ob sie wohl in diesem Raum beschlossen hatte, Ärztin zu werden. Anders als Tessa hatte Sara nie Angst vor einem Besuch bei Doktor Barney gehabt. Wahrscheinlich lag das daran, dass Sara als Kind kaum einmal krank gewesen war. Ihr hatte immer besonders der Teil des Arztbesuchs gefallen, bei dem man hineingerufen wurde und Räume betreten durfte, die eigentlich nur den Ärzten und Patienten vorbehalten waren. In der siebten Klasse, als Sara Interesse an Naturwissenschaften bekundet hatte, war es Eddie gelungen, im College einen Biologieprofessor aufzutun, der dringend jemand für die Reparatur seiner Hauptwasserleitung brauchte. Als Entlohnung für die Klempnerarbeiten bekam Sara vom Professor Förderunterricht. Zwei Jahre später brauchte ein Chemieprofessor neue Leitungen für sein gesamtes Haus, und schon durfte Sara zusammen mit Collegestudenten Experimente durchführen.

Das Licht ging an, und Sara blinzelte.

»Guten Morgen, Doktor Linton«, sagte Nelly, händigte Sara einen Stapel rosafarbener Mitteilungszettel aus und nahm ihr die Aktentasche ab. »Ich habe heute Morgen ihre Nachricht über das Treffen im Polizeirevier bekommen. Ich habe ihre Termine dementsprechend umgestellt. Es macht ihnen doch nichts aus, ein wenig länger zu arbeiten?«

Sara schüttelte den Kopf und blätterte die Mitteilungen durch.

»Die Powells werden in ungefähr fünf Minuten hier sein, und auf Ihrem Schreibtisch liegt ein Fax.«

Sara hob den Blick, um sich zu bedanken, aber Nelly war schon weg, wahrscheinlich um mit Elliot Felteau Termine abzusprechen. Sara hatte Elliot direkt vom Augusta Hospital weggeholt, wo er Assistenzarzt gewesen war. Er war erpicht darauf, so viel zu lernen, wie es ging, und sich irgendwann einmal als Teilhaber in die Praxis einzukaufen. Zwar war sich Sara nicht sicher, was sie davon halten sollte, einen Partner zu haben, aber andererseits wusste sie auch, dass er frühestens in zehn Jahren so weit sein könnte, um ihr ein Angebot zu machen.

Molly Stoddard, Saras Krankenschwester, kam ihr im Flur entgegen: »Fünfundneunzig Prozent Lymphoblasten bei dem Powell-Jungen«, zitierte sie die Laborergebnisse.

Sara nickte. »Sie müssen jeden Moment hier sein.«

Molly schenkte Sara ein lächeln, mit dem sie andeuten wollte, dass sie Sara nicht um die Aufgabe beneidete, die sie vor sich hatte. Die Powells waren sehr nette Leute. Sie hatten sich vor zwei Jahren scheiden lassen, bewiesen aber überraschenden Zusammenhalt, wenn es um ihre Kinder ging.

Sara sagte: »Könnten Sie mir eine Telefonnummer heraussuchen? Ich möchte sie zu einem Kollegen schicken, den ich am Emory kenne. Er hat einige sehr interessante Therapieversuche bei AML im ersten Stadium unternommen.«

Sara nannte den Namen, als sie ihre Bürotür aufschob. Nelly hatte Saras Tasche an den Stuhl gelehnt und eine Tasse Kaffee auf den Schreibtisch gestellt. Daneben lag das Fax, von dem sie gesprochen hatte. Es handelte sich um die Ergebnisse von Sibyl Adams' Blutbild, die vom Georgia Bureau of Investigation gekommen waren. Nick hatte ganz oben ein paar entschuldigende Worte hingekritzelt: Er sei fast den ganzen Tag über bei irgendwelchen Besprechungen, wisse aber, dass Sara die Ergebnisse so schnell wie möglich haben wolle. Sara las den Bericht zweimal und bekam dabei Magenkrämpfe.

Sie lehnte sich auf ihrem Stuhl zurück und sah sich im Sprechzimmer um. Ihr erster Monat hier war hektisch gewesen, aber nichts im Vergleich zu Grady. Ungefähr drei Monate waren vergangen, bis Sara sich an das langsamere Tempo gewöhnt hatte. Ohrenschmerzen und Halsentzündungen gab es zuhauf, nur wenige Kinder kamen mit lebensbedrohlichen Krankheiten. Die wurden in das Krankenhaus drüben in Augusta gebracht.

Darryl Harps Mutter war die Erste gewesen, die Sara ein Foto ihres Kindes gegeben hatte. Weitere Eltern waren diesem Beispiel gefolgt, und schon bald hatte sie damit begonnen, die Bilder an den Wänden ihres Sprechzimmers zu befestigen. Zwölf Jahre waren seit jenem ersten Foto vergangen, und die Galerie der Kinderfotos reichte jetzt schon bis zur Toilette. Sie brauchte nur einen Blick auf irgendeines dieser Bilder zu werfen, und sie konnte sich an den Namen des Kindes erinnern sowie meistens auch an seine Krankengeschichte. Sie stellte irgendwann fest, dass sie inzwischen als junge Erwachsene in die Klinik kamen, und sie sagte ihnen, dass sie mit neunzehn besser einen Allgemeinmediziner aufsuchen sollten. Einige von ihnen reagierten darauf tatsächlich mit Tränen. Auch Sara musste einige Male schlucken. Da sie keine eigenen Kinder haben konnte, entwickelte sie oft starke emotionale Bindungen zu ihren Patienten.

Sara öffnete ihre Tasche, um ein Krankenblatt zu suchen. Sie stutzte, als sie die Ansichtskarte erblickte, die sie mit der Post erhalten hatte. Sie starrte auf das Foto. Es zeigte das Eingangstor der Emory University. Sara erinnerte sich an den Tag, als die Aufnahmebestätigung von Emory gekommen war. Man hatte ihr zwar Stipendien an renommierteren Universitäten weiter oben im Norden angeboten, aber von Emory hatte sie schon immer geträumt. Dort wurde wahre

Medizin gelehrt, und Sara konnte sich auch nicht vorstellen, woanders als in den Südstaaten zu leben.

Sie drehte die Karte um und fuhr mit dem Finger unter der sorgfältig getippten Adresse entlang. Seit Sara Atlanta verlassen hatte, bekam sie jedes Jahr Mitte April eine Postkarte wie diese. Letztes Jahr war sie aus der »World of Coke« gekommen, und die Nachricht hatte gelautet: »ER trägt die ganze Welt in SEINEN Händen.«

Sie schrak auf, als Nellys Stimme durch den Telefonlautsprecher erklang.

»Doktor Linton?«, sagte Nelly. »Die Powells sind da.«

Sara drückte den roten Antwortknopf. Sie ließ die Karte wieder in die Aktentasche gleiten und sagte: »Ich komme gleich und hole sie ab.«

8

Als Sibyl und Lena in der siebten Klasse waren, fand ein älterer Junge namens Boyd Little Vergnügen daran, sich an Sibyl heranzuschleichen und mit den Fingern an ihrem Ohr zu schnipsen. Eines Tages folgte Lena ihm, nachdem er aus dem Schulbus ausgestiegen war, und stürzte sich von hinten auf ihn. Lena war klein und flink, aber Boyd war ein Jahr älter und gut fünfundzwanzig Kilo schwerer. Er hatte sie fast zu Brei geschlagen, bevor es dem Busfahrer gelang, die beiden zu trennen.

Diese Episode hatte sie nie vergessen, aber Lena Adams konnte mit Fug und Recht sagen, dass sie sich noch nie physisch so kaputt gefühlt hatte, wie an dem Morgen nach dem Tod ihrer Schwester. Zum ersten Mal glaubte sie zu verstehen, warum man diesen Zustand als »hang over« bezeichnete, denn ihr gesamter Körper fühlte sich an, als hätte man ihn über das Knochengerüst gehängt, und es brauchte eine gute halbe Stunde unter der heißen Dusche, bis sie wieder einigermaßen aufrecht stehen konnte. Ihr Kopf schien zerspringen zu wollen. Keine noch so große Menge Zahnpasta reichte, um den fürchterlichen Geschmack in ihrem Mund zu vertreiben, und ihr Magen fühlte sich an, als sei er zu einem kleinen Ball zusammengedrückt und mit Zahnseide straff umwickelt worden.

Sie saß hinten im Besprechungsraum der Dienststelle und versuchte mit aller Willenskraft, sich nicht schon wieder zu übergeben. Nicht, dass noch viel da gewesen wäre, das sie hätte erbrechen können. Sie war innerlich so leer, dass ihre Bauchdecke tatsächlich konkav aussah.

Jeffrey bot ihr eine Tasse Kaffee an. »Trink was davon«, forderte er sie auf.

Sie widersprach nicht. An diesem Morgen hatte Hank ihr zu Hause dasselbe geraten. Es war ihr zu peinlich gewesen, etwas von ihm anzunehmen, am allerwenigsten einen Rat, und deshalb hatte sie einen anderen Ort vorgeschlagen, an den er sich mit seinem Kaffee scheren sollte.

Kaum hatte sie die Tasse abgestellt, sagte Jeffrey: »Es ist noch nicht zu spät, Lena.«

»Ich will hierbleiben«, entgegnete sie. »Ich muss alles wissen.«

Eine gefühlte Ewigkeit lang wandte er den Blick nicht von ihr. Obwohl jeder Lichtstrahl ihre Augen wie ein Nadelstich zu durchbohren schien, brach sie nicht als Erste den Blickkontakt ab. Lena wartete, bis er den Raum verlassen hatte, bevor sie sich auf ihrem Stuhl zurücklehnte und die Augen schloss.

Lena wusste nicht mehr, wie sie am Abend zuvor nach Hause gekommen war. Die dreißigminütige Fahrt von Reece hatte sie nur noch bruchstückhaft in Erinnerung. Sie wusste, dass Hank den Wagen gefahren hatte, denn als sie heute Morgen einstieg, war der Sitz weit nach hinten geschoben und der Rückspiegel in einem ungewohnten Winkel eingestellt. Dann erinnerte sich Lena an ihr Spiegelbild in der Schaufensterscheibe des Stop 'n' Save. Und an das schrille Klingeln des

Telefons, als Jeffrey angerufen hatte, um ihr von der Lagebesprechung zu berichten und darum zu betteln, dass sie nicht erschien. Alles andere war wie ausgelöscht.

Am schwersten war es gewesen, sich an diesem Morgen anzuziehen. Nach dem ausgiebigen Duschbad hätte Lena nichts lieber getan, als ins Bett zurückzuschlüpfen und sich unter der Decke zu verkriechen. Sie hätte mühelos den ganzen Tag im Bett bleiben können, aber dieser Schwäche durfte sie nicht nachgeben. Der vergangene Abend war ein Fehler gewesen, aber auch ein notwendiger Fehler. Zweifellos hatte sie es gebraucht, sich gehenzulassen, so stark zu trauern, wie es ging, ohne zu zerbrechen.

An diesem Morgen war es jedoch anders. Lena hatte sich gezwungen, sportliche Hosen und ein hübsches Jackett anzuziehen, die Garderobe, die sie jeden Tag bei der Arbeit trug. Als sie ihr Holster umschnallte und die Waffe prüfte, hatte Lena den Eindruck, wieder in die Rolle eines Cops zu schlüpfen und sich nicht mehr nur als Schwester eines Mordopfers zu fühlen. Dennoch, ihr Kopf schmerzte weiterhin, und ihre Gedanken schienen sich wie Kleister in ihrem Gehirn festzusetzen. Irgendwie konnte sie nachvollziehen, wie Menschen zu Alkoholikern werden konnten. Irgendwo im Hinterkopf kam ihr immer wieder der Gedanke, dass ein starker Drink bestimmt eine Menge Dinge wieder ins Lot brächte.

Die Tür zum Besprechungsraum ging knarrend auf, und Lena entdeckte Sara Linton, die mit dem Rücken zu ihr auf dem Flur stand. Sara sagte etwas zu Jeffrey, was nicht gerade höflich wirkte. Lena hatte ein schlechtes Gewissen wegen der Art, wie sie Sara am Abend zuvor behandelt hatte. Trotz allem, was Lena gesagt hatte, wusste sie, dass Sara eine gute

Ärztin war. Wie man hörte, hatte Dr. Linton eine vielversprechende Karriere in Atlanta aufgegeben, um nach Grant zurückzukehren. Lena sah ein, dass sie sich bei ihr entschuldigen musste, aber im Augenblick mochte sie nicht einmal daran denken. Wenn in solchen Angelegenheiten Buch geführt würde, dürfte bei Lena das Verhältnis Gefühlsausbruch zu Entschuldigung wohl deutlich zugunsten der Ausbrüche ausfallen.

»Lena«, sagte Sara, »kommen Sie mit mir nach hinten.«

Lena blinzelte, fragte sich, wann Sara den Raum durchquert hatte. Sie stand neben der Tür zur Ausrüstungskammer.

Lena schoss von ihrem Stuhl hoch und vergaß dabei den Kaffee. Etwas davon spritzte auf ihre Hose, aber sie machte sich nichts daraus. Sie stellte die Tasse auf den Fußboden und folgte Sara. Die Ausrüstungskammer war groß genug, um als Raum bezeichnet zu werden, aber durch ein Schild an der Tür war sie vor Jahren als Kammer ausgewiesen worden, und niemand hatte sich die Mühe einer Richtigstellung gemacht. Neben anderen Dingen wurden hier Beweismaterial, Notfallausrüstungen und Puppen für Wiederbelebungsübungen aufbewahrt, die die Polizei im Herbst abhielt.

»Hier«, sagte Sara, »setzen Sie sich.«

Lena nahm Platz und sah zu, wie Sara eine Sauerstoffflasche heranrollte.

Sara schloss eine Sauerstoffmaske an der Flasche an und sagte: »Ihnen tut der Kopf weh, weil der Alkohol den Sauerstoffgehalt Ihres Blutes reduziert.« Sie spannte das Gummiband der Maske und hielt sie Lena entgegen. »Atmen Sie langsam und tief. Dann sollten Sie sich bald besser fühlen.«

Lena nahm die Maske. Sie traute Sara nicht so ganz, aber

in diesem Moment hätte sie einem Stinktier den Hintern geküsst, wenn ihr jemand gesagt hätte, dass dann ihre Kopfschmerzen aufhörten.

Nach ein paar tiefen Atemzügen fragte Sara: »Schon besser?«

Lena nickte, denn es ging ihr wirklich besser. Sie war zwar noch nicht wieder die Alte, aber zumindest bekam sie jetzt die Augen ganz auf.

»Lena«, sagte Sara und nahm ihr die Maske wieder ab. »Ich habe da etwas entdeckt und wollte Ihnen gern eine Frage stellen.«

»Yeah?«, sagte Lena, und sie beschlich das Gefühl, auf der Hut sein zu müssen. Sie rechnete damit, dass Sara versuchen würde, ihr auszureden, an der Lagebesprechung teilzunehmen, aber was sie dann sagte, überraschte Lena.

»Als ich Sibyl untersucht habe«, begann Sara und stellte die Sauerstoffflasche zurück an die Wand, »bin ich auf eine physische Eigentümlichkeit gestoßen, die ich eigentlich nicht erwartet hätte.«

»Und die wäre?«, fragte Lena, deren Verstand langsam wieder zu funktionieren begann.

»Ich glaube nicht, dass es von Bedeutung für den Fall ist, aber ich werde Jeffrey sagen müssen, was ich herausgefunden habe. Ich bin da nicht befugt, eine eigenmächtige Entscheidung zu treffen.«

Obwohl Sara sie von den Kopfschmerzen befreit hatte, konnte Lena keine Geduld für ihre Spielchen aufbringen. »Wovon reden Sie eigentlich?«

»Ich rede von der Tatsache, dass das Hymen Ihrer Schwester bis zur Vergewaltigung noch intakt gewesen ist.«

Lena stockte das Herz. Daran hätte sie denken sollen, aber in den vergangenen vierundzwanzig Stunden war so viel geschehen, dass Lena keine logischen Schlüsse mehr hatte ziehen können. Jetzt würde die ganze Welt erfahren, dass ihre Schwester lesbisch gewesen ist.

»Mir ist es egal, Lena«, sagte Sara. »Wirklich. Sie hat leben können, wie sie wollte, ich habe daran nichts auszusetzen.«

»Was zum Teufel hat das zu bedeuten?«

»Es bedeutet, was es bedeutet«, antwortete Sara, die offenbar meinte, die Sache sei damit erledigt. Als Lena jedoch nichts erwiderte, fügte sie hinzu: »Lena, ich weiß über Nan Thomas Bescheid. Und ich kann zwei und zwei zusammenzählen.«

Lena lehnte den Hinterkopf an die Wand und schloss die Augen. »Ich nehme an, Sie wollen mir einen Vorsprung geben, hm? Damit ich allen zuerst sagen kann, dass meine Schwester lesbisch war?«

Sara schwieg und sagte dann: »Ich hatte nicht vor, das bei der Lagebesprechung zu erwähnen.«

»Ich werde es ihm selbst sagen«, entschloss sich Lena. Sie öffnete die Augen. »Geben Sie mir eine Minute?«

»Sicher.«

Lena wartete, bis Sara den Raum verlassen hatte. Sie wollte weinen, aber die Tränen mochten nicht kommen. Ihr Körper war so ausgetrocknet, dass sie es erstaunlich fand, noch immer Speichel im Mund zu haben. Sie atmete tief durch, um sich zu wappnen, und stand auf.

Frank Wallace und Matt Hogan befanden sich im Konferenzzimmer, als sie aus der Ausrüstungskammer kam.

Frank bedachte sie mit einem Kopfnicken, aber Matt tat so, als sei er vollauf damit beschäftigt, Sahne in seinen Kaffee zu rühren. Beide Detectives waren schon weit über fünfzig und stammten aus einer ganz anderen Zeit als der, in der Lena groß geworden war. Wie auch alle anderen Detectives der Senior Squad handelten sie nach den alten Regeln der polizeilichen Bruderschaft: Gerechtigkeit um jeden Preis. Die Truppe war ihre Familie, und was einem ihrer Beamten zustieß, betraf auch sie, als ob es einen Bruder betroffen hätte. Wenn Grant schon eine eng verbundene Gemeinde war, dann fühlten sich die Detectives noch enger miteinander verbunden.

Ja, Lena wusste sehr wohl, dass ihre Detective-Kollegen allesamt Mitglieder der örtlichen Loge waren. Wäre da nicht die simple Tatsache gewesen, dass sie keinen Penis besaß, hätte man sie vermutlich schon vor langer Zeit zum Beitritt eingeladen, wenn nicht aus Respekt, so doch, weil es eben obligatorisch war.

Sie fragte sich, was diese beiden alten Männer wohl denken würden, wenn sie erfuhren, dass sie die Vergewaltigung einer Lesbierin bearbeiten sollten. Vor langer Zeit hatte Lena tatsächlich gehört, dass Matt einen Satz mit den Worten begonnen hatte: »Damals, als der Klan noch nützliche Arbeit leistete …« Würden sie sich noch so engagiert einsetzen, wenn sie über Sibyl Bescheid wussten, oder würde sich ihr Zorn verflüchtigen? Lena wollte eigentlich kein Risiko eingehen.

Jeffrey las einen Bericht, als sie an seine offene Bürotür klopfte.

»Hat Sara Sie glattgebügelt?«, fragte er. Die Formulierung gefiel ihr gar nicht, aber Lena sagte trotzdem »ja« und schloss die Tür hinter sich. Jeffrey wunderte sich darüber und legte den Bericht beiseite. Er wartete, bis sie Platz genommen hatte, bevor er fragte: »Was gibt's?«

Lena nahm an, es sei am besten, gleich damit herauszurücken: »Meine Schwester war lesbisch.«

Die Worte hingen über ihren Köpfen wie Sprechblasen. Lena unterdrückte den Impuls, nervös loszulachen. Sie hatte das noch nie zuvor laut ausgesprochen. Lena war sehr unwohl dabei, über Sibyls Sexualität zu reden. Als Sibyl ein knappes Jahr nach ihrem Umzug nach Grant bei Nan Thomas eingezogen war, hatte Lena nicht darauf gedrungen, nähere Einzelheiten zu erfahren. Ehrlich gesagt, hatte sie die auch nicht wissen wollen.

»Na ja«, sagte Jeffrey, und in seiner Stimme schwang Überraschung mit. »Danke, dass Sie es mir sagen.«

»Glauben Sie, es wird die Ermittlungen beeinträchtigen?«, fragte Lena und überlegte, ob all das hier vielleicht vergebens war.

»Ich weiß nicht«, antwortete er. Sie spürte, dass er die Wahrheit sagte. »Hat ihr jemand Drohbriefe geschickt? Hat jemand abfällige Bemerkungen gemacht?«

Das fragte sich Lena ebenfalls. Nan hatte gesagt, es sei in den letzten paar Wochen nichts Neues passiert, aber sie wusste sehr wohl, dass Lena nicht gerade darauf erpicht war, über etwas zu diskutieren, wodurch die Tatsache zur Sprache gebracht werden könnte, dass Nan es mit ihrer Schwester getrieben hat. »Sie sollten sich mal mit Nan unterhalten.«

»Nan Thomas?«

»Ja«, sagte Lena. »Die beiden haben zusammengelebt. Eine Wohnung an der Cooper. Vielleicht könnten wir nach der Lagebesprechung hinfahren?«

»Lieber später«, sagte er. »Gegen vier?«

Lena nickte zustimmend. Aber eine Frage konnte sie sich nicht verkneifen. »Werden Sie es den Jungs erzählen?«

Er wirkte überrascht. Nachdem er sie lange angesehen hatte, sagte er: »Das halte ich zurzeit nicht für notwendig. Wir reden heute Nachmittag mit Nan, und dann sehen wir weiter.«

Lena empfand unangemessen große Erleichterung.

Jeffrey blickte auf seine Armbanduhr. »Wir sollten jetzt zur Besprechung gehen.«

9

Jeffrey stand an der Schmalseite des Konferenzraums und wartete darauf, dass Lena von der Toilette kam. Nach ihrer Unterhaltung hatte sie noch um ein paar Minuten Zeit gebeten. Er hoffte, dass sie die auch nutzte, um sich wieder in den Griff zu bekommen. Trotz ihres aufbrausenden Temperaments war Lena Adams eine kluge Frau und eine gute Polizistin. Ihm war höchst unwohl bei dem Gedanken, dass sie die Situation allein durchstehen musste. Aber Jeffrey wusste auch, dass sie es niemals würde anders haben wollen.

Sara saß in der ersten Reihe, die Beine übereinandergeschlagen. Sie trug ein olivgrünes, knöchellanges Leinenkleid. Links und rechts war es bis kurz unters Knie geschlitzt. Ihr rotes Haar hatte sie im Nacken zu einem Pferdeschwanz gebunden, so wie sie es auch Sonntag zur Kirche getragen hatte. Jeffrey erinnerte sich an ihren Gesichtsausdruck, als sie bemerkt hatte, dass er in der Bankreihe hinter ihr saß. Er fragte sich, ob er es jemals wieder erlebte, dass Sara sich freute, wenn sie ihn sah. Er hatte während des gesamten Gottesdienstes auf seine Hände gestarrt und nur auf den richtigen Zeitpunkt gewartet, um sich ohne zu viel Aufsehen zu erregen davonzuschleichen.

Eine wie Sara Linton hatte Jeffreys Vater gern »einen kräftigen Schluck aus der Pulle« genannt. Jeffrey hatte sich von

Sara wegen ihres starken Willens angezogen gefühlt, wegen ihres unbezähmbaren Freiheitsdrangs. Ihm gefielen ihre Reserviertheit und die Art, wie sie seine Football-Kumpel zurechtstutzte. Ihm gefiel die Art, wie ihr Verstand funktionierte, und die Tatsache, dass er mit ihr über alle Aspekte seiner Arbeit sprechen konnte und wusste, dass sie ihn verstand. Ihm gefiel, dass sie nicht kochen konnte und dass sie so fest schlief, dass nicht einmal ein Orkan sie geweckt hätte. Ihm gefiel, dass sie als Reinemachefrau nicht das Geringste taugte und so große Füße hatte, dass sie seine Schuhe tragen konnte. Und erst recht gefiel ihm, dass sie all dies von sich wusste und auch noch stolz darauf war.

Natürlich hatte ihre Unabhängigkeit auch eine Schattenseite. Noch nach sechs Jahren Ehe war er sich nicht sicher, ob er überhaupt das Geringste von ihr wusste. Sara gelang es so gut, eine Fassade der Stärke zu zeigen, dass er sich nach einer Weile fragte, ob sie ihn überhaupt brauchte. Neben ihrer Familie, der Klinik und dem Leichenschauhaus schien für Jeffrey nicht mehr viel Zeit zu bleiben.

Obgleich er ahnte, dass es bestimmt nicht der beste Weg war, etwas zu ändern, wenn er Sara betrog, wusste er doch zu dem Zeitpunkt, dass in ihrer Ehe etwas passieren musste. Er wollte sie verletzen. Er wollte sehen, dass sie um ihn und um ihre Beziehung kämpfte. Dass Ersteres auch eintrat, Letzteres aber nicht, wollte ihm immer noch nicht in den Kopf. Manchmal war Jeffrey sogar fast zornig auf Sara, dass etwas so Bedeutungsloses, etwas so Dummes wie ein alberner Fehltritt ihre Ehe zerbrochen hatte.

Jeffrey lehnte sich gegen das Pult, die Hände vor sich verschränkt. Er verdrängte die Gedanken an Sara und konzentrierte sich auf seine Aufgabe. Auf dem Beistelltisch neben ihm lag eine sechzehnseitige Liste mit Namen und Adressen. Von allen verurteilten Sexualtätern, die im Bundesstaat Georgia lebten oder dorthin zogen, wurde verlangt, dass sie Namen und Adresse beim Crime Information Center des Georgia Bureau of Investigation registrieren ließen. Jeffrey hatte den gestrigen Abend und den größten Teil des heutigen Morgens damit verbracht, diese Informationen über die siebenundsechzig Einwohner von Grant zusammenzustellen, die sich hatten registrieren lassen, seit das Gesetz 1996 verabschiedet worden war. Sich mit ihren Verbrechen zu beschäftigen war nicht zuletzt deswegen eine beängstigende Aufgabe, weil er wusste, dass Triebtäter wie Kakerlaken waren. Für jeden, den man wahrnahm, verkrochen sich zwanzig in den Mauerritzen.

Er verzichtete darauf, diesen Gedanken weiter nachzuhängen, und wartete darauf, mit der Besprechung zu beginnen. Den Raum konnte man kaum als gefüllt bezeichnen. Frank Wallace, Matt Hogan und fünf weitere Detectives gehörten zur Senior Squad. Jeffrey und Lena erhöhten die Anzahl auf neun. Von diesen neun hatten nur Jeffrey und Frank in Städten gearbeitet, die größer als Grant waren. Sibyl Adams' Mörder schien tatsächlich die besseren Chancen zu haben.

Brad Stephens, ein junger Streifenpolizist, der trotz seiner Jugend und seines niedrigen Dienstgrades den Mund zu halten verstand, hatte für den Fall, dass jemand hereinkommen wollte, neben der Tür Position bezogen. Brad war bei der Truppe eine Art Maskottchen, und da er noch eine ganze Menge Babyspeck hatte, wirkte er wie eine rundliche

Zeichentrickfigur. Sein dünnes blondes Haar sah immer aus, als sei es statisch aufgeladen und stand in alle Richtungen ab. Seine Mutter brachte ihm oft das Mittagessen. Er war jedoch ein brauchbarer Bursche. Brad hatte noch die Highschool besucht, als er mit Jeffrey wegen eines möglichen Jobs bei der Polizei Kontakt aufgenommen hatte. Wie die meisten der jüngeren Cops kam er aus Grant, und seine Angehörigen wohnten hier. Er hatte ein begründetes Interesse daran, dass die Straßen sicher blieben.

Mit einem Räuspern bat Jeffrey um Aufmerksamkeit, als Brad Lena die Tür öffnete. Wenn jemand überrascht war, sie zu sehen, äußerte er es nicht. Sie setzte sich auf einen Stuhl im Hintergrund und verschränkte die Arme über der Brust. Ihre Augen waren noch immer rot, entweder von ihrem Alkoholexzess oder vom Weinen oder von beidem.

»Danke, dass Sie alle so kurzfristig erschienen sind«, begann Jeffrey. Er nickte Brad zu, woraufhin er begann, die fünf Päckchen herumzureichen, die Jeffrey zuvor zusammengestellt hatte.

»Lassen Sie mich vorausschicken, dass alles, was in diesem Raum gesagt wird, als höchst vertrauliche Information behandelt werden muss. Was Sie heute hören, ist nicht für die Allgemeinheit bestimmt, und jede Indiskretion könnte die Lösung unseres Falls behindern oder gar verhindern.« Er wartete darauf, dass Brad seine Runde beendete.

»Ich bin sicher, alle wissen inzwischen, dass Sibyl Adams gestern in der Filling Station getötet wurde.« Die Männer, die nicht in den Kopien blätterten, nickten. Was er als Nächstes sagte, ließ sie jedoch alle aufblicken. »Sie wurde vor ihrer Ermordung vergewaltigt.«

Jeffrey machte eine Pause, damit seine Männer diese Information sacken lassen konnten. Die Vergewaltigung Sibyls würde sie zu ungeahntem Ermittlungseifer anspornen.

Dann hielt er eine Kopie der Liste in die Höhe, die Brad entsprechend der Namen verteilte, die Jeffrey auf der ersten Seite notiert hatte. Jeffrey erklärte: »Ich habe diese Liste mit Straffälligen heute Morgen vom Computer erstellen lassen. Ich habe die Namen auf die gewohnten Teams verteilt, Frank und Lena ausgenommen.« Er sah, dass sie einen Einwand formulieren wollte, fuhr aber fort: »Brad wird mit Ihnen arbeiten, Lena, Frank mit mir.«

Lena lehnte sich trotzig zurück. Brad, das war nicht ihr Niveau. Ihre Miene verriet, dass sie durchschaut hatte, was Jeffrey tat. Sie würde zudem merken, dass er sie an die kurze Leine legen wollte, wenn sie den dritten oder vierten Mann auf ihrer Liste verhört hatte. Vergewaltiger neigen dazu, gleichaltrige Frauen aus ihrer eigenen ethnischen Gruppe anzugreifen. Lena und Brad mussten also vermutlich Leute aus allen vorstellbaren Minderheiten verhören, die über fünfzig Jahre alt waren und sich sexuelle Übergriffe hatten zuschulden kommen lassen.

»Doktor Linton wird ihnen einen ausführlichen Bericht über die wesentlichen Besonderheiten liefern.« Er hielt kurz inne, dann sagte er: »Als Erstes kommt mir in den Sinn, dass der Täter ein religiöses Motiv haben könnte, eventuell ein Fanatiker ist. Ich möchte zwar nicht, dass Sie Ihre Fragen in erster Linie darauf ausrichten, aber behalten Sie im Hinterkopf, was ich gesagt habe.« Er ordnete die Papiere auf dem Pult zu einem Stapel. »Wenn Sie auf jemanden stoßen, den wir uns näher ansehen sollten, möchte ich über Funk informiert werden. Ich möchte nicht, dass ein Verdächtiger in Gewahrsam unglücklich zu Fall kommt oder dass ihm aus purem Versehen der Kopf weggepustet wird.«

Jeffrey war bei diesen letzten Worten sorgfältig darauf bedacht, Saras Blick auszuweichen. Jeffrey war Cop und wusste, wie es auf der Straße zuging. Er wusste, dass jeder in diesem Raum, was Sibyl Adams betraf, etwas beweisen wollte. Er wusste auch, wie schnell die Grenze zwischen Gesetz und menschlichem, allzu menschlichem Gerechtigkeitssinn überschritten war, wenn man sozusagen an der Front war und einer Bestie in die Augen sehen musste, die es fertiggebracht hatte, eine blinde Frau zu vergewaltigen und ihr ein Kreuz in den Bauch zu schlitzen.

»Ist das klar?«, fragte er. Eine Antwort erwartete er nicht, und er bekam auch keine. »Dann übergebe ich jetzt das Wort an Doktor Linton.«

Er ging nach hinten und stellte sich rechts hinter Lena. Sara betrat das Podium, ging zur Wandtafel und zog die weiße Projektionsleinwand herunter. Die meisten Männer im Raum kannten sie seit ihrer Kindheit, und die Tatsache, dass alle ihre Notizbücher aufgeschlagen hatten, sprach Bände über Saras Anerkennung als Profi.

Sie nickte Brad Stephens zu, und es wurde dunkel im Raum.

Der mattgrüne Projektor sprang surrend an und schickte ein grelles Lichtfeld auf die Leinwand. Sara legte ein Dia ein und schob es vor das Objektiv.

»Sibyl Adams wurde gestern gegen vierzehn Uhr dreißig auf der Damentoilette der Filling Station von mir gefunden«, sagte sie und stellte das Bild scharf.

Unruhe entstand im Raum, als das Dia von der nur teilweise bekleideten Sibyl Adams auf dem Fußboden der Toilette sichtbar wurde. Jeffrey merkte, dass er auf das Loch in ihrer Brust starrte und sich fragte, was das nur für ein Mann sein musste, der zu dem fähig war, was der armen jungen Frau angetan worden war. Er wollte nicht an die blinde Sibyl Adams denken, die auf der Toilette gesessen hatte, als der Angreifer sie aufgeschlitzt hatte, angetrieben von seiner kranken Lust. Er wollte nicht darüber nachdenken, was ihr durch den Kopf gegangen sein musste, als ihr Unterleib geschändet wurde.

Sara erläuterte: »Sie saß auf der Toilette, als ich die Tür öffnete. Ihre Arme und Beine waren gespreizt, und die Schnittwunde, die Sie hier sehen«, sie deutete auf die Leinwand, »blutete extrem stark.«

Jeffrey beugte sich ein wenig vor, um zu sehen, wie Lena reagierte. Sie stand regungslos und kerzengerade da. Er verstand, warum sie das hier tun musste, aber konnte sich nicht erklären, wie sie es schaffte. Wenn einem seiner Familienmitglieder so etwas geschehen wäre, wenn man Sara so fürchterlich zugerichtet hätte, dann hätte er es nicht so genau wissen wollen. Er hätte es nicht erfahren wollen, das wusste Jeffrey ganz tief in seinem Inneren. Er hätte es nicht erfahren dürfen.

Sara fuhr fort: »Kurz nachdem ich festgestellt hatte, dass sie noch einen Puls hatte, begann sie zu krampfen. Wir stürzten zu Boden. Ich versuchte, die Krampfanfälle unter Kontrolle zu bringen, aber einige Sekunden später starb sie.«

Mit einem Ruck zog Sara den Schuber heraus, um ein anderes Dia einzulegen. Das Gerät stammte noch aus grauer Vorzeit und war von der Highschool ausgeborgt worden.

Die Fotos vom Tatort konnte Sara schließlich nicht zum Fotoladen an der Ecke bringen und vergrößern lassen.

Das nächste Bild war eine Nahaufnahme von Sibyl Adams' Gesicht und Hals. »Die Quetschung unter dem Auge wurde ihr von oben zugefügt, wahrscheinlich schon zu Beginn des tätlichen Angriffs, um die Abwehr zu beeinträchtigen. Ein Messer wurde ihr an die Kehle gehalten, sehr scharf, ungefähr fünfzehn Zentimeter lang. Ich würde sagen, es handelte sich um ein Ausbeinmesser, wie man es in so gut wie jeder Küche findet. Sie können hier einen leichten Schnitt erkennen.« Sie fuhr mit dem Finger über die Leinwand, über die Mitte von Sibyls Hals. »Das führte zwar nicht zu einer Blutung, aber der Druck reichte, um die Haut zu ritzen.« Sie sah zu Jeffrey auf, und ihre Blicke trafen sich. »Ich vermute, dass er das Messer benutzt hat, damit sie nicht schrie, während er sie vergewaltigte.«

Sie fuhr fort. »Ihre linke Schulter zeigt den schwachen Abdruck eines Bisses.« Das dazugehörige Bild erschien auf der Leinwand. »Bisswunden sind bei Vergewaltigungen häufig zu finden. Diese hier zeigt nur den Abdruck der oberen Zähne. Ich habe nichts Besonderes an der Zahnstellung gefunden, habe aber ...« Sara unterbrach sich, weil ihr wahrscheinlich einfiel, dass Lena im Raum war. »Der Abdruck wurde zu Vergleichszwecken ins FBI-Labor geschickt. Wenn ein Straffälliger aus den Akten Übereinstimmungen mit dem Abdruck aufweist, könnten wir davon ausgehen, dass er sich auch dieses Verbrechens schuldig gemacht hat.« Dann dämpfte sie die Erwartungen: »Wie wir alle wissen, wird das FBI diesem Fall jedoch keine hohe Priorität zuerkennen, und daher denke ich, wir sollten keine allzu großen Hoffnungen an dieses Beweismittel knüpfen. Viel naheliegender wäre es, den Abdruck abschließend als Beweis heranzuziehen. Das heißt: Finden wir einen hinreichend Tatverdächtigen und nageln ihn dann mit Hilfe des Zahnabdrucks fest.«

Dann erschien auf der Leinwand ein Bild, das die Innenseiten von Sibyls Beinen zeigte. »Man kann hier am Knie Abschürfungen erkennen, wo sie während des Angriffs mit den Beinen das Toilettenbecken umklammert hat.« Ein weiteres Bild folgte. Es zeigte Sibyls Gesäß. »Es finden sich ungleichmäßige Quetschungen und Abschürfungen auf dem Gesäß, hervorgerufen ebenfalls von der Reibung auf dem Toilettensitz.«

»Ihre Handgelenke«, sagte Sara und legte ein weiteres Dia ein, »weisen Verletzungen von den Haltestangen auf, die sich in der Kabine befinden. Bei dem Versuch, sich an den Stangen festzuhalten, brach sie sich zwei Fingernägel ab. Wahrscheinlich wollte sie sich hochziehen und so ihrem Peiniger entkommen.«

Sara legte das nächste Bild ein. »Hier sehen wir eine Nahaufnahme der Schnittwunden auf ihrem Bauch. Der erste Schnitt wurde von einer Stelle gleich unterhalb des Schlüsselbeins bis ganz hinunter zum Hüftknochen geführt. Der Zweite verläuft von rechts nach links.« Sie machte eine Pause. »Aus der unregelmäßigen Tiefe der zweiten Schnittwunde würde ich schließen, dass es sich um die Rückhandbewegung eines Linkshänders handelt. Die Wunde wird nach rechts hin immer tiefer.«

Das nächste Bild zeigte eine Großaufnahme von Sibyls Brust. Einige Herzschläge lang schwieg Sara und dachte dabei wahrscheinlich dasselbe wie Jeffrey. Man konnte genau erkennen, wo die Stichwunde erweitert worden war. Nicht zum ersten Mal spürte er seinen Magen revoltieren bei der Vorstellung, was man dieser armen Frau angetan hatte. Er konnte nur inständig hoffen, dass sie es nicht bei Bewusstsein miterlebt hatte.

Sara sagte: »Dies war die tödliche Verletzung. Es handelt sich um eine Stichwunde durch das Brustbein. Ich würde annehmen, dass sie den größten Blutverlust verursacht hat.« Sara wandte sich an Brad. »Licht, bitte.«

Sie ging zu ihrer Aktentasche und sagte: »Das Symbol auf ihrer Brust ist ein Kreuz. Der Täter benutzte bei der Vergewaltigung ein Kondom, was seit der Einführung der DNA-Tests recht verbreitet ist, wie wir wissen. Unter Schwarzlicht wurden weder Sperma noch Körperflüssigkeiten sichtbar. Das Blut am Tatort stammt allem Anschein nach ausschließlich vom Opfer.« Sie zog einen Bogen Papier aus ihrer Aktentasche. »Unsere Freunde im Georgia Bureau of Investigation waren so freundlich, letzte Nacht ihre Beziehungen spielen zu lassen. Sie haben für mich eine Blutanalyse gemacht.« Sie setzte ihre Brille mit dem Kupfergestell auf und las vor. »Eine hohe Konzentration von Hyoscyamin und Atropin wurde im Blut und im Urin festgestellt sowie Spuren von Scopolamin.« Sie hob den Kopf. »Daraus ließe sich schließen, dass Sibyl Adams eine tödliche Dosis Belladonna eingenommen hat.«

Jeffrey warf Lena einen Blick zu. Sie blieb regungslos stehen, den Blick auf Sara geheftet.

»Eine Überdosis Belladonna kann einen vollständigen Zusammenbruch des Parasympathikus bewirken. Sibyl Adams war blind, aber ihre Pupillen waren durch die Droge geweitet. Die Bronchiolen in der Lunge waren geschwollen. Die

Kerntemperatur ihres Körpers war noch immer hoch, deswegen habe ich mir ja überhaupt erst Gedanken über ihr Blut gemacht.« Sie wandte sich an Jeffrey und beantwortete die Frage, die er am Morgen gestellt hatte. »Während der Autopsie fühlte sich die Haut immer noch warm an. Es gab keine Umgebungsfaktoren, die das hätten hervorrufen können. Ich wusste, dass da etwas in ihrem Blut sein musste.«

Sie holte Luft. »Belladonna kann verdünnt zu medizinischen Zwecken eingesetzt werden, wird aber auch als Entspannungs- und Beruhigungsmittel verwendet.«

»Du meinst, der Täter hat es ihr gegeben?«, fragte Jeffrey. »Oder hat sie das etwa aus freien Stücken eingenommen?«

Sara überlegte. »Sibyl Adams war Chemikerin. Sie würde ganz sicher nicht eine unkontrollierbare Droge nehmen und dann zum Mittagessen losrennen. Es handelt sich um ein sehr starkes Halluzinogen. Es wirkt aufs Herz, die Atmung und den Blutkreislauf.«

»Die Schwarze Tollkirsche wächst überall in der Stadt«, gab Frank zu bedenken.

»Sie ist recht verbreitet«, stimmte Sara zu und blickte wieder auf ihre Notizen. »Mit der Pflanze ist nicht zu spaßen. Wie das Gift eingenommen wurde, dürfte hier die Schlüsselfrage sein. Nach Aussagen von Nick nimmt man Belladonna am einfachsten, indem man die Samen mit kaltem Wasser auszieht und das Infusum abdampft. Heute Morgen habe ich im Internet drei Rezepte gefunden, wie man aus Belladonna einen Tee bereiten kann.«

Lena warf ein: »Sie trank gerne heißen Tee.«

»Da hätten wir's«, sagte Sara. »Die Samen lösen sich sehr leicht auf. Ich kann mir vorstellen, dass sie schon ein paar

Minuten nach dem Trinken unter erhöhtem Blutdruck litt, unter Herzklopfen, einem trockenen Mund und extremer Nervosität. Ich würde überdies annehmen, das brachte sie auf die Toilette, wo ihr Vergewaltiger schon wartete.«

Frank wandte sich an Jeffrey. »Wir sollten uns mal mit Pete Wayne unterhalten. Er hat ihr das Mittagessen serviert. Und auch den Tee.«

»Niemals«, widersprach Matt. »Pete wohnt schon sein Leben lang in dieser Stadt. Der würde so was nie tun.« Und als sei nichts Wichtigeres zu seiner Entlastung zu sagen, fügte Matt hinzu: »Außerdem ist er Logenbruder.«

Die anderen Männer begannen zu tuscheln. Jeffrey wusste nicht, wer es war, aber jemand sagte: »Was ist mit dem Neger von Frank?«

Jeffrey spürte, dass ihm ein Schweißtropfen den Rücken hinunterrann. Er ahnte bereits, worauf das hinauslief. Er hob die Hände, um die Anwesenden zur Ruhe zu mahnen. »Frank und ich werden mit Pete reden. Jeder von euch hat seine Aufgabe. Ich möchte heute Abend Berichte sehen.«

Matt schien etwas sagen zu wollen, aber Jeffrey kam ihm zuvor. »Sibyl Adams ist nicht im Geringsten damit geholfen, dass wir hier sitzen und uns irgendwelche Theorien abkneifen.« Er unterbrach sich und wies auf die Seiten, die Brad ausgeteilt hatte. »Klopft an jede verdammte Tür in dieser Stadt, wenn es sein muss, denn ich will genaue Berichte über sämtliche Männer auf diesen Listen.«

Als Jeffrey und Frank zum Diner gingen, wollten Jeffrey die Worte »Franks Neger« nicht aus dem Kopf gehen. Dieser Jargon war ihm zwar aus seiner Kindheit vertraut, aber während der letzten dreißig Jahre hatte er das Wort »Neger«

nicht mehr gehört. Es verblüffte Jeffrey, dass solch unge-schönter Rassismus immer noch existierte. Und es machte ihm außerdem Angst, dass er einen solchen Spruch von sei-nen Leuten auf dem Revier gehört hatte. Jeffrey arbeitete schon seit zehn Jahren in Grant, aber er galt noch immer als Außenseiter. Nicht einmal seine Herkunft aus den Südstaa-ten reichte als Aufnahmegebühr für den Club der »good old boys«. Aus Alabama zu stammen war auch nicht gerade ein Plus. Ein typisches Gebet in den Südstaaten lautete: »Dank dir, Gott, für Alabama«, und das sollte heißen: Vielen Dank, lieber Gott, dass es uns nicht so mies geht wie denen. Das war einer der Gründe, warum er Frank Wallace immer in seiner Nähe haben wollte. Frank zählte zu jenen Männern. Er war Clubmitglied.

Frank zog sein Jackett aus und legte es über den Arm, ohne seinen Schritt zu verlangsamen. Er war groß und dünn wie eine Bohnenstange. Jahrelanger Polizeidienst hatte sein Ge-sicht absolut unergründlich gemacht.

Frank sagte: »Dieser Schwarze, Will Harris. Vor ein paar Jahren bin ich mal wegen häuslicher Streitigkeiten gerufen worden. Hatte seiner Frau eine geknallt.«

Jeffrey blieb stehen. »Yeah?«

Frank blieb auch stehen. »Ja«, sagte er. »Hatte ganz schön zugeschlagen. Die Lippe war aufgeplatzt. Als ich hinkam, lag sie auf dem Fußboden. Hatte 'n Kleid an, das aussah wie ein Baumwollsack.« Er zuckte die Achseln. »War ganz zer-rissen.«

»Hatte er sie vergewaltigt?«

Frank zuckte wieder die Achseln. »Sie wollte keine An-zeige.«

Jeffrey ging weiter. »Weiß sonst noch jemand davon?«

»Matt«, sagte Frank. »Er war damals mein Partner.«

Beklommen öffnete er die Tür des Diners.

»Wir haben geschlossen«, rief Pete von hinten.

Jeffrey sagte: »Ich bin's – Jeffrey.«

Er kam aus dem Vorratsraum und wischte sich die Hände an der Schürze ab. »He, Jeffrey«, sagte er und nickte ihnen zu. Dann: »Frank.«

»Heute Nachmittag müssten wir eigentlich hier fertig sein, Pete«, sagte Jeffrey. »Morgen können Sie wieder öffnen.«

»Ich mach für den Rest der Woche zu«, sagte Pete und band einen neuen Knoten in seine Schürzenbänder. »Kommt mir irgendwie nicht richtig vor aufzuhaben, wegen dem mit Sibyl und so.« Er deutete auf die Hocker vor der Theke. »Kann ich Ihnen Kaffee bringen?«

»Das wär nett«, sagte Jeffrey und nahm den ersten Hocker in Beschlag. Frank setzte sich daneben.

Jeffrey sah zu, wie Pete um die Theke herumging und drei Keramikbecher hervorholte. Der Kaffee dampfte, als Pete einschenkte.

»Haben Sie schon was?«, fragte er.

Jeffrey nahm einen Becher. »Können Sie schildern, was gestern passiert ist? Ich mein, von dem Augenblick an, als Sibyl Adams ins Restaurant kam.«

Pete verschränkte die Arme und lehnte sich an den Grill. »Ich glaube, sie kam so gegen halb zwei«, sagte er. »Sie kam immer erst, wenn der größte Mittagsandrang vorüber war. Ich denke mal, sie mochte nicht vor all den Leuten mit ihrem Stock herumtapsen. Ich mein, klar, wir wussten alle, dass sie blind war, aber sie wollte nicht, dass so viel Aufhebens davon gemacht wurde. Das merkte man gleich. Unter vielen Menschen war sie irgendwie nervös.«

Jeffrey zog sein Notizbuch hervor, obwohl er sich eigentlich gar nichts aufzuschreiben brauchte. Er wusste, dass Pete viel über Sibyl zu wissen schien. »Kam sie oft her?«

»Pünktlich jeden Montag.« Er kniff die Augen zusammen. »Ich denke, so ungefähr die letzten fünf Jahre. Manchmal ist sie auch spätabends noch gekommen mit Lehrerkollegen oder Nan aus der Bibliothek. Ich glaube, die beiden haben ein Haus drüben an der Cooper gemietet.«

Jeffrey nickte.

»Aber das geschah nur gelegentlich. Meistens also montags und dann immer allein. Sie kam zu Fuß, bestellte sich ihr Mittagessen und war gewöhnlich gegen zwei wieder weg.« Er rieb sich das Kinn und sah plötzlich traurig aus. »Sie hat immer ein schönes Trinkgeld dagelassen. Ich hab mir gar nichts dabei gedacht, als ich sah, dass ihr Tisch leer war. Ich hab einfach gedacht, sie ist gegangen, als ich mal nicht hingesehen hab.«

Jeffrey fragte: »Was hatte sie bestellt?«

»Dasselbe wie immer«, sagte Pete. »Die Nummer drei.«

Jeffrey wusste, was es war – der Waffel-Teller mit Eiern, Speck und Maisgrütze als Beilage.

»Nur dass sie kein Fleisch aß«, erläuterte Pete, »deswegen ließ ich immer den Speck weg. Außerdem trank sie keinen Kaffee, deswegen brachte ich ihr heißen Tee.«

Das notierte sich Jeffrey. »Was für Tee?«

Er kramte hinter dem Tresen und holte eine Schachtel mit Teebeuteln hervor. »Die hab ich für sie im Lebensmittelladen besorgt. Koffein wollte sie nicht.« Er lachte kurz. »Ich hab es ihr gern so angenehm wie möglich gemacht, verstehen Sie? Sie kam ja nicht viel raus. Sie hat mir immer wieder gesagt, dass sie gerne herkommt, weil sie sich hier wohlfühlt.« Er hantierte mit der Schachtel.

»Was ist mit der Tasse, die sie benutzt hat?«, fragte Jeffrey.

»Keine Ahnung. Die sehen doch alle gleich aus.« Er ging ans Ende des Tresens und zog eine große Metallschublade auf. Jeffrey beugte sich vor, um einen Blick hineinzuwerfen. Die Schublade war der große Korb einer Geschirrspülmaschine und mit Tassen und Tellern gefüllt.

Jeffrey fragte: »Sind die von gestern?«

Pete nickte. »Ich könnte im Leben nicht sagen, welche Tasse von ihr war. Ich hab die Maschine angestellt, bevor sie …« Er brach ab und sah auf seine Hände. »Mein Dad hat immer gesagt, wer gut für seine Gäste sorgt, für den sorgen auch die Gäste.« Er blickte auf, mit Tränen in den Augen. »Sie war doch so ein nettes Mädchen. Warum sollte ihr jemand etwas antun wollen?«

»Das weiß ich auch nicht, Pete«, sagte Jeffrey. »Haben Sie was dagegen, wenn wir die hier mitnehmen?« Er deutete auf die Schachtel mit den Teebeuteln.

Pete zuckte mit den Achseln. »Ganz und gar nicht. Trinkt ja sonst keiner.« Dann wieder das Lachen. »Ich hab's einmal probiert. Schmeckt wie braunes Wasser.«

Frank nahm einen Teebeutel aus der Schachtel. Jeder Beutel steckte in einer Papierhülle, die zugeklebt war.

Dann fragte Frank: »Hat der alte Will gestern hier gearbeitet?«

Pete verblüffte diese Frage. »Sicher doch. Seit fünfzig Jahren hat er jeden Tag zur Lunchzeit hier gearbeitet. Kommt gegen elf, geht gegen zwei oder so.« Er sah Jeffrey fragend an. »Anschließend macht er Gelegenheitsarbeiten für Leute in der Stadt. Größtenteils Gartenarbeit, aber auch leichte Tischlersachen.«

»Er arbeitet hier als Aushilfskellner?«, fragte Jeffrey, obwohl er oft genug in diesem Lokal gegessen hatte, um zu wissen, was Will Harris tat.

»Klar«, sagte Pete. »Räumt die Tische ab, wischt den Fußboden, bringt den Gästen ihr Essen.« Er sah Jeffrey neugierig an. »Wieso?«

»Kein besonderer Grund«, antwortete Jeffrey. Er beugte sich vor, schüttelte dem Mann die Hand und sagte: »Vielen Dank, Pete. Wir lassen Sie es wissen, wenn wir noch etwas brauchen.«

10

Lena hielt einen Stadtplan auf dem Schoß und folgte mit dem Finger dem Verlauf einer Straße. »Hier links«, forderte sie Brad auf.

Er lenkte den Streifenwagen in die Baker Street. Brad war okay, aber etwas zu leichtgläubig. Als Lena zum Beispiel in der Dienststelle gesagt hatte, sie müsse mal auf die Toilette, aber dann genau die entgegengesetzte Richtung eingeschlagen hatte, war von ihm kein Ton zu hören gewesen. Auf der Wache machte man sich immer wieder einen Spaß daraus, Brads Dienstmütze zu verstecken. Zu Weihnachten hatten sie die Mütze einem der Rentiere aufgesetzt, die vor dem Rathaus aufgestellt waren. Und vor einem Monat hatte Lena die Mütze auf dem Kopf der Statue von Robert E. Lee vor der Highschool entdeckt.

Indem Jeffrey sie mit Brad Stephens zusammen einteilte, bezweckte er, sie aus dem Brennpunkt der Ermittlungen herauszuhalten. So wie sie das einschätzte, waren sämtliche Kerle auf ihrer Liste entweder schon tot oder zu alt, um ohne Hilfe aus dem Lehnstuhl hochzukommen.

»Jetzt die Nächste rechts«, sagte sie und faltete den Plan zusammen. Während des angeblichen Gangs zur Toilette hatte sie sich in Marlas Büro gestohlen und dort die Adresse von Will Harris im Telefonbuch nachgeschlagen. Jeffrey würde zuerst Pete befragen. Lena wollte sich Will Harris vor-knöpfen, bevor der Chief bei ihm aufkreuzte.

»Genau hier«, sagte Lena und bedeutete ihm, rechts ranzu-fahren. »Du kannst hier warten.«

Brad bremste den Wagen ab. »Wie lautet die Adresse?«

»Vier einunddreißig«, sagte sie nach einem Blick auf den Briefkasten. Sie machte den Sicherheitsgurt auf und öffnete die Tür, noch bevor der Wagen ganz zum Stehen gekommen war. Brad holte sie erst ein, als sie schon die Auffahrt hinaufeilte.

»Was hast du vor?«, fragte er und hatte Mühe, mit ihr Schritt zu halten. »Lena?«

Sie blieb stehen und schob eine Hand in die Tasche. »Hör mal, Brad, geh bitte zurück zum Wagen.« Sie war zwei Dienst-grade über ihm, und formell hatte Brad ihren Anweisungen Folge zu leisten, aber er schüttelte den Kopf. Nein.

Er sagte: »Hier wohnt doch Will Harris, oder?«

Lena wandte ihm den Rücken zu und ging weiter die Auf-fahrt hinauf.

Das Haus von Will Harris war klein, bestand wahrschein-lich nur aus zwei Zimmern und einem Bad. Die Holzver-schalung war leuchtend weiß gestrichen, der Rasen sorgsam gepflegt. Alles machte einen derart ordentlichen Eindruck, dass Lena mit einem Mal nervös wurde. Sie konnte sich ein-fach nicht vorstellen, dass ein Mensch, der in diesem Haus wohnte, ihrer Schwester so etwas hätte antun können.

Lena klopfte gegen die Fliegentür. Drinnen lief der Fern-seher. Durch das feinmaschige Drahtnetz konnte sie einen Mann erkennen, der sich mühsam aus seinem Sessel aufrap-pelte. Er trug ein weißes Unterhemd und weiße Schlafanzug-hosen, und er schaute recht verstört drein.

Anders als die meisten Leute, die in der Stadt arbeiteten, war Lena kein Stammgast in der Grant Filling Station. Irgendwie hatte sie das Gefühl gehabt, dass es Sibyls Territorium war, und da wollte sie nicht eindringen. Lena war Will Harris nie begegnet. Sie hatte jemanden erwartet, der jünger war, bedrohlicher. Will Harris war ein alter Mann.

Als er schließlich an der Tür war und Lena sah, klappte ihm vor Überraschung die Kinnlade herunter. Einen Augenblick lang schwiegen sie beide, dann sagte Willy schließlich: »Sie müssen ihre Schwester sein.«

Lena starrte den alten Mann an. Sie wusste instinktiv, dass Will Harris ihre Schwester nicht ermordet hatte, aber es bestand immerhin die Möglichkeit, dass er wusste, wer es gewesen war.

Sie sagte: »Ja, Sir. Würden Sie mich vielleicht reinlassen?«

Die Angeln der Fliegentür quietschten. Er trat zur Seite und hielt Lena die Tür auf.

»Sie müssen meinen Aufzug entschuldigen«, sagte er und deutete auf seine Pyjamahose. »Mit Besuch hab ich nicht gerechnet.«

»Das geht schon in Ordnung«, meinte Lena und sah sich in dem kleinen Zimmer um. Im Wohnzimmer gab es eine Kochnische, die durch ein Sofa abgeteilt wurde. Links war ein quadratischer Flur, an dessen Ende Lena ein Bad sehen konnte. Sie nahm an, dass sich das Schlafzimmer auf der anderen Seite der Wand befand. Wie das Äußere des Hauses war alles sauber und gepflegt; alt, aber gut erhalten. Ein Fernsehapparat dominierte das Wohnzimmer. Darum herum standen Bücherregale, die lückenlos mit Videos bestückt waren.

»Ich seh mir gern alte Filme an«, sagte Will.

Lena schmunzelte. »Man sieht's.«

»Hauptsächlich mag ich die alten Schwarz-Weiß-Filme«, begann der alte Mann, drehte sich dann aber zum großen Panoramafenster an der Vorderfront des Zimmers um. »Gütiger Gott«, nuschelte er. »Heute scheine ich ja viele Fans zu haben.«

Lena unterdrückte ein Stöhnen, als Jeffrey Tolliver die Auffahrt entlangkam. Entweder hatte Brad sie verraten, oder Pete Wayne hatte Will angeschwärzt.

»Morgen, Sir«, sagte Will, als er Jeffrey die Fliegentür öffnete.

Jeffrey nickte ihm zu und warf Lena einen von den Blicken zu, der ihr feuchte Hände bescherte.

Will schien die Spannung zwischen ihnen zu spüren. »Ich kann nach hinten gehen, wenn Sie möchten.«

Jeffrey wandte sich an den alten Mann und schüttelte ihm die Hand. »Nicht nötig, Will«, sagte er. »Ich muss Ihnen nur ein paar Fragen stellen.«

Will zeigte auf das Sofa. »Haben Sie was dagegen, wenn ich mir einen Kaffee hole?«

»Nein, Sir«, antwortete Jeffrey und ging an Lena vorbei zum Sofa. Er sah sie noch immer streng an, aber sie setzte sich trotzdem neben ihn.

Will schlurfte wieder zu seinem Sessel und setzte sich mit einem Stoßseufzer. Seine Knie knackten, er lächelte entschuldigend und erklärte: »Hab die meisten meiner Tage auf den Knien verbracht, bei der Gartenarbeit.«

Jeffrey nahm sein Notizbuch zur Hand. »Will, ich muss Ihnen ein paar Fragen stellen.«

»Ja, Sir?«

»Sie wissen, was gestern im Diner geschehen ist?«

Will stellte seine Kaffeetasse auf einem Beistelltisch ab. »Das Mädchen hat nie jemandem etwas zuleide getan«, sagte er. »Was man ihm angetan hat ...« Er unterbrach sich und sah Lena an. »Ich bin mit ganzem Herzen bei Ihnen und Ihrer Familie, meine Liebe. Das dürfen Sie mir glauben.«

Lena räusperte sich. »Vielen Dank.«

Jeffrey hatte allem Anschein nach eine andere Reaktion von ihr erwartet. Sein Gesichtsausdruck änderte sich, aber sie konnte nicht erraten, was er dachte. Er wandte sich wieder an Will. »Bis wann waren Sie gestern in dem Lokal?«

»Oh, so bis halb zwei oder kurz vor zwei, glaub ich. Ich hab Ihre Schwester« – sagte er zu Lena – »noch gesehen, als ich ging.«

Jeffrey wartete einen Augenblick, bevor er fragte: »Und da sind Sie sicher?«

»Aber ja, Sir«, erwiderte Will. »Ich musste nämlich mein Tantchen von der Kirche abholen. Die hören dort um Punkt Viertel nach zwei mit ihrer Chorprobe auf. Und sie wartet nicht gerne.«

Lena fragte: »Und wo singt sie?«

»Bei den afrikanischen episkopalen Methodisten drüben in Madison«, antwortete er. »Sind Sie mal da gewesen?«

Sie schüttelte den Kopf und rechnete in Gedanken nach. Auch wenn Will Harris als Täter infrage käme, hätte er niemals Sibyl umbringen und danach pünktlich in Madison sein können, um seine Tante abzuholen. Ein Anruf, und Will Harris hätte ein wasserdichtes Alibi.

»Will«, begann Jeffrey, »ich frage Sie das höchst ungern,

aber einer meiner Leute, Frank, sagt, es gab vor einer Weile mal ein Problem?«

Will machte ein langes Gesicht. Bis jetzt hatte er Lena angesehen, aber nun starrte er auf den Teppich. »Ja, Sir, das stimmt.« Er sah Jeffrey nicht an, als er weitersprach. »Meine Frau Eileen. Hab sie öfter mal zu hart angefasst. Ich nehme an, das war vor Ihrer Zeit, damals, als wir uns geprügelt haben. So vor achtzehn, neunzehn Jahren.« Er zuckte die Achseln. »Danach ist sie mir davongelaufen. Der Alkohol hat mich vom rechten Weg abgebracht, aber inzwischen bin ich wieder ein rechtschaffener Christenmensch. So was passiert mir nicht mehr. Meinen Sohn sehe ich nicht oft, aber meine Tochter so oft ich nur kann. Sie wohnt jetzt in Savannah.« Sein Lächeln kehrte zurück. »Habe zwei Enkelchen.«

Jeffrey tippte mit dem Bleistift auf sein Notizbuch. Lena konnte mit einem Blick über seine Schulter erkennen, dass er nichts aufgeschrieben hatte. Er fragte: »Haben Sie Sibyl jemals ihr Essen gebracht? Im Diner, mein ich.«

Wenn ihn die Frage überrascht hatte, ließ Will sich nichts anmerken. »Denke schon. Meistens helfe ich Pete bei so was aus. Sein Daddy hatte ja eine Frau angestellt, die kellnerte, als er noch das Lokal führte, aber Pete«, sagte er kichernd, »der alte Pete, der sitzt doch auf seinem Geld.« Mit einer Handbewegung tat er das aber ab. »Macht mir doch nichts aus, mal jemandem Ketchup zu bringen oder dafür zu sorgen, dass ein Gast seinen Kaffee kriegt.«

Jeffrey fragte: »Haben Sie Sibyl auch mal Tee serviert?«

»Manchmal. Gibt's da ein Problem?«

Jeffrey klappte sein Notizbuch zu. »Ganz und gar nicht«,

sagte er. »Haben Sie gestern jemand im Diner oder in der Nähe gesehen, der Ihnen verdächtig vorgekommen ist?«

»Guter Gott, das hätte ich Ihnen doch schon längst erzählt. Nur Pete und ich waren da, und die Stammgäste, die zum Mittagessen kommen.«

»Vielen Dank, dass Sie Zeit für uns hatten.« Jeffrey stand auf, und Lena tat es ihm nach. Will schüttelte zuerst Jeffrey und danach Lena die Hand.

Ihre Hand hielt er etwas länger in der seinen. Dann sagte er: »Gott segne Sie, mein Kind. Passen Sie auf sich auf.«

»Verdammt noch mal, Lena«, fluchte Jeffrey und knallte das Notizbuch gegen das Armaturenbrett. Seiten flatterten heraus, und Lena hob die Hände, um keine davon ins Gesicht zu bekommen. »Was haben Sie sich dabei gedacht, zum Teufel?«

Lena hob das Notizbuch auf. »Gedacht habe ich gar nicht«, antwortete sie.

»Das ist nicht witzig«, schnauzte er und griff nach dem Notizbuch.

Zornig biss er die Zähne zusammen, als er aus Will Harris' Ausfahrt zurücksetzte. Frank war zusammen mit Brad zur Wache gefahren, während man Lena praktisch mit Gewalt in Jeffreys Wagen befördert hatte. Unsanft bewegte er den Ganghebel an der Lenksäule, und der Wagen setzte sich in Bewegung.

»Warum kann ich Ihnen nicht vertrauen?«, wollte er wissen. »Warum kann ich mich nicht darauf verlassen, dass Sie sich an das halten, was ich Ihnen auftrage?« Ihre Antwort wartete er nicht ab. »Ich habe Sie mit Brad zusammen losgeschickt, damit Sie etwas erledigen, Lena. Ich habe Ihnen bei dieser Untersuchung eine Aufgabe zugeteilt, weil Sie mich darum gebeten haben, nicht weil ich der Meinung bin, dass Sie dafür geeignet sind. Und was ist der Dank dafür? Sie hintergehen mich und schleichen sich heimlich aus dem Haus. Sind Sie ein verdammter Cop oder ein verdammtes Kind?« Er trat mit voller Wucht auf die Bremse, und Lena spürte, wie der Sicherheitsgurt ihr in die Brust schnitt. Sie hielten mitten auf der Straße, aber das schien Jeffrey gar nicht aufzufallen.

»Sehen Sie mich an«, sagte er. Lena versuchte, keine Furcht zu zeigen. Jeffrey war schon oft genug wütend auf sie gewesen, aber noch nie so wie jetzt. Wenn sie in Bezug auf Will Harris recht gehabt hätte, wäre es Lena vielleicht noch möglich gewesen, sich herauszureden; so aber hatte sie absoluten Mist gebaut.

»Sie müssen immer einen klaren Kopf behalten. Haben Sie gehört?«

Sie nickte.

»Ich kann es nicht dulden, dass Sie hinter meinem Rücken handeln. Und wenn er Ihnen etwas angetan hätte?« Er machte eine Pause. »Und wenn Will Harris nun der Mann wäre, der Ihre Schwester umgebracht hat? Wenn er die Tür aufgemacht, Sie gesehen und dann die Beherrschung verloren hätte?« Jeffrey ließ die Faust aufs Lenkrad sausen und fluchte. »Sie müssen tun, was ich sage, Lena! Ist das klar?« Er zielte mit dem Finger auf ihr Gesicht. »Wenn ich Ihnen befehle, alle Ameisen auf dem Spielplatz zu verhören, dann bringen Sie mir die unterschriebene Aussage von jeder einzelnen. Ist das klar?«

Sie schaffte es, abermals zu nicken. »Yeah.«

Noch war Jeffrey nicht zufrieden. »Ist das klar, Detective?«

»Ja, Sir«, antwortete Lena gehorsam.

Jeffrey legte wieder einen Gang ein. Die Räder drehten durch, als er Gas gab, und hinterließen eine schwarze Spur auf der Straße. Mit beiden Händen umklammerte er das Lenkrad, bis seine Knöchel weiß wurden. Lena schwieg und hoffte, dass sich seine Wut legte. Er hatte ja jedes Recht, stinksauer zu sein, aber sie wusste nicht, was sie sagen sollte. Eine Entschuldigung war bestimmt so nutzlos wie die Behandlung von Zahnschmerzen mit Honig.

Jeffrey drehte die Scheibe herunter und lockerte die Krawatte. Plötzlich sagte er: »Ich glaube nicht, dass Will es getan hat.«

Lena nickte nur, sie traute sich nicht, den Mund aufzumachen.

»Auch wenn es in der Vergangenheit diesen Zwischenfall gegeben hat«, fing Jeffrey an, und schon war auch wieder Zorn in seiner Stimme. »Frank hätte ruhig erwähnen können, dass die Episode mit seiner Frau schon zwanzig Jahre zurückliegt.«

Lena blieb stumm.

»Na, jedenfalls«, hakte Jeffrey die Sache ab, »auch wenn er vielleicht dazu in der Lage gewesen wäre, inzwischen ist er sechzig, wenn nicht siebzig. Er konnte sich ja kaum in seinen Sessel setzen, geschweige denn eine gesunde dreiunddreißigjährige Frau überwältigen.«

Jeffrey fuhr fort: »Also bleibt uns nur noch Pete im Diner, stimmt's?« Er wartete die Antwort nicht ab, offenbar dachte er nur laut. »Ich habe auf dem Weg hierher mit Tessa gesprochen. Sie betrat um kurz vor zwei das Lokal. Will war schon weg, Pete war als Einziger da. Sie sagte, Pete sei hinter der Kasse geblieben, bis sie ihre Bestellung aufgegeben hatte, und habe danach ihren Burger gegrillt.« Jeffrey schüttelte den Kopf. »Er hätte sich vielleicht nach hinten schleichen können, aber wann? Wann hatte er die Zeit dazu? Gebraucht hätte er wie lange? Zehn, fünfzehn Minuten? Plus die Planung. Wie hätte er wissen sollen, dass alles einwandfrei klappen würde?« Auch diese Fragen schienen nur rhetorisch zu sein. »Und wir alle kennen doch Pete. Ich meine, Herr im Himmel, so ein Ding zieht doch kein Anfänger durch.«

Er verstummte und dachte nach. Lena starrte aus dem Fenster und ließ sich durch den Kopf gehen, was Jeffrey über Pete Wayne und Will Harris gesagt hatte. Noch vor einer Stunde war es ihr ganz plausibel erschienen, die beiden Männer zu verdächtigen. Jetzt nicht mehr. Sie hätte mit Brad unterwegs sein sollen, um die Männer auf ihrer Liste zu überprüfen, vielleicht hätte sie Sibyls Mörder bereits gefunden.

Lena betrachtete die Häuser, an denen sie vorbeifuhren. An der Kurve achtete sie auf das Straßenschild und stellte fest, dass sie auf der Cooper waren.

Jeffrey fragte: »Meinen Sie, dass Nan zu Hause ist?«

Lena zuckte die Achseln.

Sein Lächeln bewies, dass er sich Mühe gab. »Sie dürfen jetzt gerne wieder sprechen.«

Das Lächeln zu erwidern gelang ihr nicht. »Danke.« Und dann: »Es tut mir leid wegen …«

Er hob die Hand. »Sie sind ein guter Cop, Lena. Sie sind ein verdammt guter Cop.« Vor Nans und Sibyls Haus lenkte er den Wagen an den Bordstein. »Sie müssen sich nur angewöhnen, auf die Anweisungen zu hören.«

»Ich weiß.«

»Nein, das tun Sie nicht«, sagte er, schien jetzt aber nicht mehr wütend zu sein. »Ihr ganzes Leben ist auf den Kopf gestellt, und Sie haben es nicht einmal gemerkt.«

Sie wollte etwas sagen, hielt aber inne.

Jeffrey sagte: »Ich verstehe ja, dass Sie unbedingt an diesem Fall mitarbeiten möchten, dass Sie eine Aufgabe brauchen, auch um sich abzulenken, aber Sie dürfen mir glauben, Lena, wenn Sie noch ein Mal meinen Anweisungen zuwiderhandeln, dann sorge ich dafür, dass Sie demnächst Brad Stephens den Kaffee holen. Ist das klar?«

Sie rang sich ein Kopfnicken ab.

»Okay«, sagte er und öffnete die Wagentür. »Gehen wir.«

Lena ließ sich Zeit damit, ihren Sicherheitsgurt zu lösen. Sie stieg aus dem Wagen und rückte Waffe und Holster zurecht, als sie auf das Haus zuging. Als sie die Eingangstür erreichte, war Jeffrey bereits von Nan eingelassen worden.

»Hallo«, grüßte Lena.

»Hallo«, erwiderte Nan. Wie am Abend zuvor hielt sie ein zusammengeknülltes Papiertaschentuch in der Hand. Ihre Augen waren geschwollen, ihre Nase war hellrot.

»Heda«, sagte Hank.

Lena blieb stehen. »Was machst du denn hier?«

Hank zuckte die Achseln und rieb sich die Hände. Er trug ein ärmelloses T-Shirt, die Einstichnarben an seinen Armen waren deutlich zu sehen. Lena war das unangenehm. Sie hatte Hank bisher nur in Reece gesehen, wo man seine Vergangenheit kannte. Sie hatte die Narben so oft gesehen, dass sie es schon fast ganz verdrängt hatte. Jetzt sah sie sie zum ersten Mal mit Jeffreys Augen, und am liebsten wäre sie aus dem Zimmer gerannt.

Hank schien darauf zu warten, dass Lena etwas sagte. Stotternd gelang es ihr, ihn vorzustellen. »Das hier ist Hank Norton, mein Onkel«, sagte sie. »Jeffrey Tolliver, Polizeichef.«

Hank streckte die Hand aus, und Lena wäre beim Anblick der geschwollenen Narben auf seinen Unterarmen am liebsten im Boden versunken. Einige waren zentimeterlang, wo er die Nadel auf der Suche nach einer geeigneten Vene einfach unter die Haut gestoßen hatte.

Hank sagte: »Wie geht es Ihnen, Sir?«

Jeffrey griff die ausgestreckte Hand und drückte sie fest. »Tut mir leid, dass wir uns unter diesen Umständen kennenlernen.«

Hank faltete die Hände. »Ich danke Ihnen.«

Alle schwiegen. Dann sagte Jeffrey: »Ich vermute, Sie können sich denken, warum wir hier sind.«

»Wegen Sibyl«, antwortete Nan. Ihre Stimme klang ein paar Oktaven tiefer, wahrscheinlich, weil sie die ganze Nacht geweint hatte.

»Genau«, sagte Jeffrey und deutete auf das Sofa. Er wartete, bis Nan sich gesetzt hatte, und ließ sich neben ihr nieder. Lena war überrascht, als er Nans Hand nahm und sagte: »Mir tut der Verlust ganz schrecklich leid, Nan.«

Tränen stiegen Nan in die Augen. Doch sie lächelte. »Ich danke Ihnen.«

»Wir tun alles, was in unserer Macht steht, um denjenigen zu finden, der das getan hat«, fuhr er fort. »Und ich möchte, dass Sie eines wissen: Sollten Sie irgendetwas brauchen, sind wir für Sie da.«

Sie flüsterte noch ein Dankeschön, senkte den Blick und zupfte an der Kordel ihrer Trainingshose.

Jeffrey fragte: »War jemand auf Sie oder Sibyl wütend, was meinen Sie?«

»Nein«, antwortete Nan. »Ich hab es gestern Abend schon zu Lena gesagt. In letzter Zeit war alles wie immer.«

»Ich weiß, dass Sibyl und Sie ganz bewusst ein zurückgezogenes Leben führten«, sagte Jeffrey. Lena verstand, was er meinte. Er benahm sich weitaus feinfühliger, als sie am Abend zuvor gewesen war.

»Ja«, stimmte Nan zu. »Uns gefällt es hier. Wir sind beide Kleinstadtmenschen.«

Jeffrey fragte: »Fällt ihnen jemand ein, der sich vielleicht etwas zusammengereimt haben könnte?«

Nan schüttelte den Kopf. Sie blickte zu Boden. Ihre Lippen bebten. Es gab nichts, was sie ihm zu erzählen hatte.

»Also schön«, sagte er und erhob sich. Er legte Nan die Hand auf die Schulter, um ihr zu bedeuten, dass sie sitzen bleiben sollte. »Wir finden schon allein raus.« Er griff in seine Jackentasche und holte eine Visitenkarte heraus. Lena sah zu, wie er etwas auf die Rückseite schrieb. »Das hier ist meine Privatnummer«, sagte er. »Rufen Sie mich an, wenn ihnen noch etwas einfällt.«

»Haben Sie vielen Dank«, sagte Nan und nahm die Karte.

Jeffrey wandte sich an Hank. »Würde es Ihnen etwas ausmachen, Lena nachher nach Hause zu fahren?«

Lena war wie vor den Kopf gestoßen. Sie konnte nicht hierbleiben.

Hank war allem Anschein nach ebenso verdutzt. »Nein«, brachte er heraus. »Kein Problem.«

»Gut.« Er tätschelte Nans Schulter und sagte dann zu Lena: »Sie und Nan können den Abend nutzen, um eine Liste von den Personen zu erstellen, mit denen Sibyl zusammen-gearbeitet hat.« Jeffrey bedachte Lena mit einem wissen-den Lächeln. »Seien Sie um sieben Uhr morgen früh in der Dienststelle. Wir fahren dann rüber zum College, bevor dort der Unterricht beginnt.«

Lena verstand nicht. »Bin ich denn nicht mit Brad einge-teilt?«

Er schüttelte den Kopf. »Sie sind bei mir.«

MITTWOCH

11

Ben Walker war vor Jeffrey Polizeichef gewesen und hatte sein Büro im hinteren Bereich der Dienststelle gehabt, gleich neben dem Besprechungsraum. Ein klobiger Schreibtisch befand sich mitten im Raum, und davor stand eine Reihe unbequemer Stühle. Jeden Morgen wurden die ranghöchsten Beamten in Bens Büro gerufen, um ihre Einsatzbefehle für den Tag entgegenzunehmen. Nachdem sie gegangen waren, schloss der Chief hinter ihnen die Tür. Was Ben von diesem Moment an bis siebzehn Uhr tat, wenn man ihn zum Diner hasten sah, wo er zu Abend essen wollte, blieb allen ein Rätsel.

Als er Bens Job übernahm, hatte Jeffreys erste Amtshandlung darin bestanden, sein Büro nach vorn zu verlegen. Mit einer Stichsäge hatte er eine Öffnung in die Rigipswand gesägt und eine Glasscheibe eingesetzt, damit er vom Schreibtisch aus seine Männer sehen konnte und, wichtiger noch, damit sie ihn sehen konnten. Es gab eine Jalousie an dem Fenster, aber die ließ er nie herunter, und zudem stand seine Bürotür fast immer offen.

Zwei Tage nachdem Sibyls Leiche gefunden worden war, saß Jeffrey in seinem Büro und las den Bericht, den Marla ihm gebracht hatte. Nick Shelton vom GBI war so freundlich gewesen, die Analyse der Schachtel mit den Teebeuteln sofort zu erledigen. Ergebnis: Es handelte sich um Tee.

Jeffrey kratzte sich am Kinn und ließ den Blick durchs Büro schweifen. Es war nur ein kleiner Raum, aber an eine Wand hatte er ein Bücherregal gestellt, damit er besser Ordnung halten konnte. Dienstanweisungen sowie Statistiken lagen gestapelt neben Trophäen für Scharfschützen, die er bei den Wettbewerben in Birmingham gewonnen hatte, sowie einem von der gesamten Mannschaft signierten Football aus der Zeit, als er in Auburn gespielt hatte. Nicht dass er tatsächlich gespielt hätte, Jeffrey hatte die meiste Zeit auf der Bank gesessen und zugeschaut, wie die anderen Spieler an ihrer Karriere bastelten.

In den entferntesten Winkel des Bücherbords hatte er ein Foto seiner Mutter gestellt. Sie trug eine rosa Bluse und hielt einen kleinen Blumenkranz in der Hand. Die Aufnahme war bei Jeffreys Highschool-Abschluss gemacht worden. Ihm war es gelungen, seine Mutter mit einem Lächeln einzufangen, zu dem sie sich vor der Kamera selten hinreißen ließ. Ihre Augen leuchteten, und das lag wahrscheinlich an den Aussichten, die sie sich für ihren Sohn ausmalte. Dass er jedoch Auburn ein Jahr vor dem Abschluss geschmissen und einen Job bei der Polizei von Birmingham angenommen hatte, war etwas, das sie ihrem einzigen Kind immer noch nicht verziehen hatte.

Marla klopfte leise an seine Bürotür. In der einen Hand hielt sie eine Tasse Kaffee, in der anderen einen Donut. An Jeffreys erstem Tag hatte sie ihm eröffnet, dass sie für Ben Walker nicht Kaffee geholt hatte und dass sie es genauso wenig für ihn tun würde. Jeffrey hatte gelacht: Auf den Gedanken sei er auch niemals gekommen. Seither hatte Marla ihm seinen Kaffee gebracht.

»Der Donut ist für mich«, sagte sie und reichte ihm den Plastikbecher. »Nick Shelton ist auf Leitung drei.«

»Danke Ihnen«, sagte er. Er wartete, bis sie ging. Dann griff Jeffrey zum Telefon. »Nick?«

Nicks Südstaatenakzent scholl aus dem Hörer. »Wie steht's?«

»Nicht so toll«, antwortete Jeffrey.

»Verstehe«, erwiderte Nick. »Meinen Bericht gekriegt?«

»Über den Tee?« Jeffrey überflog die Analyse. Für ein so einfaches Getränk waren es doch verblüffend viele Chemikalien, die sich darin nachweisen ließen. »Es handelt sich um einen billigen Tee, den man in jedem Laden kaufen kann?«

»Du sagst es«, entgegnete Nick. »Hör mal, ich habe heute Morgen versucht, Sara anzurufen, aber sie war nirgends aufzutreiben.«

»Tatsächlich?«

Nick lachte in sich hinein. »Du wirst mir wohl nie verzeihen, dass ich sie damals gebeten habe, mit mir auszugehen, oder, Kumpel?«

Jeffrey grinste. »Niemals.«

»Einer von meinen Drogenjungs hier im Labor ist ganz heiß auf Belladonna. Solche Fälle sind selten, und er hat sich freiwillig bereit erklärt, persönlich bei euch aufzutauchen und euch zu informieren.«

»Das wäre eine Riesenhilfe«, sagte Jeffrey. Durch das Fenster sah er Lena und winkte sie herein.

»Sprichst du diese Woche noch mit Sara?« Nick wartete die Antwort nicht ab. »Mein Typ hier will sich mit ihr darüber unterhalten, was für eine Figur das Opfer auf dem Obduktionstisch macht.«

Jeffrey verbiss sich einen boshaften Kommentar und gab sich betont gut gelaunt, als er sagte: »Sagen wir gegen zehn?«

Jeffrey notierte das Treffen in seinem Terminkalender, als Lena eintrat. Sobald er aufsah, sprudelte sie los.

»Er nimmt aber keine Drogen mehr.«

»Was?«

»Zumindest glaube ich das nicht.«

Jeffrey verstand nicht und schüttelte den Kopf. »Wovon reden Sie eigentlich?«

Mit gesenkter Stimme antwortete sie: »Von meinem Onkel Hank.« Sie streckte ihm die Unterarme entgegen.

»Oh.« Jetzt verstand Jeffrey endlich. Er war sich nicht sicher, ob Hank Norton ein ehemaliger Drogensüchtiger war oder es sich bei den Narben an den Armen eventuell um alte Brandwunden handelte. »Ich habe gesehen, dass sie alt sind.«

Sie sagte: »Er war ein Speed Freak, okay?«

Ihr Ton war feindselig. Jeffrey nahm an, dass sie darüber gebrütet hatte, seit sie in Nan Thomas' Haus zurückgeblieben war. Das waren also schon zwei Dinge, derentwegen sie sich schämte: Das Lesbentum ihrer Schwester und die ehemaligen Drogenprobleme ihres Onkels. Jeffrey fragte sich, ob es außer ihrem Job überhaupt etwas in Lenas Leben gab, das ihr Freude machte.

»Was?«, hakte Lena nach.

»Nichts«, sagte Jeffrey und stand auf. Er nahm seine Jacke vom Haken hinter der Tür und schob Lena aus dem Büro. »Haben Sie die Liste?«

Sie wirkte irritiert, weil er sie offenbar wegen der ehemaligen Drogensucht ihres Onkels nicht tadeln wollte.

Sie reichte ihm ein Blatt aus einem Notizblock. »Das hier

haben Nan und ich gestern Abend zustande gebracht. Eine Liste von Leuten, die mit Sibyl zusammengearbeitet haben, die vielleicht noch mit ihr geredet haben könnten, bevor sie …« Lena beendete den Satz nicht.

Jeffrey schaute auf das Blatt. Sechs Namen standen dort. Ein Name war mit einem Sternchen versehen. Lena schien mit der Frage gerechnet zu haben.

Sie sagte: »Richard Carter ist ihr GTA. Graduate Teaching Assistant. Sie hatte eine Vorlesung um neun Uhr. Mal abgesehen von Pete ist er wahrscheinlich der Letzte, der sie noch lebend gesehen hat.«

»Irgendwie kommt mir der Name bekannt vor«, sagte Jeffrey und schlüpfte in sein Jackett. »Er ist der einzige Student auf der Liste?«

»Ja«, antwortete Lena. »Und außerdem ist er irgendwie unheimlich.«

»Das heißt?«

»Ich weiß auch nicht.« Sie zuckte die Achseln. »Ich mochte ihn jedenfalls noch nie.«

Jeffrey hütete seine Zunge, weil er daran dachte, dass Lena kaum einen Menschen mochte und ihre Antipathie keinen Mordverdacht rechtfertigte.

Dann sagte er: »Fangen wir mit Carter an und reden danach mit dem Dekan.« Am Eingang hielt er ihr die Tür auf. »Der Bürgermeister kriegt einen Herzanfall, wenn wir uns im Umgang mit den Professoren nicht an das Protokoll halten. Studenten sind eher Freiwild.«

Der Campus des Grant Institute of Technology bestand aus einem Studienzentrum, vier Gebäuden mit Unterrichtsräumen, dem Verwaltungskomplex und einem Flügel für das Landwirtschaftsstudium, das von einem dankbaren Saatguthersteller gestiftet worden war. Üppige Grünanlagen grenzten auf der einen Seite an die Universität, an die andere reichte der See heran. Die Studentenunterkünfte waren von allen Gebäuden unschwer zu Fuß zu erreichen, und das Fahrrad war das meistverbreitete Transportmittel auf dem Campus.

Jeffrey folgte Lena in den dritten Stock des Unterrichtsgebäudes der Naturwissenschaften. Sie hatte den Assistenten ihrer Schwester offenbar bereits früher schon getroffen, denn Richard Carters Gesicht verdüsterte sich, als er Lena an der Tür erkannte. Er war ein kleiner Mann mit schütterem Haar. Er trug eine schwere dunkle Brille und einen zu engen Laborkittel über einem grellgelben Oberhemd. Er wirkte so verklemmt wie die meisten Collegetypen. Das Grant Institute of Technology war schlicht und einfach ein Lehrinstitut für Hohlköpfe. Englischkurse waren Pflicht, aber nicht gerade schwierig. Die Uni war mehr darauf ausgerichtet, Patente zu produzieren, als darauf, sozial verantwortungsvolle und kultivierte Frauen und Männer heranzubilden. Das war das größte Problem, das Jeffrey mit dem Institut hatte. Die meisten Professoren und alle Studenten hatten die Nase so tief im eigenen Arsch stecken, dass sie die Welt vor ihren Augen nicht mehr sahen.

»Sibyl war eine brillante Wissenschaftlerin«, sagte Richard. Er beugte sich über ein Mikroskop, murmelte etwas vor sich hin und hob wieder den Kopf. Zu Lena sagte er: »Sie besaß ein erstaunliches Gedächtnis.«

»Das brauchte sie auch«, sagte Lena und zog ihr Notizbuch hervor. Jeffrey fragte sich nicht zum ersten Mal, ob er gut daran tat, Lena mitzunehmen. In der Hauptsache ging es ihm darum, sie unter Kontrolle zu haben. Nach dem gestrigen Tag wusste er nicht, ob er darauf vertrauen konnte, dass sie auch tat, was er ihr auftrug. Es war bestimmt besser, sie in sicherer Nähe zu haben, als ihr zu gestatten, auf eigene Faust loszuziehen.

»Ihre Arbeit«, legte Richard los. »Ich kann kaum beschreiben, wie penibel sie war, wie akribisch. Heutzutage erlebt man nur noch sehr selten in diesem Fachbereich ein Engagement von diesem Niveau. Sie war meine Mentorin.«

»Genau«, sagte Lena.

Richard sah sie sauertöpfisch und missbilligend an. Dann fragte er: »Wann ist die Beerdigung?«

Lena schien bei dieser Frage einen Moment die Fassung zu verlieren. »Sie wird eingeäschert«, sagte sie. »Das war ihr Wunsch.«

Richard verschränkte die Arme vor dem Bauch und schaute immer noch missbilligend, beinahe herablassend drein. Für einen ganz kurzen Augenblick meinte Jeffrey etwas anderes hinter diesem Ausdruck wahrgenommen zu haben. Richard drehte sich jedoch um, und Jeffrey fragte sich, ob er nicht zu viel in die Situation hineininterpretiert hatte.

Lena begann: »Heute Nachmittag gibt es – ich glaube, so nennt man es – eine Totenwache.« Sie kritzelte etwas auf ihren Block und riss das Blatt heraus. »Und zwar um fünf Uhr in den Räumlichkeiten des Beerdigungsunternehmens Brock in der King Street.«

Richard warf einen geringschätzigen Blick auf das Stück Papier, faltete es zweimal säuberlich zusammen und steckte es dann in die Tasche seines Laborkittels.

Er schniefte und wischte sich mit dem Handrücken die Nase ab. Jeffrey wusste nicht, ob er erkältet war oder versuchte, nicht in Tränen auszubrechen.

Lena fragte: »Also, ist jemand Fremdes hier im Labor oder in Sibyls Büro aufgetaucht?«

Richard schüttelte den Kopf. »Nur die ganz normalen Gestörten.« Er lachte los, hielt aber urplötzlich inne. »Das war wohl ziemlich unpassend.«

»Ja«, gab Lena zurück, »war es.«

Jeffrey räusperte sich, um die Aufmerksamkeit des jungen Mannes zu wecken. »Wann haben Sie sie zum letzten Mal gesehen, Richard?«

»Nach ihrer Morgenvorlesung«, sagte er. »Sie fühlte sich nicht wohl. Ich glaube, ich hab mir die Erkältung bei ihr eingefangen.« Er holte zur Bekräftigung ein Papiertaschentuch hervor. »Sie war ein so wundervoller Mensch. Ich kann ihnen gar nicht sagen, was für ein großes Glück es für mich war, dass sie mich unter ihre Fittiche genommen hat.«

»Was haben Sie gemacht, nachdem sie das Institut verlassen hatte?«, fragte Jeffrey.

Er zuckte die Achseln. »Bin wahrscheinlich in die Bibliothek gegangen.«

»Wahrscheinlich?«, fragte Jeffrey, dem der saloppe Ton gar nicht gefiel.

Richard schien sofort zu merken, dass Jeffrey ungehalten war. »Ich war in der Bibliothek«, lenkte er ein. »Sibyl hatte mich gebeten, einige Verweise nachzuschlagen.« Und schon übernahm Lena wieder. »Gab es jemanden, der sich in ihrer Gegenwart seltsam verhalten hat? Vielleicht öfter als gewöhnlich aufgetaucht ist?«

Richard schürzte die Lippen und schüttelte wieder den Kopf. »Eigentlich nicht. Wir haben schon über die Hälfte des Semesters hinter uns. Sibyl hat keine Anfänger, und die meisten von ihren Studenten sind mindestens schon zwei Jahre hier.«

»Neue Gesichter?«, fragte Jeffrey.

Wieder schüttelte Richard den Kopf. Irgendwie erinnerte er Jeffrey an einen von diesen Hunden mit Wackelkopf, die sich manche auf ihr Armaturenbrett stellen.

Richard sagte: »Wir sind hier eine kleine Gemeinschaft. Jemand, der sich seltsam verhält, würde auffallen.«

Jeffrey wollte noch eine weitere Frage stellen, als Kevin Blake, der Dekan des College, den Raum betrat. Er sah nicht gerade glücklich aus.

»Chief Tolliver«, sagte Blake, »ich nehme an, Sie sind wegen der vermissten Studentin hier.«

Julia Matthews war dreiundzwanzig Jahre alt, studierte im Hauptfach Physik und war im vorletzten Jahr vor ihrem Abschluss. Nach Aussagen ihrer Zimmergenossin war sie schon seit zwei Tagen verschwunden.

Jeffrey ging im Wohnheimzimmer der jungen Frau auf und ab. An den Wänden hingen Plakate mit aufbauenden Sinnsprüchen zu Erfolg und Sieg. Auf einem Tisch am Bett stand ein Foto des vermissten Mädchens, auf dem es neben einem Mann und einer Frau zu sehen war, bei denen es sich offenbar um ihre Eltern handelte. Julia Matthews war auf ungekünstelte Weise attraktiv. Auf dem Foto trug sie ihr Haar zu zwei Zöpfen geflochten. Sie hatte einen vorstehenden Schneidezahn, aber davon abgesehen sah sie aus wie das perfekte

Mädchen von nebenan. Sie sah Sibyl Adams tatsächlich sehr ähnlich.

»Sie sind nicht zu Hause«, informierte Jenny Price, die Zimmergenossin des verschwundenen Mädchens. Sie stand händeringend in der Tür und sah zu, wie Jeffrey und Lena das Zimmer durchsuchten.

Sie fuhr fort: »Sie haben zwanzigsten Hochzeitstag und sind auf einer Kreuzfahrt. Bahamas.«

Jeffrey fragte sich, ob Lena die Ähnlichkeit zwischen Julia Matthews und ihrer Schwester bemerkt hatte. Sie hatten beide einen olivfarbenen Teint und dunkles Haar. Sie sahen beide fast gleich alt aus, obwohl Sibyl zehn Jahre älter war. Jeffrey fühlte sich unwohl und stellte das Bild zurück, als ihm bewusst wurde, dass die beiden Frauen ja auch Lena ähnelten.

Lena wandte sich an Jenny und fragte: »Wann ist Ihnen zum ersten Mal aufgefallen, dass sie verschwunden ist?«

»Als ich gestern aus den Vorlesungen kam, glaub ich«, antwortete Jenny. Eine leichte Röte trat auf ihre Wangen. »Sie war vorher auch schon mal eine Nacht weg, okay?«

»Klar«, stimmte Lena zu.

»Ich dachte, sie wäre vielleicht mit Ryan unterwegs. Das ist ihr ehemaliger Freund.« Sie unterbrach sich. »Sie haben sich vor ungefähr einem Monat getrennt. Ich habe sie vor zwei Tagen zusammen in der Bibliothek getroffen, so um neun Uhr abends. Danach habe ich sie nicht mehr gesehen.«

Lena ging auf den Freund ein: »Es ist doch ein ziemlicher Stress, wenn man versucht, eine Beziehung zu führen und parallel zu den Vorlesungen gehen und arbeiten muss.«

Jenny reagierte mit einem angedeuteten Lächeln. »Ja. Ryan studiert Landwirtschaft. Sein Arbeitspensum ist bei Weitem nicht so groß wie das von Julia.« Sie verdrehte die Augen. »Solange seine Pflanzen nicht eingehen, kriegt er die Bestnote. Und wir lernen nächtelang und müssen darum kämpfen, Laborzeit zugeteilt zu bekommen.«

»Ich kann mich erinnern, wie es war«, sagte Lena, obwohl sie nie das College besucht hatte. Die Unbefangenheit, mit der sie log, erschreckte und beeindruckte Jeffrey gleichermaßen. Er hatte nur wenige erlebt, die ein Verhör so perfekt zu führen verstanden.

Jenny lächelte und ließ die Schultern entspannt sinken. Lenas Lüge hatte tatsächlich dieses Kunststück fertiggebracht. »Dann wissen Sie ja, wie es ist. Man hat kaum Zeit, um Luft zu holen, geschweige denn für einen Freund.«

Lena fragte: »Sie haben sich getrennt, weil sie nicht genug Zeit für ihn hatte?«

Jenny nickte. »Er war ihr allererster Freund. Und es hat Julia echt mitgenommen.« Sie warf Jeffrey einen nervösen Blick zu. »Sie hatte sich richtig in ihn verknallt, müssen Sie wissen. Und sie war richtig krank vor Kummer, als sie sich getrennt haben. Sie war überhaupt nicht mehr aus dem Bett zu kriegen.«

Lena senkte die Stimme, als wolle sie Jeffrey außen vorlassen. »Als Sie die beiden in der Bibliothek gesehen haben, waren sie also nicht gerade am Studieren.«

Jenny sah zu Jeffrey hinüber. »Nein.« Sie lachte nervös.

Lena trat ein paar Schritte vor, bis sie ihm den Blick auf das Mädchen versperrte. Jeffrey verstand. Er wandte den beiden Frauen den Rücken zu und gab vor, sich für den Inhalt von Julias Schreibtischschubladen zu interessieren.

»Was halten Sie denn von Ryan?«

»Sie meinen, ob ich ihn mag?«

»Ja«, antwortete Lena. »Ich meine mögen nicht in dem Sinn. Ich meine, ob Sie ihn für einen netten Kerl halten.«

Das Mädchen schwieg. Jeffrey nahm ein Lehrbuch zur Hand und blätterte darin.

Schließlich sagte Jenny. »Na ja, er war irgendwie egoistisch. Und es gefiel ihm gar nicht, wenn sie ihn mal nicht treffen konnte.«

»Wollte er sie irgendwie kontrollieren?«

»Ja, glaub ich schon«, entgegnete das Mädchen. »Sie ist eben ein Landei, okay? Und Ryan nutzt das irgendwie aus. Julia weiß nicht viel von der Welt. Sie glaubt aber, dass er es tut.«

»Und, tut er's?«

»Mein Gott, nein.« Jenny lachte. »Ich meine, er ist kein schlechter Kerl ...«

»Natürlich nicht.«

»Er ist eben ...« Sie hielt inne. »Er hat es nicht gern, wenn sie mit anderen Leuten spricht, okay? Er, also er hat wahrscheinlich Angst, sie könnte herausfinden, dass es bessere Jungs als ihn gibt. Das vermute ich zumindest. Julia ist ihr ganzes Leben lang irgendwie behütet worden. Sie weiß nicht, wie man sich vor solchen Kerlen in Acht nimmt.« Wieder hielt sie inne. »Er ist kein schlechter Kerl, aber er klammert, wissen Sie? Er muss immer wissen, wohin sie geht, mit wem sie unterwegs ist, wann sie wiederkommt. Er mag es überhaupt nicht, dass sie sich Zeit für sich nimmt.«

Lena sprach noch immer leise. »Er hat sie aber nie geschlagen, oder doch?«

»Nein, so nicht.« Wieder schwieg das Mädchen. Dann sagte sie: »Er hat sie nur oft angeschrien. Manchmal, wenn ich von einem Seminar zurückkam, dann habe ich erst an der Tür gehorcht, verstehen Sie?«

»Ja«, sagte Lena, »um sicherzugehen.«

»Genau«, stimmte Jenny zu und gestattete sich ein nervöses Kichern. »Also, einmal hab ich ihn hier drinnen gehört, und er war richtig fies zu ihr. Hat die gemeinsten Sachen gesagt.«

»Wie gemein?«

»Zum Beispiel, dass sie schlecht ist«, sagte Jenny. »Dass sie in die Hölle kommen würde, so schlecht sei sie.«

Lena nahm sich Zeit, bis sie die nächste Frage stellte. »Ist er religiös?«

Jenny schnaubte abfällig. »Wenn es ihm in den Kram passt. Er weiß, dass Julia religiös ist. Sie steht echt auf Kirche und alles. Ich meine, als sie noch zu Hause war. Hier geht sie nicht oft hin, aber sie redet immer davon, dass sie im Chor singt und eine gute Christin ist und solche Sachen.«

»Aber Ryan ist nicht religiös?«

»Nur wenn er meint, damit bei ihr was erreichen zu können. Zum Beispiel behauptet er, er sei religiös, aber er hat alle möglichen Piercings und trägt ständig Schwarz, und er ...«

Lena senkte wieder die Stimme. »Was?«, fragte sie, und dann noch leiser: »Ich werd's niemandem weitersagen.«

Jenny flüsterte etwas, aber Jeffrey konnte nicht verstehen, was sie sagte.

»Oh«, sagte Lena, als höre sie nichts Neues. »Die Kerle sind doch allesamt dämlich.«

Jenny lachte. »Sie hat ihm geglaubt.«

Lena musste ebenfalls lachen und fragte: »Was hat Julia denn Schlimmes getan, dass Ryan sich so darüber aufgeregt hat? Was meinen Sie?«

»Nichts«, antwortete Jenny mit Nachdruck. »Das hab ich sie ja später gefragt. Sie wollte es mir aber nicht sagen. Sie blieb einfach den ganzen Tag im Bett liegen und hat keinen Ton gesagt.«

»Das war ungefähr zu der Zeit, als sie sich getrennt haben?«

»Ja«, bestätigte Jenny. »Letzten Monat, wie ich schon sagte.« Besorgnis schwang in ihrer Stimme mit, als sie fragte: »Sie glauben doch nicht, dass er etwas mit ihrem Verschwinden zu tun hat, oder?«

»Nein«, sagte Lena. »Da würde ich mir keine Sorgen machen.«

Jeffrey drehte sich um und fragte: »Wie lautet Ryans Nachname?«

»Gordon«, informierte ihn das Mädchen. »Glauben Sie, Julia steckt in Schwierigkeiten?«

Jeffrey überlegte. Er hätte ihr sagen können, sie brauche sich keine Gedanken zu machen, aber dann würde sich das Mädchen vielleicht in falscher Sicherheit wiegen. Er entschied sich für: »Das weiß ich nicht, Jenny. Wir werden jedenfalls alles tun, um sie zu finden.«

Ein kurzer Besuch im Büro klärte sie darüber auf, dass Ryan Gordon um diese Zeit Aufsichtsdienst im Lesesaal hatte. Das Gebäude der landwirtschaftlichen Fakultät befand sich am Rande des Campus, und Jeffrey merkte, dass seine Beklemmung mit jedem Schritt wuchs, den sie ihr näher kamen. Und er spürte die Anspannung, die Lena erfasst hatte. Zwei Tage waren ohne brauchbare Spur vergangen. Jetzt konnte es tatsächlich sein, dass sie dem Mann gegenübertraten, der Sibyl Adams ermordet hatte.

Jeffrey hatte nicht damit gerechnet, auf Anhieb Ryan Gordons bester Freund zu werden, aber der junge Mann hatte etwas an sich, das Jeffrey von der ersten Minute an gegen ihn einnahm. Seine Augenbrauen waren ebenso durchstochen wie beide Ohren, und auch seine Nasenscheidewand wurde von einem Ring durchbohrt. Dieser Ring sah schwarz und verkrustet aus, eher für einen Ochsen geeignet als für eine menschliche Nase. Jennys Beschreibung war nicht gerade freundlich gewesen, aber jetzt fand Jeffrey, dass sie höchst großherzig gewesen war, als sie ihn ungepflegt genannt hatte. Ryan sah geradezu ekelhaft aus. Seine fettige Gesichtshaut war von Pickeln und verschorften Aknenarben übersät. Seine Haare wirkten, als seien sie lange nicht gewaschen worden. Seine schwarzen Jeans und sein Hemd waren völlig zerknittert. Zudem ging ein höchst eigenartiger Geruch von ihm aus.

Julia Matthews war eine sehr attraktive junge Frau, das ließ sich nicht bestreiten. Umso mehr war es für Jeffrey ein Rätsel, dass jemand wie Ryan Gordon sie sich hatte angeln können. Wenn es ihm gelungen war, ein junges Mädchen zu beeinflussen, das fraglos Besseres hätte haben können, sagte das eine Menge darüber aus, was für ein Kerl dieser Gordon sein musste.

Jeffrey bemerkte, dass Lenas freundliche Seite, die zuvor bei Jenny Price gewirkt hatte, längst verschwunden war, als sie den Lesesaal erreichten. Sie betrat zielstrebig den Raum und ließ sich auch nicht von den neugierigen Blicken der anderen, vorwiegend männlichen Studenten beirren, als sie geradewegs auf den jungen Mann zusteuerte, der hinter einem Schreibtisch an der Stirnseite des Raumes saß.

»Ryan Gordon?«, fragte sie, als sie sich über den Schreibtisch beugte. Ihre Jacke schob sich dabei hoch, und Jeffrey sah, dass der Bursche einen wachsamen Blick auf ihre Waffe warf. Als er antwortete, hätte Jeffrey ihm am liebsten eine runtergehauen.

Gordon sagte: »Was geht dich das an, Schlampe?«

Jeffrey schnappte sich den Jungen am Schlafittchen und schleifte ihn aus dem Raum. Dass ihn deswegen bestimmt schon eine Nachricht des erzürnten Bürgermeisters in seinem Büro erwarten würde, war ihm klar.

Vor dem Lesesaal stieß er Gordon gegen die Wand. Jeffrey zog ein Taschentuch heraus und säuberte sich die Hand. »Gibt es eigentlich keine Duschen in eurem Wohnheim?«

Gordons Stimme klang so weinerlich, wie Jeffrey es erwartet hatte. »Das ist ein brutaler Polizeiübergriff.«

Zu Jeffreys Überraschung gab Lena Gordon eine Ohrfeige.

Gordon rieb sich die Wange und zog die Mundwinkel nach unten. Er schien sie zu taxieren. Jeffrey fand seinen Gesichtsausdruck schon beinahe komisch. Ryan Gordon war ein Strich in der Landschaft, ungefähr so groß wie Lena. An Aggressivität war sie ihm jedoch haushoch überlegen. Lena würde Gordon mit bloßen Händen den Kopf abreißen, wenn er ihr zu nahekam.

Das schien Gordon zu ahnen. Er hielt sich zurück und quengelte in einem nasalen Tonfall, den er vielleicht seinem Nasenring verdankte, der sich beim Sprechen auf und nieder bewegte. »Mensch, was wollt ihr denn eigentlich von mir?«

Er hielt die Arme abwehrend in die Höhe, als Lena nach seinem Ausschnitt griff.

Sie sagte: »Runter mit den Flossen, du Feigling.« Sie fasste in sein Hemd und zog das Kreuz heraus, das er an einer Kette um den Hals trug.

»Nette Halskette«, sagte sie.

Jeffrey fragte: »Wo warst du Montagnachmittag?«

Gordon blickte von Lena zu Jeffrey. »Was?«

»Wo warst du Montagnachmittag?«, wiederholte Jeffrey.

»Weiß ich doch nicht, Mann«, greinte er. »Hab wahrscheinlich gepennt.« Er schniefte und rieb sich die Nase. Als der Ring in seiner Nase sich bewegte, konnte Jeffrey nur mit großer Mühe an sich halten.

»Dreh dich um«, befahl Lena. Gordon wollte protestieren, aber ein Blick von Lena hielt ihn davon ab. Er spreizte Arme und Beine und nahm die gewünschte Haltung ein.

Lena tastete ihn ab und fragte: »Ich werde doch keine Nadeln finden, oder? Nichts, woran ich mich verletzen könnte?«

Gordon stöhnte auf. »Nein«, sagte er, als sie in seine Hosentasche griff.

Lena lächelte, als sie den Beutel mit weißem Pulver herauszog. »Zucker ist das doch wohl kaum, oder, Jeffrey?«, fragte sie den Chief.

Überrascht, dass sie ihn entdeckt hatte, nahm er den Beutel. Damit war auch Gordons aussehen erklärt. Drogensüchtige waren nicht gerade für gewissenhafte Körperpflege bekannt. Zum ersten Mal an diesem Morgen war Jeffrey froh, Lena bei sich zu haben. Ihm selbst wäre niemals in den Sinn gekommen, den Jungen zu filzen.

Gordon warf einen Blick auf den Beutel. »Das ist aber nicht meine Hose.«

»Genau«, fauchte Lena ihn an. Sie drehte Gordon mit einem Ruck herum. »Wann hast du Julia Matthews zum letzten Mal gesehen?«, fragte sie.

Gordons Miene verriet seine Gedanken. Ganz offensichtlich wusste er, worauf dies alles hinauslief. Das Pulver war sein geringstes Problem. »Wir haben uns vor einem Monat getrennt.«

»Das beantwortet meine Frage nicht«, sagte Lena. Dann wiederholte sie: »Wann hast du Julia Matthews das letzte Mal gesehen?«

Gordon kreuzte die Arme über der Brust. Jeffrey wurde im selben Moment klar, dass er die ganze Sache falsch angefasst hatte. Nervosität und Erregung hatten ihn übermannt. In Gedanken sprach Jeffrey die Worte aus, die er jetzt von Gordon hörte.

»Ich will mit einem Anwalt sprechen.«

Jeffrey legte die Füße auf den Tisch vor seinem Stuhl. Sie befanden sich im Verhörzimmer und warteten darauf, dass Ryan Gordon die erkennungsdienstliche Prozedur hinter sich brachte. Leider waren Gordons Lippen von dem Moment an, da Lena ihm seine Rechte vorgelesen hatte, wie versiegelt. Glücklicherweise war jedoch Gordons Mitbewohner ohne Weiteres damit einverstanden, dass das gemeinsame Zimmer durchsucht wurde. Dabei war nichts Verdächtigeres zutage gekommen als ein Päckchen Zigarettenpapier und ein Spiegel, auf dem eine Rasierklinge lag. Jeffrey war sich nicht sicher, aber dem Eindruck nach zu urteilen, den der Zimmergenosse machte, hätte das Drogenzubehör sowohl dem einen wie dem anderen gehören können. Eine Durchsuchung des Labors, in dem Gordon arbeitete, ergab auch keine Hinweise. Am meisten leuchtete noch die These ein, dass es Julia Matthews gedämmert hatte, was für ein Arschloch ihr Freund war, und sie deswegen mit ihm Schluss gemacht hatte.

»Wir haben es vermasselt«, sagte Jeffrey. Seine Hand ruhte auf einem Exemplar des *Grant County Observer*.

Lena nickte. »Yeah.«

Er atmete tief durch. »Ich nehme an, ein Bürschchen wie dieses hier wäre uns sowieso mit einem Anwalt gekommen.«

»Ich weiß nicht recht«, antwortete Lena. »Vielleicht sieht er auch zu viel fern.«

Jeder Idiot mit einem Fernseher wusste doch inzwischen, dass er am besten nach einem Anwalt verlangte, sobald die Cops bei ihm vor der Tür standen.

»Ich hätte auch ein bisschen sanfter mit ihm umgehen können«, räumte sie ein. »Wenn er wirklich unser Mann ist, lässt er sich bestimmt nicht gern von einer Frau herumschubsen.« Sie lachte, ohne dass ihr danach zumute war. »Schon gar nicht von mir, wo ich so große Ähnlichkeit mit dem Opfer habe.«

»Vielleicht könnte das für uns von Vorteil sein«, meinte er. »Wie wäre es, wenn ich Sie beide hier allein lasse, während wir auf Buddy Conford warten?«

»Er hat Buddy bekommen?«, fragte Lena, und ihrem Tonfall war zu entnehmen, wie sehr ihr das missfiel. Es gab eine Handvoll Anwälte in Grant, die als Pflichtverteidiger zu einem überschaubaren Honorar arbeiteten. Von ihnen war Buddy Conford der verbissenste.

»Er ist diesen Monat an der Reihe«, sagte Jeffrey. »Meinen Sie, Gordon ist blöd genug zu reden?«

175

»Er ist noch nie in Gewahrsam genommen worden. Und er kommt mir nicht besonders schlau vor.«

Jeffrey schwieg und wartete darauf, dass sie weiterredete.

»Er ist wahrscheinlich ziemlich sauer, weil ich ihm eine geknallt habe«, sagte sie und überlegte, wie man am besten vorging. »Warum befehlen Sie mir nicht einfach, nicht mit ihm zu reden?«

Jeffrey nickte. »Das könnte wirken.«

»Kann auf jeden Fall nicht schaden.«

Jeffrey starrte auf den Tisch und tippte schließlich mit dem Finger auf die Titelseite der Zeitung. Fast die gesamte obere Hälfte wurde von Sibyl Adams' Bild eingenommen. »Ich nehme an, Sie haben das hier gesehen?«

Sie nickte, schaute aber das Foto nicht an.

Jeffrey blätterte um. »Es steht nicht drin, dass sie vergewaltigt wurde, aber man macht Andeutungen. Ich habe ihnen gesagt, dass sie geschlagen wurde, auch wenn das nicht stimmt.«

»Ich weiß«, flüsterte sie. »Ich hab's gelesen.«

»Frank und die Jungs«, begann Jeffrey, »sind mit der Liste der bekannten Straffälligen auf nichts Fundiertes gestoßen. Zwei waren unter ihnen, die sich Frank noch genauer ansehen wollte, aber dabei ist nichts rausgekommen, denn die beiden hatten ein Alibi.«

Lena musterte ihre Hände.

Jeffrey sagte: »Sie können dann auch gehen. Ich vermute, Sie brauchen noch etwas Zeit für sich bis heute Abend.«

Ihre Nachgiebigkeit überraschte ihn. »Vielen Dank.«

Es klopfte an der Tür, und Brad Stephens schaute um die Ecke. »Ich hab hier wen für euch.«

Jeffrey stand auf und sagte: »Bringen Sie ihn herein.«

Ryan Gordon sah in dem orangefarbenen Gefängnisoverall noch kümmerlicher aus als in seinen schwarzen Jeans und seinem Hemd. Er schlurfte in den passend orangefarbenen Slippers, und sein Haar war noch immer nass von der Dusche mit dem Wasserschlauch, die Jeffrey angeordnet hatte. Gordon waren die Hände hinter dem Rücken zusammengebunden, und bevor er den Raum verließ, gab Brad Jeffrey den Schlüssel.

»Wo ist mein Anwalt?«, wollte Gordon wissen.

»Der müsste in ungefähr einer Viertelstunde hier sein«, antwortete Jeffrey und stieß den Studenten auf einen Stuhl. Er schloss die Handschellen auf, aber bevor Gordon seine Arme bewegen konnte, hatte er sie ihm an die Stuhllehne gefesselt.

»Die sind zu eng«, jammerte Gordon und streckte den Brustkorb vor, um zu demonstrieren, wie unbequem er saß.

»Damit musst du leben«, murmelte Jeffrey und sagte zu Lena: »Ich lasse Sie hier mit ihm allein. Sorgen Sie dafür, dass er keine inoffizielle Aussage macht. Haben Sie mich verstanden?«

Lena schlug die Augen nieder. »Ja, Sir.«

»Ich meine, was ich sage, Detective.« Er hoffte, dass der Blick, den er ihr zuwarf, streng genug war, und verließ das Zimmer. Auf dem Flur nahm er die nächste Tür und betrat den Beobachtungsraum. Mit verschränkten Armen stand er da und beobachtete Gordon und Lena durch die nur von einer Seite durchsichtige Scheibe.

Das Verhörzimmer war relativ klein, die Wände bestanden aus angestrichenen Zementsteinen. In der Mitte war ein Tisch im Boden verankert, und um ihn herum standen drei Stühle:

zwei auf der einen Seite, einer auf der anderen. Jeffrey sah, wie Lena die Zeitung zur Hand nahm. Sie stützte die Füße gegen die Tischkante und kippelte mit dem Stuhl nach hinten. Sie schlug den *Grant County Observer* auf. Jeffrey hörte den Lautsprecher neben sich leise knistern, als sie die Zeitung am Mittelfalz glatt strich.

Gordon sagte: »Ich will Wasser.«

»Nicht reden«, befahl Lena so leise, dass Jeffrey den Lautsprecher an der Wand aufdrehen musste, um sie zu verstehen.

»Wieso? Kriegen Sie sonst Ärger?«

Lena blickte nicht von der Zeitung auf.

»Den Ärger haben Sie verdient«, sagte Gordon und beugte sich so weit auf seinem Stuhl vor, wie die Handfesseln es erlaubten. »Ich werde dem Anwalt sagen, dass Sie mich geschlagen haben.«

Lena lachte herablassend. »Wie viel wiegst du? Fünfundsiebzig Kilo? Und du bist ungefähr eins siebzig groß.« Sie legte die Zeitung zur Seite und betrachtete ihn mit Unschuldsmiene. Ihre hohe Stimme klang wie die eines kleinen Mädchens. »Euer Ehren, ich würde doch niemals einen Verdächtigen schlagen, der sich in meinem Gewahrsam befindet. Und außerdem ist er groß und stark, da hätte ich Angst um mein Leben.«

Gordons Augen wurden zu Schlitzen. »Sie halten sich wohl für besonders witzig.«

»Yeah«, sagte Lena gedehnt und wandte sich wieder ihrer Zeitung zu. »Tu ich wirklich.«

Gordon brauchte ein, zwei Minuten, bis er sich eine neue Taktik ausgedacht hatte. Er wies auf die Zeitung. »Sie sind die Schwester von der Lesbe da?«

Lenas Stimme klang noch immer entspannt, wenngleich Jeffrey wusste, dass sie am liebsten über den Tisch geklettert wäre und Gordon umgebracht hätte. Sie sagte: »Bin ich.«

»Sie ist umgebracht worden«, sagte er. »Jeder auf dem Campus wusste, dass sie eine Lesbe war.«

»Das war sie zweifellos.«

Gordon leckte sich die Lippen. »Verschissene Lesbe.«

»Genau.« Lena blätterte um und gab sich den Anschein, gelangweilt zu sein.

»Lesbe«, wiederholte er. »Verschissene Fotzenleckerin.« Er hielt inne und wartete auf eine Reaktion, sichtbar verstört, dass keine kam. Er sagte: »Spaltentaucherin.«

Lena seufzte gelangweilt. »Bärenkraulerin, bedient sich am liebsten im Bermudadreieck, wählt die Null auf dem kleinen rosa Telefon ihrer Freundin.« Sie unterbrach sich, sah ihn über die Zeitung hinweg an und fragte: »Hab ich was vergessen?«

Jeffrey lernte Lenas Verhörtechnik immer mehr zu schätzen und dankte stillschweigend dem Himmel, dass sie sich nicht für eine Verbrecherlaufbahn entschieden hatte.

Gordon sagte: »Deswegen habt ihr mich hierhergebracht, stimmt's? Ihr glaubt, dass ich sie vergewaltigt habe?«

Lena ließ die Zeitung nicht sinken, aber Jeffrey vermutete, dass ihr Herzschlag sich wahrscheinlich ebenso beschleunigt hatte wie der seine. Vielleicht hatte Gordon ja nur geraten, aber vielleicht suchte er auch die Möglichkeit zu einem Geständnis.

Lena fragte: »Hast du sie vergewaltigt?«

»Vielleicht«, sagte Gordon. Er kippelte mit dem Stuhl vor und zurück, wie ein kleiner Junge, der Aufmerksamkeit erregen will. »Vielleicht hab ich sie auch gefickt. Das wollen Sie wissen, wie?«

»Klar doch«, sagte Lena. Sie legte die Zeitung beiseite und verschränkte die Arme. »Warum erzählst du es mir nicht?«

Gordon beugte sich vor. »Sie war auf der Toilette, stimmt's?«

»Das musst du mir schon sagen.«

»Sie hat sich die Hände gewaschen. Da bin ich reingegangen und hab sie in den Arsch gefickt. Das hat ihr so gut gefallen, dass sie auf der Stelle tot umgefallen ist.«

Lena stieß einen tiefen Seufzer aus. »Was Besseres fällt dir nicht ein?«

Er wirkte beleidigt. »Nein.«

»Warum erzählst du mir nicht auch, was du Julia Matthews angetan hast?«

Er lehnte sich wieder zurück. »Nichts hab ich ihr angetan.«

»Und wo ist sie?«

Er zuckte die Achseln. »Wahrscheinlich tot.«

»Warum sagst du das?«

Er lehnte sich wieder vor und drückte den Brustkorb gegen die Tischkante. »Sie hat früher schon mal versucht, sich umzubringen.«

Lena zögerte keinen Moment. »Weiß ich. Sie hat sich die Pulsadern aufgeschlitzt.«

»Stimmt.« Gordon nickte, aber Jeffrey konnte ihm auch die Überraschung ansehen. Jeffrey war ebenfalls überrascht, obwohl die Feststellung durchaus einleuchtete. Frauen, die sich das Leben nehmen wollen, neigen eher dazu, sich die Pulsadern aufzuschneiden, als eine andere Methode zu wählen. Lena hatte nur eine begründete Vermutung ausgesprochen.

Sie blieb am Ball: »Sie hat sich letzten Monat die Pulsadern aufgeschnitten.«

Er schien die Ohren zu spitzen und sah sie durchdringend an. »Woher wissen Sie das?«

Lena seufzte abermals und nahm die Zeitung wieder zur Hand. Sie öffnete sie mit Schwung und begann zu lesen.

Gordon wippte wieder auf seinem Stuhl.

Lena blickte nicht von ihrer Zeitung auf. »Wo ist sie, Ryan?«

»Weiß ich nicht.«

»Hast du sie vergewaltigt?«

»Ich brauchte sie gar nicht zu vergewaltigen. Die war doch ein verdammtes Schoßhündchen mit Schlabberzunge.«

»Du hast dir von ihr einen blasen lassen?«

»Sie sagen es.«

»Anders kriegst du wohl keinen hoch, was, Ryan?«

»Scheiße!« Er ließ die Stuhlbeine auf den Boden krachen. »Sie sollten eigentlich gar nicht mit mir reden.«

»Wieso?«

»Weil das hier inoffiziell ist. Ich kann sagen, was ich will, und es hat keine Konsequenzen.«

»Was willst du denn sagen?«

Seine Lippen zuckten. Er beugte sich noch weiter vor, und aus Jeffreys Blickwinkel sah es so aus, als sei Gordon auch an den Füßen zusammengebunden.

Gordon flüsterte: »Vielleicht möchte ich ja noch ein bisschen über Ihre Schwester reden.«

Lena ignorierte ihn.

»Vielleicht möchte ich darüber reden, wie ich sie zu Tode geprügelt habe.«

»Du siehst nicht wie einer aus, der mit einem Hammer umgehen kann.«

Er brauste auf. »Kann ich aber«, versicherte er. »Ich hab ihr den Schädel eingeschlagen, und dann hab ich sie mit dem Hammer gefickt.«

Lena blätterte um. »Und wo hast du den Hammer gelassen?«

Er sah sie selbstgefällig an. »Das möchten Sie wohl gern wissen.«

»Was hat denn Julia so getrieben, Ryan?«, fragte Lena beiläufig. »Mit anderen rumgemacht? Vielleicht hat sie einen richtigen Mann gefunden.«

»Erzähl keinen Scheiß, blöde Kuh«, knurrte Gordon. »Ich bin ein richtiger Mann.«

»Klar doch.«

»Nehmen Sie mir die Handschellen ab, und ich beweise es.«

»Darauf möchte ich wetten«, sagte sie, und an ihrem Tonfall war zu erkennen, dass sie sich nicht im Geringsten bedroht fühlte. »Warum hat sie dich denn zum Narren gehalten?«

»Hat sie gar nicht«, sagte er. »Haben Sie das von dieser Schlampe Jenny Price gehört? Die hat doch von nichts 'ne Ahnung.«

»Auch nicht davon, dass Julia dich verlassen wollte? Davon, dass du sie die ganze Zeit verfolgt hast und sie einfach nicht zufriedenlassen wolltest?«

»Geht es hier etwa darum?«, fragte Gordon. »Habt ihr mich deswegen hier an den Stuhl gefesselt?«

»Gefesselt bist du wegen des Kokains in deiner Hosentasche.«

Er schnaubte verächtlich. »Das gehört mir doch gar nicht.«

»War auch nicht deine Hose, richtig?«

Er rammte seinen Brustkorb gegen die Tischkante, das Gesicht zu einer wütenden Grimasse verzerrt. »Hör mal, Schlampe ...«

Lena stand abrupt auf und beugte sich über den Tisch. »Wo ist sie?«

»Fick dich ins Knie!« Speichel sprühte aus seinem Mund.

Mit einer einzigen schnellen Bewegung packte Lena den Ring, der an seiner Nase hing.

»Aua, Scheiße«, kreischte Gordon, als er nach vorn gezogen wurde, mit der Brust auf dem Tisch aufschlug und die Arme hinter dem Rücken in die Luft streckte. »Hilfe!«, schrie er. Die Scheibe vor Jeffrey vibrierte bei dem Lärm.

Lena flüsterte: »Wo ist sie?«

»Vor ein paar Tagen hab ich sie noch gesehen«, brachte er mühsam zwischen zusammengebissenen Zähnen hervor. »Um Gottes willen, lassen Sie doch bitte los.«

»Wo ist sie?«

»Das weiß ich nicht«, brüllte er. »Bitte, ich weiß es nicht! Sie reißen den Ring noch raus.«

Lena ließ den Ring los und wischte sich die Hände an der Hose ab. »Du mieser kleiner Loser!«

Ryan wackelte mit der Nase. Wahrscheinlich wollte er prüfen, ob sie noch dran war. »Sie haben mir wehgetan«, wimmerte er. »Das tat weh.«

»Möchtest du, dass ich dir noch mehr wehtue?«, erbot sich Lena und legte die Hand auf ihre Waffe.

Gordon zog den Kopf ein. Er murmelte: »Die hat versucht

sich umzubringen, weil ich sie verlassen habe. So sehr hat sie mich geliebt.«

»Ich glaube, sie hatte überhaupt keinen Durchblick«, entgegnete Lena. »Ich glaube, sie war absolut blauäugig, und du hast das ausgenutzt.« Sie beugte sich über den Tisch. »Und außerdem glaube ich, dass du nicht genug Mumm hast, auch nur einer Fliege was zuleide zu tun, geschweige denn einem Menschen, und sollte ich dich je«, Lena schlug mit beiden Händen auf die Tischplatte, und ihre Wut explodierte wie eine Granate, »sollte ich dich jemals wieder etwas über meine Schwester sagen hören, Ryan, auch nur einen Ton, dann bring ich dich um. Glaub mir, das würde mir nichts ausmachen. Nicht eine Sekunde würde ich zögern.«

Gordons Lippen bewegten sich tonlos.

Jeffrey war so vertieft in die Vernehmung, dass er das Klopfen an der Tür überhörte.

»Jeffrey?«, sagte Marla und streckte ihren Kopf durch die Tür. »Wir haben da ein Problem im Haus von Will Harris.«

»Will Harris?«, fragte Jeffrey. Das war eigentlich ein Name, den er an diesem Tag nicht mehr zu hören erwartet hatte. »Was ist denn passiert?«

Marla trat ein und sagte mit gesenkter Stimme: »Jemand hat bei ihm mit einem Stein die Scheibe eingeschlagen.«

Frank Wallace und Matt Hogan standen auf dem Rasen vor dem Haus von Will Harris, als Jeffrey vorfuhr. Er fragte sich, wie lange sie schon dort standen. Fragte sich auch, ob sie wohl wussten, wer das getan hatte. Matt Hogan gab sich keine große Mühe, mit seinen Vorurteilen hinterm Berg zu halten. Bei Frank war sich Jeffrey nicht so sicher. Er wusste, dass Frank gestern bei dem Gespräch mit Pete Wayne dabei gewesen war. Jeffrey spürte, wie seine Anspannung stieg, als er den Wagen parkte. Es gefiel ihm überhaupt nicht, dass er nicht einmal seinen eigenen Leuten vertrauen konnte.

»Was ist denn hier passiert, verdammt?«, fragte Jeffrey, als er aus dem Auto stieg. »Wer war das denn?«

Frank sagte: »Er ist vor ungefähr einer halben Stunde nach Hause gekommen. Sagt, er hätte bei der alten Miss Betty gearbeitet und ihren Garten vertikutiert. Kam dann nach Hause und hat das hier gesehen.«

»War das ein Stein?«

»Eigentlich ein Ziegel«, sagte Frank. »Von der Sorte, wie es sie überall gibt. Mit einer Nachricht umwickelt.«

»Und wie lautet die?«

Frank blickte zu Boden und hob wieder den Blick. »Will hat sie.«

Jeffrey betrachtete das Panoramafenster, in dem sich ein großes Loch befand. Die beiden Fenster links und rechts daneben waren unbeschädigt, aber die Glasscheibe in der Mitte zu ersetzen, würde ein kleines Vermögen kosten. »Wo steckt er denn?«, fragte Jeffrey.

Matt nickte in Richtung der Eingangstür. Er hatte den gleichen selbstgefälligen Gesichtsausdruck, den Jeffrey vor ein paar Minuten auch bei Ryan Gordon bemerkt hatte.

Matt sagte: »Im Haus.«

Jeffrey ging auf die Tür zu, blieb dann aber stehen. Er griff in seine Brieftasche und zog einen Zwanziger heraus. »Besorg ein bisschen Sperrholz«, sagte er. »Und bring es so schnell wie möglich her.«

Matt wollte protestieren, aber er erntete einen strengen Blick. »Hast du mir etwas zu sagen, Matt?«

Frank mischte sich ein: »Wir werden versuchen, eine Glasscheibe zu bestellen, solange wir hier sind.«

»Yeah«, knurrte Matt und ging zum Wagen.

Frank wollte ihm folgen, doch Jeffrey hielt ihn zurück. Er fragte: »Haben Sie eine Ahnung, wer das getan haben könnte?«

Einige Sekunden lang betrachtete Frank seine Schuhe. »Matt war den ganzen Morgen mit mir zusammen, wenn Sie darauf hinauswollen.«

»Wollte ich.«

Frank sah wieder auf. »Ich will ihnen was sagen, Chief, wenn ich rausfinde, wer das war, dann kümmere ich mich darum.«

Ohne einen Kommentar abzuwarten, drehte er sich um und ging zu Matts Wagen. Jeffrey wartete, bis sie abgefahren waren, bevor er den Weg zu Wills Haus hinaufging.

Er klopfte an die Fliegentür und trat ein. Will Harris saß wieder in seinem Sessel, ein Glas Eistee neben sich. Er stand auf, als Jeffrey das Zimmer betrat.

»Ich wollte gar nicht, dass Sie extra herkommen«, sagte Will. »Ich hab's einfach gemeldet. Meine Nachbarin hat mir irgendwie Angst gemacht.«

»Welche?«, fragte Jeffrey.

»Mrs. Barr von gegenüber.« Er zeigte aus dem Fenster. »Sie ist eine ältere Frau und richtig ängstlich. Sie hat nichts gesehen, meinte sie. Ihre Leute haben sie schon befragt.« Er ging zu seinem Stuhl zurück und griff nach einem Blatt Papier. »Ich hab es aber auch mit der Angst gekriegt, als ich das hier gesehen habe.«

Jeffrey nahm den Zettel, und es stieß ihm sauer auf, als er die drohenden Worte las, die mit Schreibmaschine auf den weißen Bogen getippt waren. Die Botschaft lautete: »Pass gut auf dich auf, Nigger.«

Jeffrey faltete den Zettel zusammen und stopfte ihn in die Tasche. Er stemmte die Hände in die Hüften und sah sich im Zimmer um. »Hübsch haben Sie es hier.«

»Vielen Dank«, entgegnete Will.

Jeffrey drehte sich zu den vorderen Fenstern um. Er hatte kein gutes Gefühl bei dieser Sache. Das Leben von Will Harris war nur deswegen in Gefahr, weil Jeffrey am Tag zuvor mit ihm gesprochen hatte. Er fragte: »Hätten Sie etwas dagegen, wenn ich heute Nacht hier bei ihnen auf dem Sofa schlafe?«

Will fragte verblüfft. »Glauben Sie, das ist notwendig?«

Jeffrey zuckte die Achseln. »Vorsicht ist die Mutter der Porzellankiste.«

12

Lena saß an ihrem Küchentisch und starrte auf die Salz- und Pfefferstreuer. Sie gab sich alle Mühe, gedanklich das zu ordnen, was heute geschehen war. Sie war überzeugt, dass Ryan Gordons einziges Verbrechen darin bestand, ein Arschloch zu sein. Wenn Julia Matthews klug war, war sie nach Hause zurückgekehrt oder machte sich eine Weile rar, um ihren Freund loszuwerden. Der Besuch von Jeffrey und Lena im College hatte nicht den geringsten Hinweis erbracht. Noch immer gab es für den Mord an ihrer Schwester keinen Verdächtigen.

Mit jeder Minute, die verstrich, mit jeder Stunde, die keine handfesten Hinweise auf den Mann brachte, der ihre Schwester ermordet hatte, merkte Lena, dass ihre Wut immer größer wurde. Sibyl hatte Lena stets gewarnt, dass Wut gefährlich war, dass auch andere Gefühle ihre Berechtigung hatten. Momentan konnte Lena sich jedoch nicht vorstellen, je wieder glücklich zu sein oder auch nur traurig. Sie war betäubt von dem Verlust, und Wut war die einzige Emotion, die ihr das Gefühl vermittelte, noch am Leben zu sein. So schloss sie ihre Wut in die Arme, gestattete ihr, wie ein Krebsgeschwür in ihr zu wachsen, damit sie nicht zusammenbrach. Sie brauchte ihre Wut, um die Situation durchzustehen. Wenn Sibyls Mörder gefasst worden war und man auch Julia Matthews gefunden hatte, würde Lena ihre Trauer zulassen.

»Sibby.« Lena schluchzte und schlug die Hände vors Gesicht. Selbst während der Vernehmung von Gordon war Lena immer wieder Sibyl in den Sinn gekommen. Und je mehr sie sich dagegen zu wehren versuchte, desto eindringlicher waren diese Bilder geworden.

Es waren unerwartete Rückblenden, diese Erinnerungen. Eben noch saß sie Gordon gegenüber und musste mit ansehen, wie kläglich er sich aufspielte, und im nächsten Moment war sie zwölf Jahre alt, war am Strand und führte Sibyl hinunter ans Wasser, damit sie dort gemeinsam spielen konnten. Schon bald nach dem Unfall, durch den Sibyl erblindet war, war Lena gleichsam zum Augenlicht ihrer Schwester geworden: Durch Lena konnte Sibyl wieder sehen. Bis zum heutigen Tag war Lena davon überzeugt, dass deshalb ein guter Detective aus ihr geworden war. Sie achtete auf Einzelheiten. Sie traute ihrem Instinkt und handelte aus dem Bauch heraus. Und jetzt sagte ihr Instinkt, dass sie nur Zeit verschwendete, wenn sie sich weiter auf Gordon konzentrierte.

»Hi«, sagte Hank, der sich eine Coke aus dem Kühlschrank holte. Er hielt auch Lena eine hin, aber sie schüttelte den Kopf.

Lena fragte: »Wo hast du die denn her?«

»Ich war im Laden«, sagte er. »Wie ging's denn heute?«

Lena beantwortete seine Frage nicht. »Warum warst du denn im Laden?«

»Weil es hier absolut nichts zu essen gab«, erwiderte er. »Ich kann nur staunen, dass du dich noch nicht in Luft aufgelöst hast.«

»Für mich brauchst du nicht einkaufen zu gehen«, entgegnete Lena. »Wann fährst du zurück nach Reece?«

Darüber hatte er offenbar noch nicht nachgedacht.

»In ein, zwei Tagen, denke ich. Ich kann bei Nan Unterkommen, wenn du mich hier nicht haben willst.«

»Du kannst hierbleiben.«

»Ist doch kein Problem, Lee. Sie hat mir schon ihr Sofa angeboten.«

»Du brauchst aber nicht zu ihr zu ziehen«, fauchte Lena. »Okay. Vergiss es einfach. Wenn's nur ein paar Tage sind, ist alles prima.«

»Ich könnte auch ins Hotel gehen.«

»Hank«, sagte Lena. Sie merkte, dass sie unnötig laut wurde. »Vergiss es einfach, okay? Ich habe einen harten Tag hinter mir.«

Hank hantierte mit seiner Coke-Flasche. »Möchtest du darüber reden?«

Lena verkniff sich das »aber bestimmt nicht mit dir«, das ihr auf der Zunge lag. »Nein«, sagte sie.

Er trank einen Schluck Coke und sah mit starrem Blick über ihre Schulter hinweg.

»Es gibt keine Anhaltspunkte«, sagte Lena. »Bis auf die Liste.« Hank schien verwirrt, und sie erklärte: »Wir haben eine Liste von allen Sexualstraftätern, die in den vergangenen sechs Jahren nach Grant gezogen sind.«

»So eine Liste wird geführt?«

»Zum Glück«, sagte Lena, um jedem Streitgespräch über Bürgerrechte vorzubeugen, das er vielleicht anzetteln wollte. Als ehemaliger Drogensüchtiger neigte Hank dazu, das Recht auf unangetastete Privatsphäre über den gesunden Menschenverstand zu stellen. Lena war ganz und gar nicht in der Stimmung, darüber zu diskutieren, inwieweit ehemalige Gefängnisinsassen ihre Schuld gesühnt hatten.

»Und«, sagte Hank, »diese Liste hast du?«

»Wir haben alle diese Liste«, stellte Lena klar. »Wir gehen von Tür zu Tür und versuchen herauszufinden, ob jemand passt.«

»Wozu?«

Sie sah ihn durchdringend an und überlegte, ob sie weiterreden sollte oder nicht. »Jemand mit einem gewalttätigen sexuellen Übergriff auf seinem Konto. Jemand, der weiß ist und zwischen achtundzwanzig und fünfunddreißig. Jemand, der sich für einen religiösen Menschen hält. Jemand, der Sibyl vielleicht schon beobachtet hat. Wer immer es war, er kannte ihre Gewohnheiten, und daher muss es jemand sein, der sie vom Sehen kannte oder ihr zumindest schon einige Male über den Weg gelaufen ist.«

»Hört sich an, als gäbe es keine große Auswahl.«

»Es sind fast hundert Namen auf der Liste.«

Er pfiff leise. »In Grant?« Dann schüttelte er langsam den Kopf, weil er Lena das offenbar nicht abkaufen wollte.

»Und zwar nur in den letzten sechs Jahren, Hank. Ich schätze, wenn wir die durchhaben, ohne etwas zu finden, gehen wir noch weiter zurück. Vermutlich zehn oder fünfzehn Jahre.«

Hank strich sich die Haare aus der Stirn und bot Lena dabei freie Sicht auf seine Unterarme. Sie zeigte auf seine bloßen Arme. »Ich möchte, dass du heute Abend dein Jackett anbehältst.«

Hank betrachtete die alten Einstichnarben. »Wenn du möchtest, gern.«

»Cops werden da sein. Freunde von mir. Kollegen. Wenn die solche Narben sehen, wissen sie sofort Bescheid.«

Er sah auf seine Arme. »Ich glaube, man muss gar kein Cop sein, um zu wissen, woher die stammen.«

»Bring mich nicht in Verlegenheit, Hank. Es ist schon schlimm genug, dass ich meinem Boss erzählen musste, dass du ein Junkie bist.«

»Tut mir leid.«

»Schon gut«, sagte Lena, weil sie nicht wusste, was sie sonst noch sagen sollte. Sie war versucht, ihn abfällig zu mustern, ihn so lange zu nerven, bis ihm der Geduldsfaden riss und sie einen richtig schönen Streit vom Zaun gebrochen hatte.

Aber sie drehte sich auf dem Stuhl um und sah in die andere Richtung. »Ich bin nicht in der Stimmung, mein Herz auszuschütten oder deins ausgeschüttet zu bekommen.«

»Schade«, sagte Hank, blieb aber sitzen. »Wir müssen uns noch darüber unterhalten, was wir mit der Asche deiner Schwester machen.«

»Das kann ich im Moment nicht.«

»Ich habe schon mit Nan gesprochen …«

Sie unterbrach ihn: »Es kümmert mich nicht im Geringsten, was Nan dazu zu sagen hat.«

»Sie war ihre Liebhaberin, Lee. Sie haben zusammengelebt.«

»Wir auch«, blaffte Lena. »Sie war meine Schwester, Hank. Und ich werde nicht zulassen, dass Nan sie bekommt.«

»Nan scheint eine sehr nette Frau zu sein.«

»Bestimmt ist sie das.«

Hank spielte mit der Flasche. »Wir können sie doch nicht aus allem ausklammern, weil dir das nicht behagt, Lee.« Nach einer kurzen Pause fuhr er fort: »Sie haben sich geliebt.

Ich weiß gar nicht, wieso du ein Problem damit hast, das zu akzeptieren.«

»Das zu akzeptieren?« Lena lachte. »Wie hätte ich es nicht akzeptieren können? Sie haben zusammengelebt. Sie haben zusammen Urlaub gemacht.« Ihr fiel Gordons Bemerkung ein. »Anscheinend wusste das ganze verdammte College Bescheid«, sagte sie. »Da blieb mir doch wohl kaum etwas anderes übrig.«

Hank lehnte sich seufzend zurück. »Ich weiß nicht, Baby. Warst du auf sie eifersüchtig?«

Lena reckte ihm das Kinn entgegen. »Auf wen?«

»Nan.«

Sie lachte. »Was Dämlicheres hab ich von dir noch nie gehört.« Und sie fügte hinzu: »Und wir beide wissen, dass du mir schon ganz schön viel Scheiße erzählt hast.«

Hank reagierte mit einem Achselzucken. »Du hast Sibby lange ganz allein für dich gehabt. Ich kann verstehen, dass es ihr sehr schwergefallen sein muss, noch für dich da zu sein, nachdem sie diese Frau kennengelernt und sich mit ihr eingelassen hatte.«

Lena blieb vor Entrüstung der Mund offenstehen. Der Streit, auf den sie noch vor Sekunden gehofft hatte, brach jetzt los. »Du meinst, ich bin eifersüchtig auf Nan Thomas, weil sie es mit meiner Schwester getrieben hat?«

Er zuckte bei dieser verbalen Attacke zusammen. »Du meinst, mehr war zwischen den beiden nicht?«

»Ich weiß nicht, was da noch war, Hank«, sagte Lena. »Darüber haben wir nie gesprochen, okay?«

»Das weiß ich.«

»Warum hast du das dann angesprochen?«

Er antwortete nicht sofort. »Nicht nur du hast sie verloren.«

»Wann hab ich das denn gesagt?«, blaffte Lena und stand auf.

»Es kam mir nur so vor«, sagte Hank. »Hör mal, Lee, vielleicht solltest du mit jemandem über all dies sprechen.«

»Ich spreche doch gerade mit dir.«

»Nicht mit mir.« Hank machte ein nachdenkliches Gesicht. »Was ist mit dem Mann, mit dem du dich getroffen hast? Gibt's den noch?«

Sie lachte. »Greg und ich haben uns schon vor einem Jahr getrennt, und auch wenn es nicht so gewesen wäre, an seiner Schulter hätte ich mich kaum ausgeweint.«

»Hab ich ja auch nicht gesagt.«

»Gut.«

»Da kenne ich dich nämlich besser.«

»Einen Scheißdreck weißt du von mir«, fuhr sie ihn an. Lena rannte aus dem Zimmer und ballte die Fäuste, als sie die Treppe hinauf hastete und zwei Stufen auf einmal nahm. Die Schlafzimmertür fiel mit einem lauten Knall ins Schloss.

Ihr Wandschrank war hauptsächlich mit Hosenanzügen und einzelnen Hosen gefüllt, aber Lena fand hinten in der Ecke ein schwarzes Kleid. Sie zog das Bügelbrett heraus und trat einen Schritt zurück, war aber nicht schnell genug, um dem Bügeleisen auszuweichen, das vom Brett rutschte und ihr auf die große Zehe fiel.

»Mist«, zischte Lena und hielt sich den Fuß. Sie setzte sich aufs Bett und massierte sich die Zehen. Das war alles nur Hanks Schuld, weil er sie so aufgeregt hatte. Solche Sachen machte er ständig, zwang Lena immer wieder seine hochgestochene Philosophie über eine furchtlose Inventur, über Demut und das Teilen auf. Wenn er sein Leben so führen wollte, wenn er sein Leben so führen musste, damit er sich keine Überdosis verpasste oder sich zu Tode soff, dann war das prima, aber er hatte nicht das Recht, Lena damit zu behelligen.

Was seine Amateuranalyse betraf, dass Lena auf Nan eifersüchtig sei, darüber konnte sie nur lachen. Ihr ganzes Leben lang hatte Lena darauf hingearbeitet, dass Sibyl selbstständig wurde. Es war Lena gewesen, die Referate vorgelesen hatte, damit Sibyl nicht erst auf die Braille-Übersetzungen warten musste. Es war Lena, die Sibyl bei der Vorbereitung auf ihre mündlichen Examina abgehört und bei Experimenten geholfen hatte. Und all das war Sibyl zuliebe nur geschehen, damit sie sich allein der Welt stellen, einen Job bekommen und sich ihr Leben einrichten konnte.

Lena klappte das Bügelbrett auf und breitete das Kleid darauf aus. Sie strich den Stoff glatt und erinnerte sich an das letzte Mal, als sie dieses Kleid getragen hatte.

Sibyl hatte Lena gebeten, sie zu einer Fakultätsparty am College zu begleiten. Sie hatte auch eingewilligt, obwohl die Bitte sie sehr überrascht hatte. Es bestand eine deutliche Kluft zwischen den Leuten vom College und denen aus der Stadt, und sie hatte sich dort unbehaglich gefühlt. Umgeben von Leuten, die nicht nur ihr College abgeschlossen, sondern noch weiterstudiert und höhere akademische Grade erworben hatten. Lena war zwar keine tumbe Landpomeranze, aber sie wusste noch ganz genau, dass sie das Gefühl gehabt hatte, völlig fehl am Platz zu sein.

Sibyl hingegen war ganz in ihrem Element gewesen. Lena konnte sich entsinnen, sie mitten unter den Anwesenden gesehen zu haben, wo sie mit ein paar Professoren sprach, die ganz offensichtlich an dem, was sie zu sagen hatte, wirklich interessiert waren. Niemand starrte sie an, wie es oft der Fall gewesen war, als die Mädchen heranwuchsen. Niemand machte sich lustig über sie oder kommentierte abfällig die Tatsache, dass sie nicht sehen konnte. Und so war Lena zum ersten Mal in ihrem Leben bewusst geworden, dass Sibyl sie nicht brauchte.

Nan Thomas hatte mit dieser Erkenntnis nichts zu tun. Da irrte Hank. Sibyl war vom ersten Tag an unabhängig gewesen. Sie konnte für sich sorgen. Sie war mobil und kam herum. Sie mochte blind gewesen sein, aber in mancherlei Hinsicht war sie sogar hellsichtig. In mancherlei Hinsicht vermochte Sibyl andere Menschen besser einzuschätzen als jemand, der sehen konnte, weil sie wirklich hörte, was die Menschen sagten. Sie bemerkte den Wechsel im Tonfall, wenn sie logen, oder das Beben in ihrer Stimme, wenn sie die Fassung verloren. Sie hatte Lena besser verstanden als jeder sonst.

Hank klopfte an die Tür. »Tee?«

Lena schnäuzte sich die Nase und merkte erst dabei, dass sie geweint hatte. Die Tür öffnete sie nicht. »Was denn?«

Seine Stimme war gedämpft, aber sie konnte ihn klar und deutlich verstehen. Er sagte: »Tut mir leid, was ich gesagt hab, Liebes.«

Lena atmete tief durch. »Schon okay.«

»Ich mach mir nur Sorgen um dich.«

»Mir geht es gut«, sagte Lena und schaltete das Bügeleisen ein. »In zehn Minuten können wir gehen.«

Sie betrachtete die Tür, sah, wie sich der Knauf leicht bewegte und dann in die Ausgangsstellung zurückrutschte, als er losgelassen wurde. Danach entfernten sich seine Schritte auf dem Flur.

Im Brock Funeral Home drängten sich Sibyls Freunde und Kollegen. Nach zehn Minuten, in denen Lena Hände geschüttelt und Beileidsbekundungen von Menschen entgegengenommen hatte, die ihr noch nie im Leben begegnet waren, spürte sie, dass sich ihr der Magen immer mehr zusammenkrampfte. Sie hatte das Gefühl, explodieren zu müssen, weil sie zu lange stillgestanden hatte. Sie wollte nicht an diesem Ort sein und ihren Kummer mit fremden Menschen teilen. Der Raum schien zu schrumpfen, und Lena schwitzte, obwohl die Klimaanlage so weit heruntergeregelt war, dass manche ihre Mäntel anbehielten.

»He«, sagte Frank und stützte sie am Ellbogen.

Lena war überrascht von dieser Geste, aber entzog sich nicht. Sie war erleichtert, mit jemandem zu sprechen, der ihr vertraut war.

»Gehört, was passiert ist?«, fragte Frank mit einem Seitenblick auf Hank. Lena spürte, dass sie vor Verlegenheit rot anlief, weil sie wusste, dass Frank ihren Onkel bereits als Halunken abgestempelt hatte. Cops rochen so etwas eben meilenweit.

»Nein«, sagte Lena. Sie begleitete Frank an den Rand der Versammlung.

»Will Harris«, begann er mit leiser Stimme. »Jemand hat mit einem Stein 'ne Scheibe bei ihm eingeschlagen.«

»Warum?«, fragte Lena, obwohl sie die Antwort schon ahnte.

Frank zuckte die Achseln. »Keine Ahnung.« Er sah sich um. »Ich meine – Matt.« Wieder Achselzucken. »Er war den ganzen Tag mit mir zusammen. Ich weiß nicht.«

Lena zog ihn in den Flur, damit sie nicht mehr flüstern mussten. »Sie meinen, Matt hat was getan?«

»Matt oder Pete Wayne«, sagte er. »Die sind die beiden Einzigen, die mir einfallen.«

»Vielleicht jemand aus der Loge?«

Frank wäre fast aus der Haut gefahren, aber das hatte sie auch erwartet. Sie hätte ebenso gut den Papst der Pädophilie beschuldigen können.

Lena fragte: »Und was ist mit Brad?«

Frank musterte sie.

»Yeah«, sagte Lena, »ich weiß ja, was Sie meinen.« Sie hätte nicht sicher sagen können, ob Brad Will Harris mochte oder nicht, aber sie wusste, dass Brad sich eher den Arm abhacken würde, als das Gesetz zu brechen. Einmal war Brad mehr als drei Meilen zurückgefahren, um einen Papierstreifen wieder aufzusammeln, der ihm versehentlich aus dem Autofenster geflogen war.

»Ich denke, ich werde mich noch mit Pete unterhalten«, sagte Frank.

Lena sah auf die Uhr. Kurz nach halb sechs. Pete war vermutlich zu Hause.

»Können wir ihren Wagen nehmen?«, fragte sie. So konnte sie Hank ihren für den Heimweg dalassen.

Frank blickte zurück in den Trauerraum. »Sie wollen die Totenwache für ihre Schwester verlassen?«, fragte er, und er konnte seine Bestürzung nicht verhehlen.

Lena sah zu Boden, denn sie wusste, dass sie zumindest

ein schlechtes Gewissen haben müsste. Tatsache aber war, dass sie aus diesem Raum mit all den fremden Leuten verschwinden musste, bevor der Kummer sie überwältigte und so lähmte, dass sie nur noch in ihrem Zimmer sitzen und heulen konnte.

Frank sagte: »Treffen wir uns draußen in zehn Minuten.«

Lena hielt nach Hank Ausschau. Er stand bei Nan Thomas und hatte ihr den Arm um die Schulter gelegt. Sie spürte, wie sich ihre Nackenhaare sträubten, als sie die beiden so sah. Er hatte offenbar nicht das geringste Problem, einen völlig fremden Menschen zu trösten, obwohl sein eigen Fleisch und Blut völlig allein keine drei Meter von ihm entfernt stand.

Lena ging in den Flur, um ihre Jacke zu holen. Sie wollte gerade hineinschlüpfen, als sie spürte, dass ihr jemand half. Zu ihrer Überraschung stand Richard Carter hinter ihr.

»Ich wollte Ihnen nur sagen«, wandte er sich fast flüsternd an sie, »dass mir das mit Ihrer Schwester fürchterlich leidtut.«

»Danke«, brachte sie mit Mühe heraus. »Das weiß ich zu schätzen.«

»Haben Sie schon etwas über das andere Mädchen herausgefunden?«

»Matthews?«, fragte sie, bevor sie sich zurückhalten konnte. Lena war in einer Kleinstadt aufgewachsen, musste aber immer noch staunen, wie schnell sich Gerüchte verbreiteten.

»Dieser Gordon«, sagte Richard und schüttelte sich ostentativ. »Das ist kein besonders netter Bursche.«

»Ja«, sagte Lena leise. Sie wollte ihn zum Weitergehen bewegen. »Vielen Dank, dass Sie heute Abend gekommen sind.«

Sein Lächeln war nur angedeutet. Er merkte, dass sie ihn loswerden wollte, aber anscheinend wollte er es ihr nicht so leicht machen. Er sagte: »Ich habe wirklich sehr gern mit Ihrer Schwester zusammengearbeitet. Sie war immer sehr gut zu mir.«

Lena trat von einem Fuß auf den anderen. Sie kannte Frank und wusste, dass er nicht sehr lange warten würde.

»Sie hat auch gerne mit Ihnen zusammengearbeitet, Richard«, erwiderte Lena.

»Hat sie das gesagt?«, fragte er geschmeichelt. »Ich meine, ich wusste, dass sie meine Arbeit respektiert, aber hat sie das wirklich gesagt?«

»Ja«, erwiderte Lena. »Immerzu.« Sie erkannte Hank in der Menge. Er hielt Nan immer noch im Arm. Sie machte Richard auf die beiden aufmerksam. »Fragen Sie meinen Onkel. Er hat erst neulich noch davon gesprochen.«

»Tatsächlich?« Richard legte die Endflächen gegeneinander.

»Ja«, antwortete Lena. Sie nahm die Autoschlüssel aus der Jackentasche. »Hören Sie, könnten Sie die vielleicht meinem Onkel geben?«

Er starrte die Schlüssel an, ohne sie zu nehmen. Das war einer der Gründe, warum Sibyl so gut mit Richard ausgekommen war: Sie hatte ja nicht gesehen, was für eine herablassende Miene er manchmal aufsetzte. Sibyl schien eine Engelsgeduld aufgebracht zu haben, was Richard Carter betraf. Lena wusste, dass Sibyl ihm bei mehr als einer Gelegenheit aus der Patsche geholfen hatte, als er seine akademische Qualifikation hatte nachweisen müssen.

»Richard?« Sie unternahm noch einen Versuch und ließ die Schlüssel baumeln.

»Sicher doch«, sagte er schließlich und streckte die Hand aus.

Lena ließ das Schlüsselbund in seine Hand fallen. Sie wartete, bis er ein paar Schritte entfernt war und eilte dann zur Seitentür hinaus. Frank wartete in seinem Wagen, ohne Licht.

»Die Verspätung tut mir leid«, sagte Lena beim Einsteigen. Sie rümpfte die Nase, als sie Rauch roch. Genau genommen durfte Frank in ihrer Gegenwart nicht rauchen, wenn sie im Einsatz waren, aber sie hielt den Mund, denn er erwies ihr ja den Gefallen, sie mitfahren zu lassen.

»Diese Collegetypen«, sagte Frank, nahm einen Zug von seiner Zigarette und schnippte sie aus dem Fenster. »'tschuldigung.«

»Schon in Ordnung«, sagte Lena. Es kam ihr komisch vor, in dieser Kleidung in Franks Wagen zu sitzen. Irgendwie fühlte sie sich an ihr erstes Rendezvous erinnert. Lena war eine reine Jeans-und-T-Shirt-Frau, und deswegen war es für sie eine Zumutung, ein Kleid zu tragen. Sie fühlte sich unwohl in hochhackigen Schuhen und Strumpfhosen. Sie wusste nie, wie sie sitzen oder wo sie die Hände lassen sollte. Sie vermisste ihr Holster.

»Wegen Ihrer Schwester«, begann Frank.

Lena ließ ihn nicht länger zappeln. »Ja, danke«, sagte sie.

Die Dunkelheit war angebrochen, während Lena im Beerdigungsinstitut gewesen war, und je weiter sie sich von der Stadt, von der Straßenbeleuchtung und von den Menschen entfernten, desto dunkler wurde es auch im Wagen.

»Diese Sache in Wills Haus«, begann Frank nochmals. »Ich weiß nicht recht, Lena.«

»Sie meinen, Pete hatte da seine Hand im Spiel?«

»Kann ich nicht sagen«, meinte Frank. »Will hat für seinen Daddy gearbeitet, vielleicht schon zwanzig Jahre bevor Pete aufgetaucht ist. Das sollte man nicht vergessen.« Er griff nach einer Zigarette, hielt sich dann aber doch zurück. »Ich weiß einfach nicht.«

Lena wartete, aber er sagte nichts mehr. Sie starrte geradeaus, während Frank aus der Stadt fuhr. Sie überquerten die Stadtgrenze und befanden sich schon recht weit in Madison, als Frank abbremste und scharf nach rechts in eine Sackgasse einbog.

Das gemauerte Ranchhaus von Pete Wayne war so bescheiden wie sein Besitzer. Sein Wagen, ein Dodge von 1996 mit rotem Klebeband dort, wo sich vorher die Rücklichter befunden hatten, war schräg in der Einfahrt geparkt.

Frank fuhr an den Straßenrand und löschte die Scheinwerfer. Er lachte nervös. »So wie Sie angezogen sind, hab ich das Gefühl, ich sollte ihnen die Wagentür öffnen.«

»Wagen Sie das ja nicht«, entgegnete Lena und hielt für den Fall, dass er es ernst meinte, den Türgriff fest.

»Halt«, sagte Frank und legte die Hand auf Lenas Arm. Etwas in seinem Tonfall ließ sie aufblicken. Pete kam aus dem Haus, einen Baseballschläger in der Hand.

Frank sagte: »Bleiben Sie hier.«

»Einen Teufel werde ich tun«, sagte sie und öffnete die Tür, bevor er sie daran hindern konnte. Die Innenbeleuchtung im Wagen ging an, und Pete Wayne sah zu ihnen herüber.

Frank sagte: »Gut gemacht, Kleine.«

Lena verbiss sich die Wut über diese Anrede. Sie ging hinter Frank die Auffahrt hinauf und kam sich in ihrem Kleid und den Stöckelschuhen ziemlich fehl am Platz vor.

Pete musterte sie, den Schläger in der Hand. »Frank?«, fragte er. »Was ist denn los?«

»Was dagegen, wenn wir einen Augenblick reinkommen?«, fragte Frank und fügte hinzu: »Bruder.«

Pete warf Lena einen nervösen Seitenblick zu. Sie wusste, dass diese Logenbrüder ihren eigenen Jargon hatten. Was Frank genau damit meinte, dass er Pete Bruder nannte, wusste sie jedoch nicht.

Pete sagte: »Ich wollte gerade weg.«

»Das sehe ich«, sagte Frank und blickte auf den Schläger: »Bisschen spät zum Üben, oder?«

Pete hantierte nervös mit dem Schläger. »Den wollte ich gerade in meinen Wagen legen. Hat mich doch ein bisschen nervös gemacht, was im Diner passiert ist«, sagte er. »Dachte, ich deponiere ihn hinter der Bar.«

»Gehen wir rein«, sagte Frank. Er gab Pete keine Chance zu widersprechen. Er ging die Vordertreppe hinauf, blieb an der Eingangstür stehen und wartete, bis Pete nachkam.

Lena folgte ihnen, und die drei gingen ins Haus. Als sie die Küche erreicht hatten, merkte sie, dass Pete auf der Hut war. Er hielt den Schläger so fest umklammert, dass seine Knöchel weiß geworden waren.

»Was gibt's denn für 'n Problem?« Pete richtete seine Frage an Frank.

»Will Harris hatte heute Nachmittag ein Problem«, sagte Frank. »Jemand hat ihm mit einem Stein die Scheibe eingeworfen.«

»Schlecht für ihn«, kommentierte Pete mit tonloser Stimme.

»Ich muss dir sagen, Pete, ich glaube, das warst du«, sagte Frank.

Pete lachte hohl. »Du meinst, ich hab die Zeit, runterzufahren und dem da einen Ziegelstein durchs Fenster zu werfen? Ich hab ein Geschäft. Die meisten Tage hab ich nicht mal Zeit, scheißen zu gehen, geschweige denn einen Ausflug zu machen.«

Lena sagte: »Wie kommen Sie darauf, dass es ein Ziegelstein war?«

Pete musste schwer schlucken. »Nur geraten.«

Frank nahm ihm den Schläger aus der Hand. »Will hat fast fünfzig Jahre für deine Familie gearbeitet.«

»Das weiß ich«, sagte Pete und ging einen Schritt zurück.

»Es gab Zeiten, da musste dein Daddy ihn mit Mahlzeiten bezahlen statt mit Geld, sonst hätte er sich keine Hilfe leisten können.« Frank wog den Schläger in der Hand. »Erinnerst du dich noch, Pete? Erinnerst du dich noch, wie die Kaserne dicht gemacht wurde und ihr alle beinahe am Ende wart?«

Pete lief rot an. »Natürlich weiß ich das noch.«

»Dann lass mich dir eins erklären, Junge«, sagte Frank und drückte das Ende des Schlägers auf Petes Brust. »Und hör gut zu, was ich dir sage. Will Harris hat das Mädchen nicht angerührt.«

»Das weißt du so genau?«, entgegnete Pete.

Lena legte die Hand auf den Schläger und drückte ihn nach unten. Sie trat direkt vor Pete, sah ihm in die Augen und sagte: »Ich weiß es.«

Pete senkte als Erster den Blick. Er sah zu Boden, und seine Körperhaltung wurde leicht unsicher. Er schüttelte den Kopf und atmete betont schwer aus. Als er wieder aufsah, sagte er zu Frank: »Wir müssen reden.«

13

Eddie Linton hatte ein Grundstück am See gekauft, als sein Klempnerbetrieb Geld abzuwerfen begann. Ihm gehörten ferner sechs Häuser in Collegenähe, die er an Studenten vermietete, sowie ein Apartmentkomplex in Madison, den er ständig zu verkaufen drohte. Als Sara aus Atlanta nach Grant zurückgezogen war, hatte sie sich geweigert, im Haus ihrer Eltern zu wohnen. Der Gedanke, wieder nach Hause zu ziehen und in ihrem alten Zimmer zu wohnen, wäre für Sara wie eine Niederlage gewesen. Damals fühlte sie sich ohnehin schon niedergeschlagen genug, auch ohne ständig daran erinnert zu werden, dass sie noch nicht einmal eine eigene Wohnung besaß.

Im ersten Jahr nach ihrer Rückkehr hatte sie in einem der Häuser ihres Vaters gewohnt und dann angefangen, immer öfter auch an Wochenenden im Krankenhaus in Augusta zu arbeiten, um Geld für die Anzahlung eines eigenen Hauses zusammenzusparen. Sie hatte sich gleich beim ersten Mal, als ihr Makler sie herumgeführt hatte, in ihr Haus verliebt. Es war eins von diesen Häusern, bei denen Vorder- und Hintertür in einer Fluchtlinie lagen. Von dem langen Flur gingen rechts zwei Schlafzimmer, ein Bad mit Toilette und ein kleiner Arbeitsraum ab und links das Wohnzimmer, Esszimmer, eine weitere Toilette und die Küche. Aber sie hätte das Haus auch gekauft, wenn es nur ein Schuppen gewesen wäre, denn von der hinteren Terrasse hatte man einen geradezu phänomenalen Ausblick auf den See. In ihrem Schlafzimmer kam sie in den vollen Genuss dieser Aussicht, denn das Panoramafenster war flankiert von zwei weiteren Fenstern. An Tagen wie diesem konnte sie fast bis hinüber zur Universität sehen, und wenn das Wetter mitspielte, schipperte Sara in ihrem Boot bis hinüber zum Anlegeplatz der Uni und ging dann zu Fuß zur Arbeit.

Sara öffnete ein Schlafzimmerfenster, damit sie Jebs Boot hörte, wenn er an den Steg kam. Letzte Nacht hatte es wieder leichten Regen gegeben, und vom See wehte eine kühle Brise herüber. Sie prüfte ihr Aussehen im Spiegel an der Rückseite der Tür. Sie hatte einen Wickelrock mit kleinem Blumenmuster gewählt und dazu ein enges schwarzes Lycra-Shirt, das bis knapp unter ihren Nabel reichte. Ihr Haar hatte sie hochgesteckt, aber dann wieder gelöst. Sie war gerade dabei, es von Neuem hochzustecken, als sie ein Boot am Anleger hörte. Sie schlüpfte in ihre Sandalen und schnappte sich zwei Gläser und eine Flasche Wein, bevor sie zur Hintertür hinauseilte.

»Ahoi«, sagte Jeb und warf ihr ein Tauende zu. Er schob die Hände in seine orangefarbene Schwimmweste, weil er ihr, wie Sara annahm, in der Pose des starken Matrosen imponieren wollte.

»Selber ahoi«, antwortete Sara und stellte Wein und Gläser auf den Steg, um das Boot zu vertäuen. »Hast wohl immer noch nicht schwimmen gelernt, oder?«

»Meine Eltern waren furchtbar wasserscheu«, erläuterte er. »Haben es deswegen nie gelernt. Und ich bin schließlich auch nicht am Wasser aufgewachsen.«

»Klingt plausibel«, sagte sie. Da sie selbst an einem See groß geworden war, hatte Sara das Schwimmen immer als Selbstverständlichkeit angesehen. Sie konnte sich gar nicht vorstellen, Nichtschwimmerin zu sein. »Du solltest es lernen«, sagte sie. »Besonders als Segler.«

»Ist nicht nötig«, sagte Jeb und tätschelte sein Boot wie einen Hund. »Mit dem Baby hier kann ich auf dem Wasser wandeln.«

Sie stand auf und bewunderte das Boot. »Hübsch.«

»Wirkt auf Mädels wie ein Magnet«, scherzte er und löste die Haken an seiner Weste. Sie wusste, dass er sich über sie lustig machte, aber das Boot, schwarz-metallic lackiert, sah schnittig aus. Im Gegensatz zu Jeb McGuire in seiner sperrigen orangen Schwimmweste.

Jeb sagte: »Ich muss dir etwas gestehen, Sara: Wenn du mich jemals so ansehen würdest, wie du im Moment mein Boot ansiehst, müsste ich dich vom Fleck weg heiraten.«

Sie schmunzelte und sagte: »Es ist ein sehr hübsches Boot.«

Er holte seinen Picknickkorb und sagte: »Ich würde dich ja zu einer kleinen Tour einladen, aber es ist ein bisschen frisch draußen auf dem Wasser.«

»Wir können doch hier sitzen«, sagte sie und deutete auf die Stühle und den Tisch am Rand des Stegs. »Soll ich Besteck holen oder so was?«

Jeb lächelte. »Dazu kenne ich dich zu gut, Sara Linton.« Er öffnete den Picknickkorb und holte Bestecke und Servietten hervor. In weiser Voraussicht hatte er sogar Teller und Gläser mitgebracht. Sara hatte alle Mühe, sich nicht die Lippen zu lecken, als er Brathuhn, Kartoffelbrei, Erbsen, Mais und helle Brötchen auspackte.

»Hast du es darauf abgesehen, mich zu verführen?«, fragte sie.

Jeb hielt inne, in der Hand ein Gefäß mit Bratensoße. »Wirkt es schon?«

Die Hunde bellten, und Sara dachte: Das ist ein Geschenk von oben. Sie sagte: »Sie bellen sonst nie. Ich gehe mal kurz nachsehen.«

»Soll ich mitkommen?«

Sara wollte sein Angebot schon ablehnen, besann sich dann aber. Das mit den Hunden stimmte tatsächlich. Billy und Bob hatten genau zweimal gebellt, seit sie sie vor der Rennbahn von Ebro gerettet hatte: einmal, als Sara aus Versehen auf Bobs Schwanz getreten war, und das andere Mal, als ein Vogel durch den Schornstein ins Wohnzimmer geflattert war.

Sie spürte Jebs Hand auf dem Rücken, als sie durch den Garten zum Haus hinaufgingen. Die Sonne tauchte hinter dem Dachfirst ab, und Sara hielt sich wegen der Sonne die Hand vor die Augen. Sie erkannte Brad Stephens am Rand der Auffahrt.

»He, Brad«, sagte Jeb.

Der Streifenpolizist bedachte Jeb mit einem knappen Kopfnicken.

»Brad?«, fragte sie.

»Ma'am.« Brad nahm seine Mütze ab. »Der Chief ist angeschossen worden.«

Sara hatte den Z3 Roadster eigentlich noch nie richtig ausgefahren. Auch wenn sie von Atlanta zurückkam, blieb die Tachonadel stets bei 120 km/h. Aber jetzt auf dem Weg zum

Grant Medical Center fuhr sie 150 km/h. Dennoch schien die zehnminütige Fahrt Stunden zu dauern, und als Sara vor dem Krankenhaus abbog, waren ihre Hände schweißnass.

Sie stellte den Wagen auf dem Behindertenparkplatz neben dem Gebäude ab, damit sie die Türen der Ambulanz nicht blockierte. Im Laufschritt erreichte Sara die Notaufnahme.

»Was ist passiert?«, fragte sie Lena Adams, die an der Anmeldung stand. Lena öffnete den Mund, um ihr zu antworten, aber Sara war schon an ihr vorbei den Flur entlanggerannt. Sie schaute in jeden Raum, bis sie Jeffrey im dritten Untersuchungszimmer fand.

Ellen Bray wirkte nicht erstaunt, Sara zu sehen. Sie legte Jeffrey gerade die Manschette an, um seinen Blutdruck zu messen.

Sara legte Jeffrey die Hand auf die Stirn. Er öffnete kaum merklich die Augen, schien aber ihre Anwesenheit gar nicht zu registrieren.

»Was ist geschehen?«, fragte sie.

Ellen reichte Sara das Krankenblatt und sagte: »Mit grobem Schrot ins Bein geschossen. Nichts Ernstes, denn sonst hätten sie ihn nach Augusta gebracht.«

Sara warf einen Blick auf das Blatt, aber ihre Augen versagten den Dienst, und sie sah alles völlig verschwommen.

»Sara?«, fragte Ellen besorgt. Den größten Teil ihrer beruflichen Laufbahn hatte sie in Augusta in der Notaufnahme gearbeitet. Sie war im Frühruhestand und verdiente sich zu ihrer Rente etwas hinzu, indem sie im Grant Medical Center Nachtschichten machte. Sara hatte vor Jahren mit ihr zusammengearbeitet, und die beiden Frauen verband eine solide berufliche Beziehung, die auf gegenseitigem Respekt gründete.

Ellen sagte: »Er ist okay, wirklich. Das Demerol wird bald wirken und ihn außer Gefecht setzen. Die Schmerzen hat er vor allem deshalb, weil Hare in seinem Bein rumgestochert hat.«

»Hare?«, fragte Sara und verspürte zum ersten Mal seit zwanzig Minuten ein wenig Erleichterung. Ihr Cousin Hare war Allgemeinmediziner und sprang manchmal im Krankenhaus ein. »Ist er hier?«

Ellen nickte und pumpte die Manschette auf. Sie bat mit erhobenem Finger um Ruhe.

Jeffrey regte sich und öffnete die Augen – diesmal etwas weiter. Als er Sara erkannte, spielte ein leichtes Lächeln um seine Lippen.

Ellen lockerte die Manschette. Sie sagte: »Hundertfünfundvierzig zu zweiundneunzig.«

Sara runzelte die Stirn und studierte Jeffreys Krankenblatt. Jetzt erkannte sie, was darauf stand.

»Ich gehe Doktor Earnshaw holen«, sagte Ellen.

»Danke«, entgegnete Sara und schlug das Blatt ganz auf. »Seit wann nimmst du Betablocker?«, fragte sie. »Wie lange hast du schon so hohen Blutdruck?«

Jeffrey lächelte verschmitzt. »Seit du im Zimmer bist.«

Sara überflog das Blatt. »Fünfzig Milligramm am Tag. Gerade von Captropil umgestellt? Warum hast du damit aufgehört?« Sie fand die Antwort auf dem Blatt. »»Umstellung aufgrund von unproduktivem Husten‹‹, las sie laut vor.

Hare kam ins Zimmer und sagte: »Das ist bei ACE-Hemmern verbreitet.«

Obwohl er ihr den Arm um die Schultern legte, beachtete Sara ihren Cousin nicht.

Sie fragte Jeffrey: »Bei wem bist du denn in Behandlung?«

»Lindley«, antwortete Jeffrey.

»Hast du ihm von deinem Vater erzählt?« Sara klappte das Krankenblatt zu. »Ich fass es nicht, dass er dir keinen Inhalator verschrieben hat. Wie sind denn deine Cholesterinwerte?«

»Sara.« Hare nahm ihr das Krankenblatt aus der Hand. »Ruhig jetzt.«

Jeffrey lachte. »Danke.«

Sara verschränkte die Arme und spürte Wut in sich aufsteigen. Sie hatte sich auf dem Weg ins Krankenhaus große Sorgen gemacht und schon mit dem Schlimmsten gerechnet. Aber jetzt stellte sie fest, dass es Jeffrey ganz gut ging. Sie war über die Maßen erleichtert, aber irgendwie fühlte sie sich von ihren Gefühlen hintergangen.

»Guck mal«, sagte Hare, machte den Lichtkasten an der Wand an und schob ein Röntgenbild in die Klemmschiene. Er schnappte hörbar nach Luft und sagte: »Hilfe, so was Schlimmes hab ich ja noch nie gesehen!«

Sara seufzte und drehte die Röntgenaufnahme richtig herum.

»Na, Gott sei Dank!« Hare seufzte dramatisch. Als er merkte, dass sie an seiner Vorstellung keinen Gefallen fand, runzelte er die Stirn. Dass er die Dinge nur höchst selten ernst nahm, ließ Sara ihren Cousin ebenso lieben wie hassen.

Hare sagte: »Hat die Arterie verfehlt, ebenso wie den Knochen. Ist hier innen glatt durchgegangen.« Er lächelte beruhigend. »Absolut nicht schlimm.«

Sara ignorierte die Diagnose und beugte sich vor, um Hares Ergebnis nochmals zu prüfen. Das Verhältnis zu ihrem Cousin war nicht nur schon immer von heftigstem Konkurrenzdenken getrübt worden – sie wollte sich auch persönlich davon überzeugen, dass nichts übersehen worden war.

»Drehen wir dich mal auf die linke Seite«, forderte Hare Jeffrey auf und wartete, dass Sara ihm half. Sara stützte Jeffreys verletztes rechtes Bein, während sie ihn umdrehten: »Dadurch sollte jetzt dein Blutdruck ein wenig sinken«, sagte Sara. »Sollst du heute Abend noch dein Medikament nehmen?«

»Die eine oder andere Dosis hab ich wohl zu spät genommen«, gestand Jeffrey.

»Zu spät?« Sara spürte ihren Blutdruck in die Höhe schnellen. »Was bist du denn für ein Idiot?«

»Die Pillen sind mir ausgegangen«, murmelte Jeffrey kleinlaut.

»Ausgegangen? Du wohnst doch fast direkt neben der Apotheke.« Sie sah ihn ebenso fassungslos wie wütend an. »Was hast du dir dabei bloß gedacht?«

»Sara«, unterbrach Jeffrey. »Bist du den weiten Weg hergekommen, nur um mich zu maßregeln?«

Darauf wusste sie keine Antwort.

Hare mischte sich ein. »Vielleicht kann sie ja ihre Meinung dazu kundtun, ob du heute Abend nach Hause entlassen werden kannst oder nicht.«

»Ah.« Um Jeffreys Augen kräuselten sich Lachfältchen. »Also, wo Sie schon eine zweite Meinung abgeben, Frau Doktor Linton, muss ich ihnen gestehen, dass ich in der Leistengegend etwas empfindlich reagiere. Wenn Sie sich das vielleicht mal ansehen würden?«

Sara grinste gequält. »Ich könnte auch eine Rektaluntersuchung vornehmen.«

»Wird auch langsam Zeit, dass du mal wieder rangehst.«

»Moment noch«, stöhnte Hare. »Ich werd euch Turteltäubchen jetzt wohl besser mal allein lassen.«

»Danke, Hare«, rief Jeffrey ihm nach. Hare winkte zum Abschied und verließ das Zimmer.

»Also?«, forderte Sara ihn auf.

Jeffrey runzelte die Stirn. »Also?«

»Was ist passiert? Ist ihr Mann plötzlich nach Hause gekommen?«

Jeffrey lachte, aber so ganz entspannt sah er dabei nicht aus. »Mach doch bitte die Tür zu.«

Sara kam seiner Bitte nach. »Was ist passiert?«, wiederholte sie.

Jeffrey legte eine Hand an die Schläfe. »Ich weiß nicht. Es ging so schnell.«

Sara trat einen Schritt näher und nahm wider besseres Wissen seine Hand.

»Ein Anschlag. Auf das Haus von Will Harris.«

»Der Will vom Diner?«, fragte Sara. »Wieso das denn, um Himmels willen?«

Er zuckte gleichgültig die Achseln. »Irgendjemand hat sich offenbar eingebildet, dass er etwas damit zu tun hat, was Sibyl Adams zugestoßen ist.«

»Er war ja nicht einmal dort, als es geschah«, widersprach Sara. »Warum sollte jemand auf eine solche Idee kommen?«

»Das weiß ich auch nicht, Sara.« Er seufzte und ließ die Hand sinken. »Ich wusste, dass etwas Schlimmes passieren würde. Zu viele Leute ziehen voreilige Schlüsse. Zu viele

Leute treiben es so weit, dass die Sache außer Kontrolle gerät.«

»Und wer tut das?«

»Ich weiß auch nicht«, gab er kleinlaut zu. »Ich war bei Will, um dafür zu sorgen, dass ihm nichts zustieß. Wir haben uns einen Film angesehen, als ich draußen Geräusche gehört habe.« Er schüttelte fassungslos den Kopf. »Ich bin vom Sofa aufgestanden, um nachzusehen, was da los war, da ist auch schon ein Seitenfenster gesplittert. Dann liege ich auf dem Boden und mein Bein brennt wie Feuer. Gott sei Dank saß Will auf seinem Stuhl, sonst wäre er auch noch getroffen worden.«

»Wer hat denn geschossen?«

»Das weiß ich nicht«, antwortete er, aber sie konnte es an seinem Gesichtsausdruck erkennen, dass er einen ganz bestimmten Verdacht hatte.

Sie wollte ihm noch weitere Fragen stellen, aber er legte eine Hand auf ihre Hüfte. »Du siehst sehr schön aus.«

Sara verspürte einen leichten elektrischen Schlag, als sein Daumen unter ihr Shirt glitt und ihre Haut streichelte. Seine Finger wanderten zu ihrem Rücken, sie waren warm und zärtlich.

»Ich hatte Besuch von einem Mann«, sagte sie und spürte einen Anflug von schlechtem Gewissen, weil sie Jeb bei sich zu Hause zurückgelassen hatte, auch wenn er wie gewöhnlich sehr verständnisvoll gewesen war.

Jeffrey betrachtete sie mit halb geschlossenen Augen. Entweder glaubte er ihr nicht, dass sie eine Verabredung gehabt hatte, oder er weigerte sich zu akzeptieren, dass es sich um etwas Ernstes handelte. »Ich liebe es, wenn du dein Haar offen trägst«, sagte er. »Wusstest du das eigentlich?«

»Ja«, sagte sie, fasste nach seiner Hand, hielt ihn zurück, und der Bann war gebrochen. »Warum hast du mir nie von deinem hohen Blutdruck erzählt?«

Jeffrey zog den Arm zurück. »Ich wollte dir nicht noch einen Makel für deine Minusliste liefern.« Sein Lächeln wirkte ein wenig gezwungen und wollte so gar nicht zu seinem glasigen Blick passen. Er nahm höchst selten ein stärkeres Medikament als Aspirin, und das Demerol schien schnell zu wirken.

»Gib mir deine Hand«, sagte Jeffrey. Sie schüttelte den Kopf, aber er blieb beharrlich und streckte den Arm aus. »Nimm meine Hand.«

»Warum?«

»Weil du mich heute auch im Leichenschauhaus statt im Krankenhaus hättest vorfinden können.«

Sara biss sich auf die Lippe und kämpfte gegen die Tränen. »Ist ja jetzt alles okay«, sagte sie und legte eine Hand an seine Wange. »Und nun schlaf.«

Er schloss die Augen. Sie merkte, dass er um ihretwillen wach bleiben wollte.

»Ich will aber nicht einschlafen«, sagte er und schlief ein.

Sara schaute ihn an, sah, wie sich sein Brustkorb bei jedem Atemzug hob und wieder senkte. Sie strich ihm die Haare aus der Stirn und ließ die Hand ein paar Sekunden dort ruhen. Dann berührte sie wieder seine Wange. Seine schwarz melierten Bartstoppeln kratzten. Sie strich behutsam mit den Fingern darüber und lächelte über die Erinnerungen. Im Schlaf war er wieder der Jeffrey, in den sie sich verliebt hatte: der Mann, der ihr zugehört hatte, wenn sie von ihrem Tag erzählte, der Mann, der ihr die Tür aufhielt und

Spinnen umbrachte und die Batterien im Rauchmelder wechselte. Schließlich nahm Sara seine Hand und küsste sie, bevor sie das Krankenzimmer verließ.

Sie ließ sich Zeit für den Weg über den Flur zur Schwesternstation und hatte dabei das Gefühl, vor Erschöpfung fast umzufallen. Die Zeiger der Wanduhr waren eine Stunde weitergerückt, und Sara wurde schlagartig bewusst, dass hier im Krankenhaus die Stunden so schnell vergingen wie Minuten.

»Schläft er?«, fragte Ellen.

Sara stützte die Ellbogen auf den Tresen der Anmeldung. »Ja«, antwortete sie. »Er wird schon wieder.«

Ellen lächelte. »Ganz bestimmt.«

»Da bist du ja«, sagte Hare und massierte Saras Schultern. »Wie fühlst du dich denn so in einem echten Krankenhaus unter erwachsenen Ärzten?«

Sara und Ellen tauschten einen Blick. »Sie müssen meinen Cousin schon entschuldigen, Ellen. Was ihm an Haar und Körpergröße fehlt, macht er dadurch wett, dass er sich aufführt wie ein Blödmann.«

»Autsch.« Hare schnitt eine Grimasse und bohrte die Daumen in Saras Schultern. »Könntest du vielleicht für mich einspringen, während ich mal einen Happen essen gehe?«

»Wen haben wir denn?«, fragte Sara. Es würde ihr wahrscheinlich nicht guttun, jetzt gleich nach Hause zu fahren.

Ellen deutete ein Lächeln an. »In der zwei haben wir einen Vielflieger, der Neonlichttherapie bekommt.«

Sara musste laut lachen. Im Krankenhausjargon hatte Ellen sie gerade informiert, dass der Patient in Zimmer zwei ein Hypochonder war, den man einfach in die Deckenbeleuchtung starren ließ, bis er sich besser fühlte.

»Miniblatt«, fasste Hare zusammen. Der Patient spielte nicht mit einem kompletten Kartenspiel.

»Und was sonst?«

»Ein Bürschchen vom College, das seinen Rausch ausschläft«, sagte Ellen.

Sara wandte sich an Hare. »Ich weiß nicht, ob ich mit so komplizierten Fällen fertig werde.«

Er griff ihr liebevoll neckend unters Kinn. »So ist's recht, Mädchen.«

»Ich muss vorher meinen Wagen umparken«, sagte Sara, der einfiel, dass sie auf einem Behindertenplatz stand. Da jeder Cop in der Stadt ihren Wagen kannte, bezweifelte Sara, dass sie einen Strafzettel bekäme. Aber sie wollte nach draußen, um etwas frische Luft zu schnappen und ihre Gedanken zu ordnen, bevor sie wieder hineinging, um nach Jeffrey zu sehen.

»Wie geht es ihm?«, fragte Lena, kaum, dass Sara das Wartezimmer betreten hatte. Sara sah sich um und stellte verblüfft fest, dass außer Lena niemand da war.

»Wir haben die Sache aus dem Funkverkehr rausgehalten«, informierte Lena sie. »Solche Dinge …« Sie unterbrach sich.

»Solche Dinge – was?«, reagierte Sara sofort. »Entgeht mir hier vielleicht etwas, Lena?«

Lena blickte nervös zur Seite.

»Sie wissen, wer es getan hat, hm?«, fragte Sara.

Lena schüttelte den Kopf. »Ich bin mir nicht sicher.«

»Und jetzt ist Frank da und vertritt ihn?«

Sie zuckte die Achseln. »Keine Ahnung. Er hat mich hier abgesetzt.«

»Ziemlich leicht, keine Ahnung zu haben, wenn man sich nicht die Mühe macht nachzufragen«, schimpfte Sara. »Dass Jeffrey heute Abend hätte tot sein können, ist Ihnen wohl auch entgangen.«

»Das weiß ich durchaus.«

»Ja?«, hakte Sara nach. »Und wer hat ihm Rückendeckung gegeben, Lena?«

Lena schickte sich an, ihr zu antworten, aber sie wandte sich ab, bevor Lena etwas sagen konnte.

Sara stieß die Tür der Notaufnahme mit beiden Händen auf. Sie merkte, wie die Wut in ihr aufstieg. Sie durchschaute, was hier gespielt wurde. Frank wusste, wer auf Jeffrey geschossen hatte, aber aus irgendeiner Loyalität heraus, wahrscheinlich gegenüber Matt Hogan, rückte er nicht mit der Sprache heraus. Was in Lenas Kopf vorging, konnte sich Sara absolut nicht vorstellen. Bei allem, was Jeffrey für sie getan hatte, war es unentschuldbar, dass Lena ihn im Stich gelassen hatte.

Sara holte tief Luft und versuchte sich zu beruhigen, als sie um die Ecke ging. Jeffrey hätte ums Leben kommen können. Das Glas hätte seine Oberschenkelarterie durchtrennen können. Dann wäre er verblutet. Der Schuss hätte ihn auch in die Brust treffen können. Sara fragte sich, was Frank und Lena jetzt wohl täten, wenn Jeffrey zu Tode gekommen wäre. Wahrscheinlich würden sie auslosen, wer seinen Schreibtisch bekäme.

Sara blieb beim Anblick ihres Wagens abrupt stehen. Auf der Motorhaube lag mit ausgebreiteten Armen eine nackte junge Frau. Sie lag auf dem Rücken und hatte die Füße in einer beinahe saloppen Pose gekreuzt. Saras erster Impuls war, nach oben zu blicken, um festzustellen, ob die Frau vielleicht aus einem der Fenster gesprungen war. Aber an der Seitenfront des zweistöckigen Gebäudes befanden sich keine Fenster, und außerdem war die Motorhaube des Wagens nicht im Geringsten eingedellt.

Mit drei schnellen Schritten war Sara am Wagen und prüfte den Puls der Frau. Unter ihren Fingerspitzen spürte sie einen kurzen, kräftigen Schlag, und sie schickte ein Stoßgebet gen Himmel, bevor sie zum Krankenhaus zurücklief.

»Lena!«

Lena sprang auf und ballte die Fäuste, als erwartete sie, dass Sara eine Schlägerei anfing.

»Besorgen Sie eine Trage«, befahl Sara. Als Lena sich nicht rührte, bellte Sara: »Auf der Stelle!«

Sara eilte im Laufschritt zurück zu der Frau, rechnete schon fast damit, dass sie fort sein würde. Alles lief wie in Zeitlupe ab.

»Ma'am?«, rief Sara der Frau so laut zu, dass man es auf der anderen Seite der Stadt hätte hören können. Die Frau reagierte nicht. »Ma'am?«, versuchte es Sara noch mal. Wieder nichts.

Sara musterte prüfend den Körper der Frau und entdeckte keine augenfälligen Verletzungen. Die Haut war von gesunder Farbe und fühlte sich trotz der nächtlichen Kälte unverhältnismäßig heiß an. So wie sie dalag, die Arme ausgebreitet und die Füße über Kreuz, hatte es den Anschein, als schliefe die Frau. In dem hellen Licht erkannte Sara verkrustetes Blut an den Handflächen. Sie nahm eine Hand, um sie näher zu untersuchen, und dabei fiel der Arm ungelenk zur Seite. Offensichtlich war er an der Schulter ausgerenkt.

Sara musterte das Gesicht der Frau und bemerkte zu ihrer Verblüffung, dass ein Stück silbriges Klebeband den Mund bedeckte. Sara konnte sich nicht daran erinnern, ob es schon da geklebt hatte, bevor sie zurück ins Krankenhaus gelaufen war. Sicherlich hätte sie es bemerkt. Ein zugeklebter Mund war nicht leicht zu übersehen, besonders dann nicht, wenn das Klebeband mindestens fünf Zentimeter breit, fast zehn Zentimeter lang und silbern war. Für einen kurzen Moment fühlte sich Sara wie gelähmt, aber Lena Adams' Stimme holte sie in die Realität zurück.

»Das ist Julia Matthews«, sagte Lena, für Saras Wahrnehmung wie aus weiter Ferne.

»Sara?«, fragte Hare und eilte zum Wagen herüber. Beim Anblick der nackten Frau klappte ihm die Kinnlade herunter.

»Okay, okay«, flüsterte Sara und gab sich Mühe, Ruhe zu bewahren. Auf ihren von Panik erfüllten Blick reagierte Hare ebenso verstört. Hare war ab und zu mal eine Überdosis oder einen Herzanfall gewöhnt, aber nicht so etwas wie das hier.

Plötzlich begann der Körper der Frau zu krampfen.

»Sie muss sich übergeben«, sagte Sara und zupfte an einer Ecke des Klebebands. Ohne innezuhalten, riss sie das Band ab. Mit einer schnellen Bewegung rollte sie die Frau auf die Seite und drehte ihren Kopf nach unten. Sie übergab sich stoßweise. Ein saurer Geruch stieg auf, fast wie von schlechtem Apfelwein oder von Bier, und Sara musste sich abwenden um durchzuatmen.

»Ist alles gut«, sagte sie eindringlich und leise. Sie strich der Frau das schmutzige braune Haar hinters Ohr und erinnerte sich daran, dass sie gerade erst vor zwei Tagen dasselbe für Sibyl getan hatte. Ganz abrupt hörte die Frau auf, sich zu übergeben, und sanft drehte Sara sie wieder auf den Rücken. Dabei stützte sie ihren Kopf.

Hare klang aufgeregt: »Sie atmet nicht.«

Sara wollte den Mund der Frau mit dem Finger säubern, stieß aber dabei zu ihrer Verblüffung auf Widerstand. Sie fasste nach und holte einen zusammengefalteten Führerschein hervor, den sie der verdutzten Lena Adams reichte.

»Sie atmet wieder«, sagte Hare voller Erleichterung.

Sara wischte sich die Finger am Rock ab und wünschte sich, sie hätte Handschuhe angezogen, bevor sie der Frau die Finger in den Mund gesteckt hatte.

Ellen kam im Laufschritt zum Wagen. Sie schob eine Krankentrage. Wortlos wartete sie auf Saras Zeichen.

Sara zählte bis drei, und beide hoben die Frau hinüber auf die Trage. Sara hatte einen schlechten Geschmack im Mund, denn ein paar Sekunden lang sah sie anstelle der Frau sich selbst dort liegen. Benommenheit ergriff sie.

»Fertig«, sagte Hare und schnallte die Frau auf der Liege fest.

Sara ging neben der Trage her und hielt die Hand der jungen Frau. Es dauerte scheinbar endlos lange, bis sie wieder im Krankenhaus waren. Wie in Zeitlupe rollte die Trage in den ersten Notaufnahmeraum. Bei jedem Ruck der Trage gab die Frau leise Schmerzlaute von sich.

Zwölf Jahre war es her, dass Sara zum letzten Mal Notfallmedizin praktiziert hatte, und sie musste sich sehr auf das konzentrieren, was nun zu tun war. In Gedanken ging sie alles durch, was sie an ihrem ersten Tag in der Notaufnahme gelernt hatte. Als wolle sie Sara auf die Sprünge helfen, begann die Frau pfeifend zu atmen, zu keuchen und nach Luft zu schnappen. Als Erstes galt es jetzt, einen Weg für die Beatmung zu schaffen.

»Oh«, raunte Sara, als sie der Frau den Mund öffnete. Im hellen Licht des Untersuchungsraums konnte sie erkennen, dass man ihr die oberen Schneidezähne ausgeschlagen hatte. Das war höchstens ein paar Tage her. Wieder hatte Sara das Gefühl, innerlich zu erstarren. Sie versuchte, dieses Gefühl abzuschütteln. Sara musste diese Frau als Patientin betrachten, andernfalls würden beide große Probleme bekommen.

Eine Minute später hatte Sara die Frau intubiert. Sie war sehr vorsichtig mit dem Klebeband, um die Haut nicht noch mehr zu verletzen. Die Beatmungsmaschine sprang mit lautem Surren an, und Sara musste gegen den Impuls ankämpfen sich abzuwenden. Allein das Geräusch verursachte ihr fast schon Übelkeit.

»Hört sich gut an«, meinte Hare und reichte Sara das Stethoskop.

»Sara?«, sagte Ellen. »Peripher finde ich nichts.«

»Sie ist dehydriert«, sagte Sara, als sie versuchte, am anderen Arm der Frau eine Vene zu finden. »Wir sollten sowieso einen zentralen Zugang legen.« Sara streckte die Hand nach einer Kanüle aus.

»Ich hole ein Besteck«, sagte Ellen und verließ den Raum.

Sara wandte sich wieder der jungen Frau auf der Trage zu. Bis auf die Stellen an ihren Händen und Füßen waren nirgends Quetschungen oder Schnittwunden zu erkennen. Ihre Haut war warm, was eine ganze Reihe von Ursachen haben konnte. Sara wollte keine voreiligen Schlüsse ziehen. Schon jetzt drängten sich ihr jedoch die Ähnlichkeiten zwischen

Sibyl Adams und dieser Frau auf. Sie waren beide zierlich, sie hatten beide dunkelbraunes Haar.

Sara sah sich die Pupillen der Frau an. »Erweitert«, sagte sie, denn beim letzten Mal, als sie eine ähnliche Untersuchung vorgenommen hatte, sollten sämtliche Befunde laut ausgesprochen werden. Sie atmete langsam aus und bemerkte erst jetzt, dass Hare und Lena ebenfalls im Raum waren.

»Wie heißt sie denn?«, fragte Sara.

»Julia Matthews«, gab Lena zurück. »Wir haben sie schon im College gesucht. Sie wird seit zwei Tagen vermisst.«

Hare warf einen Blick auf den Monitor. »Arterieller Sauerstoff fällt.«

Sara überprüfte die Beatmung. »Sättigung auf dreißig Prozent. Ein bisschen höher damit.«

»Was ist das für ein Geruch?«, unterbrach Lena.

Sara roch am Körper der Frau. »Clorox?«, fragte sie.

»Bleichmittel«, bestätigte Lena.

Hare nickte ebenfalls.

Sorgfältig untersuchte Sara die Haut der Frau. Überall am Körper waren oberflächliche Schrammen zu erkennen. Und Sara fiel auf, dass die Schamhaare der Frau rasiert waren. Sie waren zudem so wenig nachgewachsen, dass Sara vermutete, die Rasur lag erst wenige Tage zurück.

Sara sagte: »Jemand hat sie sauber geschrubbt.«

Sie roch am Mund der Frau, konnte aber nicht den strengen Geruch feststellen, der normalerweise entsteht, wenn man ein Bleichmittel geschluckt hat. Sara hatte zwar wunde Stellen in ihrem Rachen entdeckt, als sie die Frau intubierte, aber sonst nichts Außergewöhnliches. Offenbar hatte man der Frau Belladonna oder eine ähnliche Droge verabreicht.

Ihre Haut war so heiß, dass Sara die Wärme durch die Handschuhe spürte.

Ellen betrat den Raum. Sara beobachtete die Krankenschwester, die das Zentralvenenkatheterbesteck auf einem der Tabletts öffnete. Ellens Hände schienen nicht so ruhig zu sein wie sonst. Das machte Sara mehr Angst als alles andere.

Sara hielt den Atem an, als sie die sieben Zentimeter lange Kanüle dort in den Hals der Frau schob, wo die Jugularvene verlief. Diese Kanüle, auch Einführungshilfe genannt, sollte sozusagen als Trichter für drei separate intravenöse Zugänge fungieren. Wenn sie herausgefunden hatten, welche Droge man der Frau verabreicht hatte, würde Sara eine der Öffnungen nutzen, um den durch die Drogen verursachten Symptomen entgegenzuwirken.

Ellen trat einen Schritt zurück und wartete auf Saras Anweisungen.

Sara ratterte den Auftrag für das Labor herunter, während sie die Zugänge mit einer Heparin-Lösung spülte, damit sich kein Blutgerinnsel bildete. »Blutgase, toxisches Screening, Leberfunktionstest, großes Blutbild, das CHEM siebenundzwanzig. Checken Sie auch gleich den Gerinnungsstatus, wenn Sie schon dabei sind.« Sara unterbrach sich. »Nicht den Urinstatus vergessen. Ich will wissen, was hier los ist, bevor ich etwas mache. Irgendwas sorgt dafür, dass sie ausgeknockt bleibt. Ich glaube, ich weiß, was es ist, aber ich muss ganz sicher sein, bevor wir mit der Behandlung beginnen.«

»Alles klar«, antwortete Ellen.

Sara überprüfte den Blutrücklauf und spülte nochmals die Zugänge. »Einfache Kochsalzlösung, ganz aufdrehen.«

Ellen regulierte die Infusion.

»Haben Sie ein tragbares Röntgengerät? Ich brauche eins, um zu prüfen, ob der hier richtig liegt«, sagte Sara und deutete auf den Jugularvenenzugang. »Außerdem brauche ich noch den Thorax, eine Abdomenübersicht und einmal die Schulter.«

Ellen sagte: »Ich hole es von hinten, sobald ich die Proben abgenommen habe.«

»Lassen Sie auch auf Liquid Ecstasy und Rohypnol testen«, sagte Sara, während sie den Verband um die Kanüle befestigte. »Wir müssen auch eine Vergewaltigung ausschließen können.«

»Vergewaltigung?«, fragte Lena und kam näher.

»Ja«, antwortete Sara knapp. »Warum sonst hätte jemand das hier mit ihr anstellen sollen?«

Lena ließ sich Zeit mit ihrer Antwort, ihr Blick ruhte auf der jungen Frau. Sie hatte offenbar bei diesem Fall bis jetzt keinen Zusammenhang mit dem Mord an ihrer Schwester gesehen. Sara fühlte sich an die Nacht erinnert, als Lena ins Leichenschauhaus gekommen war, um Sibyl zu sehen. Dort hatte die junge Polizeibeamtin ein ähnlich grimmiges Gesicht gemacht.

»Ihr Kreislauf scheint stabil«, murmelte Ellen.

Sara schaute zu, wie die Krankenschwester mit einer kleinen Spritze Blut aus einer radialen Arterie abnahm. Sara rieb sich unwillkürlich ihr Handgelenk, denn sie wusste, wie schmerzhaft die Prozedur sein konnte. Sie legte die Hände auf Julia Matthews' Arm, um sie zu beruhigen.

Hare riss sie mit einem sanften »Sara?« aus ihren Gedanken.

»Hm?« Sara schreckte auf und wandte sich an Lena.

»Könnten Sie Ellen bei dem Röntgengerät helfen?«, versuchte sie mit möglichst fester Stimme zu fragen.

»Yeah«, erwiderte Lena und musterte Sara irritiert.

Ellen füllte die letzte Spritze. »Unten am Gang«, sagte sie zu Lena.

Lenas Schritte verhallten. Sara wandte den Blick nicht von Julia Matthews. Zum zweiten Mal kam es ihr vor, als läge sie selbst auf der Trage, und sie sah einen Arzt, der sich über sie beugte, ihren Puls fühlte und ihre Reflexe prüfte.

»Sara?« Hare betrachtete die Hände der Frau, und Sara fielen wieder die seltsamen Wunden ein, die sie schon auf dem Parkplatz bemerkt hatte.

Beide Handflächen waren in der Mitte durchstochen, ebenso die Füße. Sie beugte sich hinunter, um die Wunden zu untersuchen, in denen sich winzige Rostpartikel befanden. Das Blut war bereits geronnen.

»Die Handflächen sind durchbohrt worden«, vermutete Sara. Unter den Fingernägeln entdeckte sie kleine Holzsplitter. »Holz«, sagte sie und fragte sich, warum sich jemand die Zeit nahm, sein Opfer mit Bleichmittel abzuschrubben, aber Holzsplitter unter den Fingernägeln unbeachtet ließ. Das ergab keinen Sinn, ebenso wenig wie die Frau auf diese Weise auf einem Auto zu drapieren.

Sara ließ sich all das durch den Kopf gehen, und ihr Magen reagierte auf den naheliegenden Schluss mit einem Krampf. Sie schloss die Augen und stellte sich vor, wie die Frau dagelegen hatte: Die Beine an den Knöcheln überkreuzt, die Arme im rechten Winkel vom Körper weggestreckt.

Die Frau war gekreuzigt worden.

»Das sind Stichwunden, stimmt's?«, sagte Hare.

Sara nickte und schlug die Augen wieder auf. Es gab keine Einstichnarben, die auf regelmäßigen Drogenkonsum gedeutet hätten. Der Monitor zeigte Herzversagen an, und das schrille Warngeräusch der Maschine versetzte Sara in höchste Alarmbereitschaft.

»Nein«, rief sie, beugte sich über die Frau und begann mit der Herzmassage. »Hare, Atembeutel.«

Sekunden später presste er Luft in die Lungen der Frau.

»Kammer-Tachykardie«, warnte er.

»Langsam«, sagte Sara und zuckte zusammen, als sie spürte, wie unter dem Druck ihrer Hände eine Rippe der Patientin brach. Sie ließ den Blick nicht von Hare. »Eins, zwei, drücken. Schnell und fest. Ganz ruhig bleiben.«

»Okay, okay«, murmelte Hare und konzentrierte sich darauf, den Beutel zu drücken.

Trotz der hervorragenden Presse, den die kardiopulmonale Reanimation bekommen hat, ist sie nicht mehr als ein Notbehelf. Dabei wird das Herz von außen dazu gebracht, Blut ins Gehirn zu pumpen, aber nur sehr selten kann dies manuell so wirksam ausgeführt werden, als wenn ein gesundes Herz diese Aufgabe ganz von selbst erledigen würde. Wenn Sara aufhörte, würde auch das Herz zu schlagen aufhören. Mit dieser Prozedur konnte man Zeit gewinnen, bis etwas anderes getan werden konnte.

Lena hatte den Monitor gehört und kam ins Zimmer zurückgerannt.

»Was ist los?«

»Herzstillstand«, sagte Sara und verspürte eine gewisse Erleichterung, als sie Ellen sah. »Eine Epi«, rief sie.

Sara sah voll er Ungeduld zu, während Ellen eine Schachtel Epi aufriss und die Spritze zusammensetzte.

»Uhuuah.« Lena zuckte zusammen, als Sara das Adrenalin direkt ins Herz der Frau injizierte. Hares Stimme wurde ein paar Oktaven höher. »Kammerflimmern!«

Mit einer Hand schnappte Ellen sich die Plattenelektroden vom Wagen, mit der anderen lud sie den Defibrillator.

»Zweihundert«, ordnete sie an. Der Körper der Frau zuckte in die Höhe, als Sara ihr den Stromschlag versetzte. Sara beobachtete den Monitor und machte ein besorgtes Gesicht, als keine entsprechende Reaktion eintrat. Sara schockte sie noch zweimal, aber es geschah nichts. »Lidocain«, ordnete sie an, und Ellen öffnete eine andere Schachtel.

Sara verabreichte das Medikament und ließ dabei den Monitor nicht aus den Augen.

»Nulllinie«, verkündete Hare.

»Und noch mal.« Sara griff nach den Plattenelektroden. »Dreihundert«, ordnete sie an.

Wieder schockte sie die Frau. Wieder kam keine Reaktion. Sara brach der kalte Schweiß aus. »Epi.«

Als die Packung aufgerissen wurde, ging ihr das Geräusch durch Mark und Bein. Sie nahm die Spritze und schickte der Frau das Adrenalin nochmals direkt ins Herz. Alle warteten.

»Nulllinie«, meldete Hare.

»Gehen wir auf drei sechzig.«

Zum fünften Mal durchfuhr der Stromstoß wirkungslos den Körper der Frau.

»Verdammt, verdammt noch mal«, fluchte Sara und begann wieder mit der Massage. »Wie lange?«, rief sie.

Hare warf einen Blick auf die Wanduhr. »Zwölf Minuten.«

Lena flüsterte lautlos: »Lasst sie nicht sterben. Bitte, lasst sie nicht sterben.«

»Sie befindet sich in anhaltender Asystolie, Sara«, sagte Hare. Er wollte damit sagen, dass es bereits zu spät war. Es war Zeit, aufzuhören, Zeit, loszulassen.

Sara sah ihn aus zusammengekniffenen Augen an. Sie wandte sich an Ellen. »Ich werde sie aufmachen.«

Hare schüttelte den Kopf. Er sagte: »Sara, dafür sind wir hier nicht ausgerüstet.«

Sara schenkte ihm keine Beachtung. Sie tastete nach den Rippen der Frau und zuckte zusammen, als sie die Rippe berührte, die sie gebrochen hatte. Auf Höhe der Zwerchfellunterkante schnitt Sara eine fünfzehn Zentimeter lange Öffnung in das obere Abdomen. Sie schob die Hand in den Einschnitt und griff unter die Rippen in den Brustkorb der Frau.

Sie ließ die Augen geschlossen, während sie das Herz der Frau massierte. Der Monitor weckte kurzzeitig falsche Hoffnungen, als Sara drückte und presste, um das Blut der Frau manuell zum Zirkulieren zu bringen. Sie spürte ein Kribbeln in den Fingern, und in ihren Ohren registrierte sie einen leisen, aber durchdringenden Ton. Nichts sonst war von Bedeutung, als sie darauf wartete, dass das Herz reagierte. Es war, als presste sie einen kleinen Ballon, der mit warmem Wasser gefüllt war. Nur war dieser Ballon das Leben.

Sara hielt inne. Sie zählte fünf Sekunden ab, dann acht und danach zwölf, bevor sie mit den unerwarteten Pieptönen des Monitors belohnt wurde.

Hare fragte: »Ist sie das, oder bist du das?«

»Sie«, erwiderte Sara und ließ ihre Hand herausgleiten. »Hängt sie an einen Lidocain-Tropf.«

»Gütiger Himmel«, murmelte Lena. »Ich kann es einfach nicht glauben, dass Sie das fertiggebracht haben.«

Die Einweghandschuhe schnalzten, als Sara sie abzog. Sie schwieg.

Bis auf die Pieptöne des Herzmonitors und das Rauschen des Beatmungsgeräts war es still im Raum.

»Also«, sagte Sara. »Wir machen noch ein Dunkelfeld auf Syphilis und eine Gram-Färbung wegen Gonorrhö.« Sara spürte, dass sie rot wurde. »Ich bin sicher, dass ein Kondom benutzt wurde, aber trotzdem sollte in ein paar Tagen ein Schwangerschaftstest gemacht werden.« Sara hoffte, dass Ellen und Lena das Zittern in ihrer Stimme nicht bemerkten. Mit Hare war das anders. Ohne ihn anzusehen, konnte sie seine Gedanken erraten.

Er wollte die Atmosphäre entspannen. »Meine Güte, Sara. Das war der schlampigste Schnitt, den ich je gesehen habe.«

Sara befeuchtete die Lippen. »Ich wollte dir ja nicht die Schau stehlen.«

»Primadonna«, kommentierte Hare und wischte sich mit einem Mulltupfer den Schweiß von der Stirn. »Mein Gott.« Sein Lachen klang unbehaglich.

»So was sehen wir hier nicht gerade oft«, sagte Ellen, als sie Kompressen in den Schnitt legte, um die Blutung unter Kontrolle zu halten, bis sich die Wunde schloss. »Ich kann Larry Headley drüben in Augusta anrufen. Er wohnt nur fünfzehn Minuten von hier.«

»Das wäre mir sehr recht«, sagte Sara und nahm sich noch ein Paar Handschuhe aus einer Schachtel an der Wand.

»Alles in Ordnung mit dir?«, fragte Hare. Sein Ton war beiläufig, aber sein Blick verriet Besorgnis.

»Alles bestens«, antwortete Sara und überprüfte den Katheter. Sie wandte sich an Lena: »Ich nehme an, Sie können Frank auftreiben?«

Lena wurde verlegen. »Ich werde ihn suchen.« Mit gesenktem Kopf verließ sie den Raum.

Sara wartete, bis sie fort war, und fragte Hare: »Kannst du dir mal ihre Hände ansehen?«

Hare untersuchte schweigend die Handflächen der Frau und tastete die Knochen ab. Schließlich sagte er: »Interessant.«

Sara fragte: »Was denn?«

»Kein einziger Knochen ist verletzt«, antwortete Hare und drehte das Handgelenk. Bei der Schulter hielt er inne. »Ausgerenkt«, sagte er.

Sara schlang die Arme um ihren Brustkorb, weil sie plötzlich fröstelte. »Weil sie sich loszureißen versucht hat?«

Hare runzelte die Stirn. »Ist dir klar, wie viel Kraft nötig ist, um dein Schultergelenk auszurenken?« Er schüttelte ungläubig den Kopf. »Du würdest vor Schmerzen ohnmächtig werden, bevor du überhaupt …«

»Ist dir denn klar, wie groß die Angst vor einer Vergewaltigung sein kann?« Sara sah ihn durchdringend an.

Er bereute seine Worte sofort. »Tut mir leid, Liebes. Alles okay mit dir?«

Tränen brannten ihr in den Augen, und Sara musste sich alle Mühe geben, mit fester Stimme zu sprechen: »Untersuche bitte ihre Hüften. Und ich möchte, dass du einen vollständigen Bericht anfertigst.«

Er nickte Sara nach durchgeführter Untersuchung zu.

»Ich glaube, es gibt einen leichten Bänderschaden hier in

der Hüfte. Ich kann das erst machen, wenn sie wach ist. Es ist nur eine Vermutung.«

Sara fragte: »Kannst du sonst noch etwas sagen?«

»Keiner der Knochen in ihren Händen oder Füßen ist beschädigt. Ihre Füße wurden zwischen den Keilbeinen und dem Kahnbein durchstoßen. Das ist sehr präzise. Wer immer das gemacht hat, wusste genau, was er tat.« Er machte eine Pause und sah zu Boden, um seine Fassung wiederzugewinnen. »Ich kann mir nicht erklären, warum jemand so etwas hätte tun sollen.«

»Sieh dir das hier an«, sagte Sara und deutete auf die Knöchel der Frau. Beide Knöchel wiesen rundherum üble schwarzblaue Quetschungen auf. »Offensichtlich sind ihre Füße irgendwie fixiert gewesen.« Sara hob die Hand der Frau und bemerkte eine frische Narbe am Gelenk. Das andere Handgelenk wies die gleiche Narbe auf. Irgendwann im vergangenen Monat hatte Julia Matthews einen Selbstmordversuch unternommen. Die Narbe war eine weiße Linie, die quer über ihr schmales Handgelenk verlief. Eine dunkle Quetschung ließ die vernarbte alte Wunde besonders deutlich hervortreten.

Sara machte Hare nicht darauf aufmerksam. Stattdessen äußerte sie ihre Vermutung: »Es sieht so aus, als sei ein Band benutzt worden, wahrscheinlich aus Leder.«

»Ich kann dir nicht folgen.«

»Die Stichwunden sind symbolisch.«

»Für was?«

»Für die Kreuzigung, könnte ich mir vorstellen.« Sara legte die Hand der Frau wieder ab.

Sie rieb sich die Arme. Es war kalt im Raum. Sie öffnete verschiedene Schubladen, weil sie ein Tuch suchte, um die junge Frau zuzudecken. »Ich denke, dass Hände und Füße irgendwo angenagelt wurden.«

»Eine Kreuzigung?« Das wies Hare zurück. »So wurde Jesus nicht gekreuzigt.«

Sara wurde ungehalten. »Jesus ist auch nicht vergewaltigt worden, Hare. Natürlich waren ihre Beine gespreizt.«

Hare schluckte. »So was macht ihr da also im Leichenschauhaus?«

Sie nickte. Sie hatte ein Tuch gefunden und faltete es auseinander.

»Teufel auch, du hast mehr Mumm als ich«, sagte Hare anerkennend.

Sara packte die junge Frau in das Tuch und gab sich alle Mühe, es ihr bequem zu machen. »Da bin ich mir nicht so sicher«, sagte sie.

Hare fragte: »Und was ist mit ihrem Mund?«

»Ihr wurden die Schneidezähne ausgeschlagen, vermutlich um die Fellatio zu erleichtern.«

»Was?«, entfuhr es ihm überrascht.

»Das kommt häufiger vor, als du glaubst«, erklärte Sara. »Das Clorox beseitigt Spuren. Ich vermute, er hat sie rasiert, damit wir keins von seinen Schamhaaren herauskämmen können. Auch bei einem ganz normalen Geschlechtsakt werden Haare ausgerissen. Er könnte sie jedoch auch rasiert haben, weil ihn das sexuell erregt. Viele Sexualverbrecher sehen in ihren Opfern gerne Kinder. Wenn sie ihnen das Schamhaar rasieren, bedienen sie dadurch diese Fantasie.«

Überwältigt von der Widerlichkeit dieses Verbrechens schüttelte Hare den Kopf. »Was muss das für eine Bestie sein, die so etwas tut?«

Sara strich der Frau das Haar aus der Stirn. »Eine, die methodisch vorgeht.«

»Meinst du, sie hat ihn gekannt?«

»Nein«, antwortete Sara, die sich ihrer Sache sehr sicher zu sein schien. Sie ging hinüber zu dem Tisch, auf dem Lena den Plastikbeutel mit den Beweisstücken zurückgelassen hatte. »Warum hat er uns ihren Führerschein gegeben? Ihm ist es egal, ob wir wissen, wer sie ist.«

Hare klang ungläubig. »Wie kannst du da so sicher sein?«

»Er hat sie ...« Sara musste Luft holen. »Er hat sie vor dem Krankenhaus einfach abgeladen, und jeder hätte ihn dabei beobachten können.« Einen Moment lang hielt sie sich die Hand vor die Augen und wünschte, sie könnte im Erdboden versinken. Sie musste schnellstmöglich aus diesem Raum.

Hares Miene verfinsterte sich. »Sie wurde in einem Krankenhaus vergewaltigt.«

»Draußen vor einem Krankenhaus.«

»Ihr Mund war zugeklebt.«

»Das weiß ich.«

»Von jemandem, der offenbar an einer Art religiöser Fixierung leidet.«

»Richtig.«

»Sara ...«

Sie hob die Hand, um ihn zum Schweigen zu bringen, als Lena wieder hereinkam.

Lena sagte: »Frank ist auf dem Weg.«

DONNERSTAG

14

Jeffrey blinzelte mehrmals und zwang sich, nicht wieder einzuschlafen. Zuerst wusste er nicht, wo er war, aber als er sich umschaute, erinnerte er sich wieder, was letzten Abend geschehen war. Er sah zum Fenster hinüber. Seine Augen brauchten einige Zeit, bis sie nicht mehr alles verschwommen sahen und Sara erkannten.

Er ließ sich in die Kissen zurücksinken und seufzte lange und tief. »Kannst du dich noch entsinnen, wie ich dir das Haar gebürstet habe?«

»Sir?«

Jeffrey öffnete die Augen. »Lena?«

Sie trat ans Bett. Die Situation war ihr unangenehm. »Yeah.«

»Ich dachte, Sie wären …« Er winkte ab. »Nichts für ungut.«

Jeffrey setzte sich mühevoll im Bett auf. Ein stechender Schmerz schoss durch sein rechtes Bein. Er fühlte sich steif und benommen, aber er wusste genau, dass der ganze Tag für die Katz sein würde, wenn er nicht auf die Beine kam.

»Geben Sie mir mal meine Hose rüber«, bat er.

»Die musste weggeworfen werden«, erinnerte sie ihn. »Wissen Sie nicht mehr, was passiert ist?«

Jeffrey grummelte eine Antwort und schwang die Beine

aus dem Bett. Als er stand, kam es ihm vor, als würde ein glühendes Messer in seinem Bein stecken. »Können Sie nicht ein Paar Hosen für mich auftreiben?«, fragte er.

Lena verließ das Zimmer. Jeffrey lehnte sich gegen die Wand, damit er sich nicht wieder setzen musste. Er versuchte sich zu erinnern, was in der Nacht zuvor geschehen war, aber ein Teil von ihm wollte sich gar nicht damit auseinandersetzen. Ihm reichte es schon, dass er herausfinden musste, wer Sibyl Adams ermordet hatte.

»Wie wär's mit diesen hier?«, fragte Lena und warf ihm ein Paar Arzthosen zu.

»Toll«, sagte Jeffrey. Er wartete darauf, dass sie sich umdrehte. Dann zog er die Hose an und unterdrückte ein Stöhnen, als er sein Bein anhob. »Wir haben einen randvollen Arbeitstag vor uns«, sagte er. »Nick Shelton kommt um zehn mit einem von diesen Drogentypen. Er informiert uns über Belladonna. Und wir haben diesen Mistkerl, wie heißt er gleich noch, Gordon?« Er knotete die Kordel, mit der die Leinenhose gehalten wurde. »Den will ich mir noch mal vornehmen. Will mal sehen, ob er sich nicht doch erinnern kann, wann er Julia Matthews das letzte Mal gesehen hat.« Er stützte sich an einem Tisch ab. »Ich glaube nicht, dass er weiß, wo sie ist, aber vielleicht hat er ja was gesehen.«

Lena drehte sich um, ohne dazu aufgefordert worden zu sein. »Wir haben Julia Matthews gefunden.«

»Was?«, fragte er. »Wann?«

»Sie ist gestern Abend vor dem Krankenhaus aufgetaucht«, antwortete Lena. Ihr Tonfall ließ ihm das Blut in den Adern gefrieren.

Er setzte sich unwillkürlich aufs Bett zurück.

Lena berichtete ihm von den Ereignissen des vergangenen Abends. Jeffrey ging im Zimmer auf und ab, obwohl es ihm Schmerzen zu bereiten schien.

»Sie lag einfach so auf Saras Wagen?«, fragte er.

Lena nickte.

»Und wo ist er jetzt?«, fragte er. »Der Wagen, meine ich.«

»Frank hat ihn konfiszieren lassen«, sagte Lena.

»Und wo ist Frank?«, fragte Jeffrey. Er stützte sich am Fußteil des Bettes ab.

Lena schwieg. Schließlich sagte sie: »Das weiß ich nicht.«

Er warf ihr einen tadelnden Blick zu, denn er dachte, dass sie genau wusste, wo Frank war, und es nur nicht sagen wollte.

Sie informierte ihn: »Er hat Brad oben als Wache postiert.«

»Gordon sitzt immer noch hinter Gittern, stimmt's?«

»Ja, das hab ich als Erstes überprüft. Er war die ganze Nacht in Haft. Keine Chance, dass er sie auf Saras Wagen hätte legen können.«

Jeffrey schlug mit der Faust auf die Bettdecke. Er hatte gestern Abend schon gewusst, dass er das Demerol nicht hätte nehmen dürfen. Sie steckten mitten in einem Fall und waren nicht auf Urlaub.

»Reichen Sie mir bitte meine Jacke.« Jeffrey streckte die Hand aus und nahm die Jacke entgegen. Er humpelte aus dem Zimmer. Lena folgte ihm. Der Fahrstuhl glitt langsam nach oben, und sie warteten schweigend.

»Sie hat die ganze Nacht geschlafen«, sagte Lena.

»Okay.« Jeffrey hämmerte auf den Knopf. Ein paar Sekunden später läutete die Fahrstuhlglocke, und zusammen fuhren sie hinauf, noch immer schweigsam.

Lena ergriff das Wort: »Wegen gestern Abend. Die Schießerei.«

Jeffrey winkte ab und stieg aus dem Fahrstuhl. »Damit befassen wir uns später, Lena.«

»Also das ist doch…«

Er hob abwehrend die Hand. »Sie ahnen gar nicht, wie wenig mich das im Moment interessiert«, sagte er und hielt sich am Geländer im Flur fest.

»Hallo, Chief«, sagte Brad und stand von seinem Stuhl auf.

»Keiner da gewesen?«, fragte Jeffrey und bedeutete ihm, sich wieder zu setzen.

»Niemand seit Doktor Linton um ungefähr zwei Uhr heute Morgen«, antwortete er.

Jeffrey sagte: »Gut.« Er stützte sich auf Brads Schulter, als er die Tür öffnete.

Julia Matthews war wach. Sie starrte mit leerem Blick aus dem Fenster und rührte sich nicht, als sie eintraten.

»Miss Matthews?«, sagte er und stützte sich auf den Bettrahmen.

Sie reagierte nicht.

Lena sagte: »Sie hat nicht gesprochen, seit Sara den Tubus entfernt hat.«

Er sah aus dem Fenster und fragte sich, was wohl ihre Aufmerksamkeit gefangen hielt. Vor ungefähr dreißig Minuten war es Tag geworden, aber außer den Wolken war da draußen nichts Bemerkenswertes zu sehen.

Jeffrey wiederholte: »Miss Matthews?«

Tränen liefen ihr übers Gesicht, aber sie sagte noch immer nichts. Auf Lenas Arm gestützt, verließ er das Zimmer.

Kaum standen sie vor der Tür, sagte Lena: »Sie hat die ganze Nacht noch nichts gesagt.«

»Nicht ein Wort?«

Sie schüttelte den Kopf. »Vom College haben wir eine Nummer für Notfälle bekommen und eine Tante ausfindig gemacht. Sie hat die Eltern kontaktiert. Sie kommen mit dem ersten verfügbaren Flug nach Atlanta.«

»Und das ist wann?«, fragte Jeffrey. Er schaute auf seine Uhr.

»Heute gegen drei.«

»Frank und ich werden sie abholen«, sagte er und wandte sich an Brad Stephens. »Brad, Sie waren die ganze Nacht im Dienst?«

»Ja, Sir.«

»Lena wird Sie in zwei Stunden ablösen.« Er sah Lena an, als warte er darauf, dass sie protestierte. Als das nicht geschah, sagte er: »Bringen Sie mich nach Hause und danach auf die Dienststelle. Von dort aus können Sie zu Fuß ins Krankenhaus gehen.«

Jeffrey blickte starr geradeaus, als Lena zu seinem Haus fuhr. Er versuchte sich zusammenzureimen, was in der vergangenen Nacht passiert war. Den Druck in seinem Kopf und die Verspannung im Nacken hätte nicht einmal eine Hand voll Aspirin vertreiben können. Er vermochte immer noch nicht die Lethargie abzuschütteln, die von der Betäubung der vergangenen Nacht geblieben war, er war unkonzentriert. Selbst dann noch, als er sich eingestehen musste, dass all dies gerade drei Türen von dem Ort entfernt stattgefunden hatte, wo er selig wie ein Baby geschlafen hatte. Gott sei Dank war Sara da gewesen, sonst müsste er sich jetzt um zwei Opfer kümmern anstatt um eines.

Julia Matthews war der Beweis dafür, dass der Mörder abgefeimter und selbstsicherer wurde. Nach dem Überfall und dem Mord auf der Toilette hatte er ein junges Mädchen ein paar Tage lang festgehalten, um sich in aller Ruhe an ihm zu vergehen. Jeffrey war dieses Verhaltensmuster immer wieder begegnet. Serienvergewaltiger lernten aus ihren Fehlern. Sie setzten alles daran, sich zu überlegen, wie sie am besten ihr Ziel erreichen konnten; und dieser Vergewaltiger, dieser Mörder suchte ganz gewiss auch in diesem Moment, in dem Lena und Jeffrey darüber sprachen, wie sie ihn fassen konnten, nach Möglichkeiten, seine Vorgehensweise zu perfektionieren.

Er bat Lena, den Bericht über Julia Matthews zu wiederholen, um Unterschiede feststellen und zusätzliche Hinweise ableiten zu können. Aber es gab keine. Lena verstand sich sehr gut darauf, die Dinge so zu schildern, wie sie sie erlebt und wahrgenommen hatte.

Jeffrey fragte: »Was geschah dann?«

»Nachdem Sara gegangen war?«

Er nickte.

»Doktor Headley ist aus Augusta rübergekommen. Er hat sie zugemacht.«

Jeffrey fiel auf, dass Lena bei ihrem Bericht immer von »ihr« gesprochen und nie den Namen der Frau genannt hatte. Bei der Verbrechensbekämpfung war es oft so, dass man eher den Täter fokussierte als das Opfer. Jeffrey fand schon immer, dass dies der schnellste Weg war, dass aus den Augen zu verlieren, weswegen sie eigentlich ihre Arbeit machten.

Irgendetwas war heute an Lena anders. Ob sie angespannter oder wütender war, vermochte er nicht zu sagen. In erster Linie ging es ihm darum, dass sie zurück ins Krankenhaus kam. Er wusste, dass Lena niemals ihren Wachposten an Julia Matthews' Bett aufgeben würde. Darauf konnte man sich verlassen. Und natürlich kam noch hinzu, dass sie sich am richtigen Ort befand, sollte sie doch noch eine Art Nervenzusammenbruch bekommen. So, wie die Dinge lagen, war er auf sie angewiesen, und sie musste schildern, was in der letzten Nacht geschehen war.

Er sagte: »Erzählen Sie mir, wie Julia ausgesehen hat.«

Lena drückte auf die Hupe, um ein Eichhörnchen von der Straße zu scheuchen. »Na ja, normal eben.« Sie schwieg. »Ich meine, so wie sie aussah, dachte ich, es sei eine Überdosis oder so. Ich hätte bei ihr niemals auf Vergewaltigung getippt.«

»Und was hat Sie eines Besseren belehrt?«

Lena biss sich auf die Lippe. »Es war vermutlich Doktor Linton. Sie machte auf die Löcher in ihren Füßen und Händen aufmerksam. Ich muss blind gewesen sein, ich weiß auch nicht. Der Geruch nach Bleichmittel und all das deuteten doch darauf hin.«

»All das?«

»Na ja, wissen Sie, konkrete Anzeichen dafür, dass etwas nicht stimmte.« Lena unterbrach sich wieder. Sie wollte sich nicht rechtfertigen. »Ihr Mund war zugeklebt, und ihr Führerschein steckte in ihrem Hals. Ich nehme an, sie sah wie ein Vergewaltigungsopfer aus, aber ich habe das nicht gleich bemerkt. Keine Ahnung, warum nicht. Ich hätte das schon noch herausgefunden, ich bin ja nicht blöd. Sie sah eben so normal aus, verstehen Sie? Nicht wie das Opfer einer Vergewaltigung.«

Das machte ihn stutzig. »Wie sieht denn ein solches Opfer aus?«

Lena zuckte die Achseln. »Wahrscheinlich wie meine Schwester«, sagte sie mit gedämpfter Stimme. »Wie jemand, der nicht allein auf sich aufpassen kann.«

Jeffrey hatte eine konkrete Beschreibung erwartet, etwas über den Zustand von Julia Matthews' Körper. Er sagte: »Ich kann Ihnen nicht folgen.«

»Ist auch egal.«

»Nein«, sagte Jeffrey. »Erklären Sie es mir.«

Lena überlegte. »Das mit Sibyl kann ich verstehen, denn sie war ja schließlich blind.« Sie schwieg einen Augenblick. »Ich meine, man sagt doch immer, dass die Frauen solche Taten herausfordern. Ich glaube nicht, dass Sibyl so war. Aber ich kenne Vergewaltiger. Ich habe mit ihnen geredet, ich habe sie eingebuchtet. Ich weiß, was in ihrem Kopf vorgeht. Sie suchen sich niemanden aus, von dem sie Gegenwehr erwarten.«

»Meinen Sie?«

Lena zuckte die Achseln. »Man kann sich auf den ganzen feministischen Scheiß einlassen, dass Frauen die Möglichkeit haben sollten, alles zu machen, was sie wollen, und die Männer müssten sich eben daran gewöhnen, aber …« Wieder hielt Lena inne. »Es ist doch so«, sagte sie, »wenn ich mein Auto mitten in Atlanta stehen lasse, die Fenster runtergedreht und den Schlüssel im Zündschloss, wessen Schuld ist es dann, wenn jemand es klaut?«

Jeffrey konnte ihrer Logik nicht so ganz folgen.

»Es gibt da draußen Bestien«, fuhr Lena fort. »Jeder weiß doch, dass es krankhafte Menschen gibt, meistens Männer, die es auf Frauen abgesehen haben. Und die suchen sich nicht diejenigen aus, die den Anschein erwecken, als könnten sie auf sich Acht geben. Sie suchen sich die aus, die keine Gegenwehr leisten werden oder können. Sie suchen sich die Stillen aus, wie Julia Matthews. Oder die Behinderten.« Lena fügte hinzu: »Wie meine Schwester.«

Jeffrey sah sie verwundert an. Er wusste nicht, ob er sich ihrer Logik anschließen konnte. Lena überraschte ihn durchaus manchmal, aber was sie jetzt gesagt hatte, brachte ihn beinahe aus der Fassung. Er hätte solche Reden vielleicht von jemandem wie Matt Hogan erwartet, aber schon gar nicht von einer Frau wie Lena.

Er lehnte den Kopf gegen die Nackenstütze und schwieg eine Weile. Dann sagte er: »Schildern Sie mir den Fall in allen Einzelheiten. Julia Matthews. Wie sah sie aus?«

Lena ließ sich Zeit mit ihrer Antwort. »Ihre Schneidezähne waren ausgeschlagen, Hand- und Fußknöchel zeigten Fesselspuren. Der Täter hat ihr die Schamhaare rasiert.« Lena hielt inne. »Dann hat er sie innerlich sauber geätzt, verstehen Sie?«

»Bleichmittel?«

Lena nickte. »Den Mund ebenfalls.«

Jeffrey sah sie eindringlich an. »Und was noch?«

»Es waren keine Quetschungen festzustellen.« Lena deutete auf ihren Schoß. »Keine Abwehrverletzungen oder Male an ihren Händen, außer den Löchern in ihren Handflächen und den Striemen von den Gurten.«

Jeffrey dachte darüber nach. Julia Matthews hatte wahrscheinlich die gesamte Zeit unter Drogeneinfluss gestanden, obwohl auch das ihm eigentlich nicht einleuchten wollte. Notzucht war ein Gewaltverbrechen, und die meisten Vergewaltiger fanden ihre Befriedigung eher darin, den Frauen

Schmerz zuzufügen, sie unter ihre Kontrolle zu bringen, als wirklich Sex mit ihnen zu haben.

Jeffrey sagte: »Erzählen Sie weiter. Wie sah Julia aus, als Sie sie gefunden haben?«

»Sie sah ganz gewöhnlich aus«, antwortete Lena. »Das sagte ich doch schon.«

»War sie nackt?«

»Ja, nackt. Sie war völlig nackt, und sie war mit ausgebreiteten Armen und gekreuzten Füßen hingelegt worden. Direkt auf der Kühlerhaube des Wagens.«

»Glauben Sie, dass sie aus einem bestimmten Grund so hingelegt worden ist?«

Lena antwortete: »Keine Ahnung. Aber jeder kennt doch Doktor Linton. Jeder weiß, welchen Wagen sie fährt. Es ist doch der einzige in der Stadt.«

Jeffrey spürte, wie sich ihm der Magen umdrehte. Auf diese Antwort hatte er nicht hinausgewollt. Lena hatte genau die Lage des Körpers beschrieben, und sie hätte zu demselben Schluss kommen sollen wie er, nämlich, dass die Frau wie bei einer Kreuzigung hingelegt worden war. Er hatte angenommen, dass Saras Wagen nur deswegen ausgewählt worden war, weil er so dicht am Krankenhaus geparkt stand und ihn bestimmt jemand sehen würde. Die Möglichkeit, dass diese Handlung gegen Sara gerichtet sein könnte, war beängstigend.

Jeffrey verscheuchte den Gedanken und fragte stattdessen: »Was wissen wir über unseren Vergewaltiger?«

Lena antwortete zögernd: »Okay, er ist weiß, denn Vergewaltiger neigen dazu, sich das Opfer innerhalb ihrer eigenen ethnischen Gruppe zu suchen. Er ist extrem penibel, denn sie wurde gründlich mit Bleichmittel abgeschrubbt. Das Bleichmittel deutet auch darauf hin, dass er gerichtsmedizinisch bewandert ist, denn Bleiche ist das beste Mittel, um materielle Spuren zu beseitigen. Er ist aller Wahrscheinlichkeit nach ein älterer Mann, und er besitzt ein eigenes Haus, denn offenbar hat er sie an den Fußboden oder eine Wand oder sonst etwas genagelt, und das kann man ja wohl kaum in einer Mietwohnung machen. Deswegen handelt es sich wohl um einen etablierten Bürger der Stadt. Er ist wahrscheinlich nicht verheiratet, denn er hätte eine ganze Menge zu erklären, wenn seine Frau nach Hause käme und im Souterrain eine angenagelte Frau fände.«

»Warum sprechen Sie von Souterrain?«

Lena zuckte wieder die Achseln. »Ich kann mir nicht vorstellen, dass er sie irgendwo gefangen gehalten hat, wo jeder problemlos Zutritt hat.«

»Auch nicht, wenn er allein lebt?«

»Nur, wenn er sicher ist, dass niemand zu Besuch kommt.«

»Also ist er ein Einzelgänger?«

»Schon möglich. Aber wie hat er sie dann kennengelernt?«

»Gutes Argument«, sagte Jeffrey. »Hat Sara Blut für das toxische Screening weggeschickt?«

»Hat sie«, sagte Lena. »Sie ist mit der Probe selbst rüber nach Augusta gefahren. Zumindest hat sie gesagt, dass sie hinfährt. Sie hat auch gesagt, dass sie wüsste, wonach sie sucht.«

Jeffrey zeigte in eine Seitenstraße.

Lena bog scharf ab. »Lassen wir Gordon heute noch in Ruhe?«, fragte sie.

»Finde ich nicht«, sagte Jeffrey. »Wir können die Drogensache benutzen, um ihn dazu zu bringen uns zu erzählen, mit wem Julia sich so getroffen hat. Nach Auskunft von Jenny Price hat er sie an der kurzen Leine gehalten. Wenn jemand etwas davon bemerkt hat, wer in ihrem Leben neu aufgetaucht ist, dann doch wohl er.«

»So ist es«, stimmte Lena zu.

»Hier oben rechts«, instruierte er sie und schnallte sich ab. »Wollen Sie mitkommen?«

Lena blieb am Steuer sitzen. »Ich bleibe hier, danke.«

Jeffrey lehnte sich zurück. »Da ist noch etwas, das Sie mir nicht erzählen, stimmt's?«

Sie atmete tief durch. »Ich habe das Gefühl, Sie im Stich gelassen zu haben.«

»Wegen gestern Abend?«, fragte er und fügte hinzu: »Weil ich angeschossen wurde?«

Sie sagte: »Es gibt Dinge, die Sie nicht wissen.«

Jeffrey fasste nach dem Türgriff. »Kümmert sich Frank darum?«

Sie nickte.

»Hätten Sie denn das verhindern können, was passiert ist?«

Sie zuckte die Achseln. »Ich weiß nicht, ob ich überhaupt noch etwas verhindern kann.«

»Nur gut, dass das auch nicht Ihr Job ist«, sagte er. Er wollte ihr noch mehr sagen, wusste aber aus Erfahrung, dass Lena allein damit fertig werden musste. Sie hatte die vergangenen dreiunddreißig Jahre damit verbracht, Schutzmauern um sich herum zu errichten. Und die würde er nicht in drei Tagen einreißen können.

Stattdessen sagte er: »Lena, ich möchte mich im Moment hauptsächlich darauf konzentrieren herauszufinden, wer Ihre

Schwester ermordet und wer Julia Matthews vergewaltigt hat. Mit dem hier« – er deutete auf sein Bein – »kann ich mich beschäftigen, wenn das erledigt ist. Ich glaube, wir wissen beide, wo wir mit der Suche anfangen müssen. Die werden schließlich nicht gleich alle die Stadt verlassen.«

Er stieß die Tür auf und schob das verletzte Bein nach draußen. »Meine Güte«, stöhnte er, als er spürte, dass sein Knie heftig protestierte. Vom langen Sitzen im Auto war sein Bein steif geworden. Als er es endlich geschafft hatte auszusteigen, perlten Schweißtropfen auf seiner Oberlippe.

Der Schmerz schoss durch sein Bein, als er zum Haus ging. Er hatte seinen Hausschlüssel nicht bei sich und musste ums Haus herum zur Küchentür gehen. Während der vergangenen zwei Jahre hatte Jeffrey renoviert. Als letztes Projekt hatte er sich die Küche aufgehoben und an einem verlängerten Wochenende die Rückwand eingerissen und vorgehabt, sie neu zu ziehen, bevor er wieder zum Dienst musste. Eine Schießerei hatte seinen Plan durchkreuzt, und schließlich hatte er in Birmingham Plastikbahnen gekauft und sie an die nackten Balken genagelt. Das Plastik hielt zwar Regen und Wind ab, aber er hatte trotz alledem ein großes Loch in der Rückseite seines Hauses.

Im Wohnzimmer nahm Jeffrey das Telefon zur Hand und wählte Saras Nummer. Er hoffte, sie noch zu erreichen, bevor sie zur Arbeit fuhr. Der Anrufbeantworter sprang an, deshalb rief er bei den Lintons an.

Eddie Linton meldete sich nach dem dritten Läuten. »Linton und Töchter.«

Jeffrey musste sich Mühe geben, freundlich zu bleiben. »He, Eddie, Jeffrey hier.«

In der Leitung krachte es, als sei er runtergefallen. Jeffrey konnte im Hintergrund das Klappern von Geschirr und Töpfen hören. Gedämpfte Unterhaltung, und ein paar Sekunden später meldete sich Sara.

»Jeff?«

»Ja«, antwortete er. Er hörte, wie sie die Tür zur Terrasse öffnete. Von allen Leuten, die er kannte, waren die Lintons die Einzigen, die noch kein schnurloses Telefon hatten. Es gab einen Apparat im Schlafzimmer und einen in der Küche. Ohne die drei Meter lange Schnur, welche die Mädchen hatten anbringen lassen, als sie zur Highschool gingen, wäre kein vertrauliches Gespräch möglich gewesen.

Er hörte, wie die Tür geschlossen wurde, dann sagte Sara: »Entschuldigung.«

»Wie geht's dir denn?«

Sie sparte sich die Antwort und sagte stattdessen: »Auf mich ist gestern Abend nicht geschossen worden.«

Jeffrey stutzte und wunderte sich über ihren barschen Ton. »Ich habe gehört, was mit Julia Matthews war.«

»Ja«, sagte Sara. »Ich habe ihr Blut in Augusta untersuchen lassen. Belladonna besitzt zwei spezifische Kennzeichen.«

Er würgte eine Lektion in Chemie ab. »Und du hast beide feststellen können?«

»Ja«, antwortete sie.

»Also suchen wir in beiden Fällen nach demselben Kerl.«

Verdrossen entgegnete sie: »Sieht wohl so aus.«

Nach ein paar Sekunden sagte Jeffrey: »Nick kennt diesen Typen, der so eine Art von Spezialist ist, was Vergiftung mit Belladonna betrifft. Kommt mit ihm um zehn vorbei. Könntest du auch kommen?«

»Ich könnte zwischen zwei Patienten mal vorbeischauen, aber nicht lange bleiben«, bot Sara an. Dann änderte sich ihr Tonfall, und sie klang versöhnlicher, als sie sagte: »Ich muss jetzt Schluss machen, okay?«

»Ich möchte mit dir gerne noch durchgehen, was gestern Nacht geschehen ist.«

»Später, okay?« Sie ließ ihm keine Zeit zu antworten. Es klickte, als sie auflegte.

Jeffrey hinkte seufzend ins Bad. Unterwegs blickte er zum Fenster hinaus, um nach Lena zu sehen. Sie saß noch immer im Wagen und hielt das Lenkrad mit beiden Händen umklammert. Es schien, als hätten heute alle Frauen in seinem Leben etwas vor ihm zu verbergen.

Nach einer heißen Dusche und einer Rasur ging es Jeffrey schon beträchtlich besser. Sein Bein fühlte sich noch immer steif an, aber je mehr er sich bewegte, desto weniger schmerzte es. Die Fahrt zur Dienststelle verlief voller Anspannung, kein Wort wurde gesprochen. Das einzige Geräusch im Wagen war Lenas Zähneknirschen.

Marla kam ihm händeringend an der Tür entgegen. »Ich bin ja so froh, dass es Ihnen gut geht«, sagte sie und hakte ihn unter, um ihn nach hinten in sein Büro zu führen. Als sie die Tür für ihn öffnete, gebot er ihrer übertriebenen Fürsorge Einhalt.

»Es geht schon«, sagte er. »Wo ist Frank?«

Marla machte ein langes Gesicht. Wenn Grant ein kleiner Ort war, so war die Polizeitruppe noch kleiner, und Gerüchte verbreiteten sich blitzschnell.

Marla sagte: »Ich glaube, er ist hinten.«

»Würden Sie ihn mir bitte herholen?«, fragte Jeffrey und steuerte auf sein Büro zu.

Stöhnend nahm er auf seinem Stuhl Platz. Er wusste, dass er das Schicksal herausforderte, so wie er mit seinem Bein umging, aber es blieb ihm keine Wahl. Seine Männer mussten sehen, dass er wieder auf dem Posten und bereit war, die Arbeit anzupacken.

Frank klopfte mit der Faust an die Tür, und Jeffrey bedeutete ihm mit einem Kopfnicken einzutreten.

Frank fragte: »Wie geht es Ihnen?«

Jeffrey suchte seinen Blick. »Man wird nicht noch einmal auf mich schießen, oder?«

Frank war so höflich, auf seine Schuhe zu blicken. »Nein, Sir.«

»Was ist mit Will Harris?«

Frank rieb sich das Kinn. »Hab gehört, er fährt nach Savannah.«

»Tatsächlich?«

»Yeah«, antwortete Frank. »Pete hat ihm eine Gratifikation gegeben. Will hat sich einen Busfahrschein gekauft …« Frank zuckte die Achseln. » … und gesagt, er will ein paar Wochen bei seiner Tochter verbringen.«

»Und was ist mit seinem Haus?«

»Ein paar Jungs von der Loge haben sich bereit erklärt, das Fenster zu reparieren.«

»Gut«, sagte Jeffrey. »Sara wird ihren Wagen zurückhaben wollen. Habt ihr was gefunden?«

Frank zog einen Plastikbeutel für Beweismittel aus der Tasche und legte ihn auf den Schreibtisch.

»Was ist das?«, fragte Jeffrey rhetorisch. In dem Beutel befand sich eine Ruger .375 Magnum.

»Die lag unter dem Sitz«, sagte Frank.

»Saras Sitz?«, fragte er und verstand immer noch nicht. Die Waffe war die reinste Kanone, denn mit dem Kaliber konnte man jemandem ein Riesenloch in die Brust schießen. »In ihrem Wagen? Die gehört ihr?«

Frank zog die Schultern hoch. »Einen Waffenschein hat sie dafür jedenfalls nicht.«

Jeffrey starrte die Waffe an. Sara hatte ganz sicher nichts gegen Waffen in Privatbesitz, aber er wusste genau, dass sie sich nicht gerade wohlfühlte, wenn Waffen in der Nähe waren, besonders nicht solche, mit denen man Schlösser von Scheunentoren wegpusten konnte. Er ließ die Magnum aus dem Beutel rutschen und untersuchte sie näher.

»Die Seriennummer wurde weggefeilt«, sagte Frank.

»Ja«, antwortete Jeffrey. Das war eindeutig. »War sie geladen?«

»Ja.« Es war nicht zu übersehen, dass Frank von der Waffe beeindruckt war. »Ruger Security Six, rostfreier Stahl. Der Griff ist eine Spezialanfertigung.«

Jeffrey ließ die Waffe in seine Schreibtischschublade fallen und sah dann wieder Frank an. »Irgendwas mit der Liste der Sextäter erreicht?«

Frank wirkte enttäuscht, weil Jeffrey das Thema wechselte. Er antwortete: »Eigentlich nicht. Die meisten haben ein Alibi. Und die wenigen, die keins haben, passen kaum auf unser Täterprofil.«

»Um zehn treffen wir uns mit Nick Shelton. Er hat einen Spezialisten für Belladonna aufgetan. Vielleicht können wir danach den Jungs noch ein paar Hinweise geben.«

Frank setzte sich. »Ich habe auch eine Tollkirsche im Garten.«

»Ich auch«, sagte Jeffrey. Und fügte hinzu: »Ich will nach dem Treffen rüber ins Krankenhaus, um zu sehen, ob Julia Matthews nach Reden zumute ist.« Er unterbrach, dachte an die junge Frau. »Ihre Eltern kommen so gegen drei. Ich will sie am Flughafen abholen. Sie geben mir heute Schützenhilfe.«

Wenn Frank Jeffreys Wortwahl witzig fand, kommentierte er das nicht.

15

Sara verließ die Klinik um Viertel vor zehn, damit sie noch in der Apotheke vorbeischauen konnte, bevor sie Jeffrey traf. Es war kühl, und die Wolken versprachen noch mehr Regen. Sie steckte die Hände in die Taschen, als sie die Straße hinunterging, heftete den Blick auf den Gehsteig und hoffte, dass ihre Haltung und ihr Schritttempo sie unnahbar wirken ließen. Sie hätte sich deswegen jedoch keine Gedanken zu machen brauchen. Seit Sibyls Tod herrschte in der Innenstadt eine Art Friedhofsruhe. Es war, als sei die ganze Stadt mit ihr gestorben.

Die ganze Nacht hatte Sara wach gelegen und alles, was sie mit Julia Matthews gemacht hatte, noch einmal durchdacht. Aber der Anblick der jungen Frau auf dem Auto mit durchbohrten Händen und Füßen und mit glasigen Augen, die in den Nachthimmel starrten, verfolgte sie. Sara wollte so etwas kein zweites Mal in ihrem Leben durchmachen.

Die Glocke über der Apothekentür läutete, als Sara eintrat, und riss sie aus ihren Gedanken.

»Hallo, Doktor Linton«, rief Marty Ringo hinter der Kasse. Marty war eine mollige Person mit einem Leberfleck direkt über der rechten Augenbraue, aus dem wie Borsten von einer Bürste schwarze Haare herauswuchsen. Da sie in der Apotheke arbeitete, kannte sie den neuesten Klatsch in der Stadt. Marty würde es sich nicht nehmen lassen, jedem, der die Apotheke betrat, zu stecken, dass Sara Linton heute speziell deswegen vorbeigeschaut hatte, um Jeb zu besuchen.

Marty lächelte verschmitzt. »Sie suchen Jeb?«

»Ja«, antwortete Sara.

»Hab von gestern Abend gehört«, sagte Marty, die sich offenbar weitere Informationen erhoffte. »Eine Studentin vom College, hä?«

Sara nickte, denn so viel würde man auch der Zeitung entnehmen können.

Marty senkte die Stimme: »Hab gehört, man hat ihr was angetan.«

»Mmm«, antwortete Sara und sah sich im Laden um. »Ist er da?«, fragte sie.

»Die beiden sahen sich auch sehr ähnlich.«

»Was bitte?«, fragte Sara, plötzlich aufmerksam geworden.

»Die beiden Mädchen«, sagte Marty. »Meinen Sie, da gibt es einen Zusammenhang?«

Sara wechselte das Thema. »Ich muss Jeb dringend sprechen.«

»Er ist hinten«, gab Marty enttäuscht zurück.

Sara bedankte sich mit einem gequälten Lächeln und steuerte auf den hinteren Bereich des Geschäfts zu. Sara war von jeher gerne in der Apotheke. Hier hatte sie ihre erste Wimperntusche erstanden, an den Wochenenden pflegte ihr Vater sie im Auto herzufahren, um Süßigkeiten zu kaufen. Seit Jeb das Geschäft übernommen hatte, war nicht viel geändert worden. Der Limo-Tresen, der eher Repräsentationszwecken diente als zum Ausschank von Getränken, war wie immer auf Hochglanz poliert.

Präservative wurden immer noch unter dem Ladentisch aufbewahrt. An den schmalen Gängen zwischen den Regalen, die den Laden in ganzer Länge teilten, hingen noch immer von Hand beschriftete Pappschilder.

Auch hinter dem Apothekentresen konnte Sara Jeb nicht finden, aber sie bemerkte, dass die Hintertür offenstand.

»Jeb?«, rief sie. Es kam keine Antwort, und Sara ging durch die Tür. Jeb hatte Sara den Rücken zugekehrt. Sie tippte ihm auf die Schulter, und er fuhr zusammen.

»Eh«, rief er und wirbelte herum. Der Schreck wich der Freude, als er Sara vor sich sah.

Er lachte. »Du hast mich zu Tode erschreckt.«

»Tut mir leid«, entschuldigte sich Sara, aber in Wahrheit war sie einfach nur froh, dass er überhaupt zu einer solchen Regung fähig war. »Was machst du denn hier?«

Er zeigte auf eine Reihe von Büschen, die den Parkplatz hinter den Gebäuden säumten. »Siehst du das in dem Busch da?«

Sara schüttelte den Kopf, denn sie sah nichts als Büsche. Und dann »oh«, als sie ein kleines Vogelnest erkannte.

»Finken«, sagte Jeb. »Letztes Jahr habe ich dort ein Futterhäuschen aufgestellt, aber irgendwelche Schulkinder haben es auseinandergenommen.«

Sie sah ihn an. »Wegen gestern Abend«, begann sie.

Er winkte ab. »Bitte, Sara, glaub mir, ich verstehe das. Du warst lange Zeit mit Jeffrey zusammen.«

»Ich danke dir«, sagte sie und meinte das auch so.

Jeb blickte in die Apotheke und senkte die Stimme. »Das, was passiert ist, tut mir auch leid. Du weißt schon, mit dem jungen Mädchen.« Er schüttelte langsam den Kopf. »Man kann kaum fassen, dass solche Sachen hier in unserer Stadt passieren.«

»Ich weiß«, antwortete Sara, die nicht weiter auf das Thema eingehen wollte.

»Ich verzeihe dir, dass du weggelaufen bist, um jemandem das Leben zu retten.« Er legte die Hand auf seine rechte Seite der Brust. »Hast du wirklich ihr Herz in der Hand gehabt?«

Sara schob seine Hand nach links. »Ja.«

»Gütiger Himmel«, flüsterte Jeb. »Was war denn das für ein Gefühl?«

Sara sagte ihm die Wahrheit. »Schaurig«, gestand sie. »Ganz schaurig.«

In seiner Stimme schwang große Anerkennung mit, als er sagte: »Du bist eine bemerkenswerte Frau, Sara. Ist dir das eigentlich klar?«

Bei diesem Lob kam Sara sich albern vor. »Ich gebe dir einen Ersatztermin, wenn du möchtest«, sagte sie. Sie wollte ihn vom Thema Julia Matthews abbringen. »Für unsere Verabredung, meine ich.«

Ehrlich erfreut lächelte er. »Das wäre toll.«

Wind kam auf, und Sara rieb sich die Arme. »Es wird wieder kalt.«

»Komm.« Er führte sie nach drinnen und schloss die Tür. »Hast du dieses Wochenende schon etwas vor?«

»Ich weiß noch nicht«, sagte Sara und fügte hinzu: »Ich bin vorbeigekommen, um zu fragen, ob Jeffrey sein Medikament abgeholt hat.«

»Na ja.« Jeb verschränkte die Arme. »Das bedeutet wohl, dass du dieses Wochenende beschäftigt bist.«

»Nein, tut es nicht.« Sara hielt inne. Dann sagte sie: »Es ist nur ein bisschen kompliziert.«

»Ja.« Er zwang sich zu einem Lächeln. »Kein Problem. Ich sehe mal nach, was ihm verschrieben worden ist.«

Jeb öffnete eine große Schublade unter dem Tresen und nahm eine orangefarbene Pillenflasche hervor. Er prüfte zur Sicherheit noch einmal das Etikett und sagte dann: »Er hat es bestellt, aber noch nicht abgeholt.«

»Danke«, brachte Sara heraus und nahm das Fläschchen. Sie wog es in der Hand und sah Jeb unverwandt an. Und dann fragte sie, bevor sie einen Rückzieher machen konnte. »Warum rufst du mich nicht an? Wegen des Wochenendes.«

»Ja, mach ich.«

Mit ihrer freien Hand strich sie das Revers seines Laborkittels glatt. »Es ist mein Ernst, Jeb. Ruf mich an.«

Ein paar Sekunden lang schwieg er, dann beugte er sich plötzlich nach vorn und drückte ihr einen leichten Kuss auf die Lippen. »Ich ruf dich morgen an.«

»Prima«, sagte Sara. Sie drückte die Pillenflasche so fest, dass sich der Deckel bereits löste. Sie hatte Jeb schon früher mal geküsst, und dieser Kuss war eigentlich keine große Sache. Im Stillen fürchtete sie jedoch, dass Marty es sehen könnte. Im Stillen hatte sie Angst, dass man Jeffrey von diesem Kuss berichten würde.

»Ich kann dir dafür eine Tüte geben«, bot Jeb an. Er zeigte auf die Arzneiflasche.

»Nein«, entgegnete Sara und steckte sie in die Jackentasche.

Sie murmelte ein Dankeschön und war zur Tür hinaus, bevor Marty von ihrer Zeitschrift aufblicken konnte.

Jeffrey und Nick Shelton standen draußen auf dem Flur, als Sara in die Dienststelle kam. Nick hatte die Hände in die Gesäßtaschen seiner Jeans geschoben, und das dunkelblaue Oberhemd, das er nach den Vorschriften des Georgia Bureau of Investigation trug, spannte über seinem Brustkorb. Sein unvorschriftsmäßiger Vollbart war sauber gestutzt, und um den Hals trug er eine gleichermaßen verbotene Goldkette. Mit seiner große von weniger als einem Meter und fünfundsechzig war er so klein, dass Sara ihm ohne weiteres das Kinn auf den Kopf hätte legen können. Das hatte ihn jedoch nicht daran gehindert, sie des Öfteren einzuladen, mit ihm auszugehen.

»He, Mädchen«, sagte Nick und legte ihr den Arm um die Taille.

Konkurrenz hatte Jeffrey von Nick weniger zu fürchten als von einem Rentier, aber er schien dennoch fast aus der Haut zu fahren, als er diese vertraute Geste wahrnahm. Und Sara nahm an, dass Nick sich aus ebendiesem Grund so fürsorglich gab.

»Warum fangen wir nicht mit unserer Sitzung an?«, fragte Jeffrey missmutig. »Sara muss wieder zur Arbeit.«

Sara schloss zu Jeffrey auf, als sie auf dem Weg nach hinten den Flur entlanggingen. Sie schob ihm das Pillenfläschchen in die Jackentasche.

»Was ist das?«, fragte er und zog es wieder heraus. Dann: »Oh.«

»Oh«, wiederholte Sara und öffnete die Tür.

Frank Wallace und ein schlaksiger junger Mann in Kakihose und einem Hemd wie dem von Nick saßen im Besprechungszimmer, als sie eintraten. Frank stand auf und schüttelte Nick die Hand. Sara bedachte er mit einem knappen Nicken, das sie jedoch nicht erwiderte. Irgendetwas sagte Sara, dass Frank bei den Ereignissen des gestrigen Abends die Hand im Spiel gehabt hatte, und das gefiel ihr ganz und gar nicht.

»Das hier ist Mark Webster«, sagte Nick und deutete auf den anderen Mann. Er war kaum älter als einundzwanzig. Er sah aus, als wäre er noch nicht richtig trocken hinter den Ohren.

»Freut mich, Sie kennenzulernen«, sagte Sara und schüttelte ihm die Hand. Sein Händedruck war kraftlos, und es fühlte sich an, als hätte sie einen Fisch in den Fingern. Aber wenn Nick diesen Mark Webster extra von Macon hierhergebracht hatte, konnte er nicht so dämlich sein, wie er aussah.

Frank sagte: »Warum erzählen Sie den beiden nicht, was Sie mir erzählt haben?«

Der Junge räusperte sich und zupfte seinen Hemdkragen zurecht. Er richtete seine Worte an Sara: »Ich hab nur gesagt, es ist interessant, dass ihr Übeltäter sich Belladonna als Gift der Wahl ausgesucht hat. Das ist sehr ungewöhnlich. Bei meiner Arbeit sind mir nur drei Fälle untergekommen, und eigentlich konnte man sie alle ausklammern, weil es sich um das Werk von dummen Kids gehandelt hat, die dachten, sie könnten sich einen Spaß daraus machen.«

Sara nickte, denn sie wusste, dass »ausklammern« bedeutete, bei einem Todesfall ein Gewaltverbrechen oder einen Mord auszuklammern. Als Leichenbeschauerin wie als Kinderärztin war sie besonders aufmerksam, wenn Kinder mit unbekannter Todesursache im Leichenschauhaus lagen.

Mark stützte sich auf den Tisch und erklärte: »Belladonna gehört zur Familie der tödlichen Nachtschattengewächse. Im Mittelalter haben Frauen kleine Mengen von den Samen gekaut, um ihre Pupillen zu erweitern. Eine Frau mit erweiterten Pupillen galt als attraktiver, und daher stammt auch der Name ›bella donna‹. Das bedeutet ›schöne Frau‹.«

»Beide Opfer hatten extrem erweiterte Pupillen«, bestätigte Sara.

»Schon eine ganz geringe Dosis hat diese Wirkung«, erläuterte Mark. Er nahm einen weißen Umschlag zur Hand und zog einige Fotos heraus, die er Jeffrey zum Verteilen aushändigte.

Mark sagte: »Belladonna hat glockenförmige, für gewöhnlich dunkelpurpurne Blüten und riecht sehr speziell. Wenn Sie Kinder oder Haustiere haben, würden Sie die Pflanze, die auch Tollkirsche genannt wird, eher nicht so gern im Garten haben wollen. Wer sie jedoch hat, wird wahrscheinlich einen meterhohen Zaun um sie herumgezogen haben, damit nicht jedes Lebewesen in ihrer Nähe vergiftet wird.«

»Braucht die Pflanze einen bestimmten Boden oder speziellen Dünger?«, fragte Jeffrey und reichte ein Foto an Frank weiter.

»Sie ist ein Unkraut und kann praktisch überall wachsen. Deswegen ist sie ja so beliebt. Aber sie enthält eben eine gefährliche Droge, nämlich Atropin.« Mark machte eine Pause. »Das High ist ausgedehnt und kann drei bis vier Stunden andauern, je nach Dosis. User berichten von äußerst konkreten Halluzinationen. Sehr oft meinen sie, dass das, woran sie sich erinnern können, auch tatsächlich geschehen ist.«

Sara fragte: »Verursacht Belladonna auch Amnesie?«

»O ja, Ma'am, selektive Amnesie, was bedeutet, dass man sich nur an Bruchstücke erinnern kann. So könnte sich ein Opfer zum Beispiel daran erinnern, dass der Täter ein Mann war. Aber die Frau würde sich nicht daran erinnern, wie er ausgesehen hat, obwohl sie ihm direkt ins Gesicht gesehen hat. Oder die Frau würde sagen, er habe ein lila Gesicht und grüne Augen gehabt.« Er machte eine kurze Pause. »Es handelt sich um ein Halluzinogen, aber nicht mit so typischen Wirkungen wie bei PCP oder LSD. User berichten, dass man nicht zwischen der Halluzination und der Wirklichkeit unterscheiden kann. Zum Beispiel bei Angel Dust, bei Ecstasy und anderen Drogen weiß man, wenn man halluziniert. Belladonna aber lässt alles real erscheinen. Wenn ich Ihnen eine Tasse Tee aus den Samen des Stechapfels – auch ein Kraut aus der Familie der Nachtschattengewächse – einflöße, würden Sie hinterher vielleicht schwören, eine Unterhaltung mit einem Kleiderständer gehabt zu haben. Ich könnte Sie an einen Lügendetektor hängen, und der Test würde ergeben, dass Sie die Wahrheit sagen. Dinge, die real existieren, werden unter dem Einfluss der Droge verzerrt und verdreht.«

»Tee?«, fragte Jeffrey und warf Sara einen Blick zu.

»Ja, Sir, Kids brühen sich damit einen Tee auf.« Er verschränkte die Hände hinter dem Rücken. »Ich muss Ihnen jedoch sagen, dass es sich um gefährliches Zeug handelt. Die Gefahr einer Überdosierung ist groß.«

Sara fragte: »Auf welche Weise kann man das sonst noch zu sich nehmen?«

»Wenn Sie über genügend Geduld verfügen«, antwortete Mark, »können Sie die Blätter ein paar Tage lang in Alkohol einlegen und das Gift dann eindampfen. Aber das ist ein Glücksspiel, denn die Konzentration ist nicht garantiert, nicht einmal bei denen, die die Tollkirsche zu medizinischen Zwecken anbauen.«

»Zu welchen medizinischen Zwecken?«, fragte Jeffrey.

»Nun, Sie werden das doch kennen, wenn Sie zum Augenarzt gehen und er Ihnen etwas einträufelt, um die Pupillen zu erweitern? Dabei handelt es sich um eine Belladonnaverbindung. Stark verdünnt, aber es ist Belladonna. Sie könnten natürlich mit ein paar Fläschchen von diesen Augentropfen niemanden umbringen. Bei dieser geringen Konzentration bestünde die schlimmste Wirkung in grausamen Kopfschmerzen und grässlicher Verstopfung. Vorsicht ist jedoch geboten, wenn das Präparat ganz rein ist.«

Frank stieß an ihren Arm und reichte Sara ein Foto von der Pflanze. Sie glich so ziemlich jedem anderen Gewächs, das sie je gesehen hatte. Sara war Ärztin, keine Gartenbauexpertin. Sie hätte es nicht einmal geschafft, ein Kressekissen zu wässern.

Ohne Vorwarnung versetzten ihre Gedanken sie in den Moment zurück, als sie Julia Matthews auf ihrem Kühler vorgefunden hatte. Sie versuchte sich daran zu erinnern, ob das Klebeband am Anfang schon da gewesen war. Ganz deutlich sah sie mit einem Mal das Band auf dem Mund der Frau vor sich.

»Sara?«, sagte Jeffrey.

»Hm?« Sara blickte auf. Alle starrten sie an und erwarteten eine Reaktion von ihr. »Tut mir leid«, entschuldigte sie sich. »Hast du was gefragt?«

Mark antwortete. »Ich hatte gefragt, ob Ihnen an den Opfern etwas Besonderes aufgefallen ist. Konnten sie nicht sprechen? Hatten sie einen leeren Blick?«

Sara gab das Foto zurück. »Sibyl Adams war blind«, erklärte sie. »Daher war ihr Blick ohnehin leer. Julia Matthews ...« Sie unterbrach sich, versuchte die Erinnerung zu verdrängen. »Ihre Augen waren glasig. Ich vermute, das lag eher daran, dass sie von der Droge weggetreten war.«

Jeffrey sah sie schief von der Seite an. »Mark hat erwähnt, dass sich Belladonna auch auf das Sehvermögen auswirkt.«

»Es kommt zu visueller Agnosie, einer Art Blindsichtigkeit«, sagte Mark in einem Ton, der darauf verwies, dass er sich wiederholte. »User-Berichten zufolge kann man zwar sehen, aber mit dem Verstand nicht identifizieren, was man sieht. Ich könnte Ihnen zum Beispiel einen Apfel oder eine Apfelsine zeigen, und es wäre Ihnen bewusst, dass Sie etwas Rundes vor Augen haben, vielleicht von einer bestimmten Struktur, aber Ihr Gehirn würde nicht erkennen, um was es sich handelt.«

»Ich weiß, was Agnosie ist«, erwiderte Sara und merkte zu spät, dass ihr Tonfall ziemlich herablassend war. Sie wollte das überspielen, indem sie sagte: »Glauben Sie, dass Sibyl Adams aufgrund der Droge nicht schreien konnte?«

Mark sah die Männer an. Offensichtlich hatte er sich auch bereits darüber ausgelassen, während Sara geistesabwesend gewesen war. »Es wird berichtet, dass es durch die Droge zu einem Verlust der Stimme kommen kann. Physisch geschieht dabei im Kehlkopf nichts. Die Droge verursacht keine physische Einschränkung oder Schädigung. Ich glaube, es hat eher damit zu tun, dass im Sprachzentrum des Gehirns etwas geschieht und die Impulsweiterleitung beeinträchtigt ist.«

»Klingt einleuchtend«, stimmte Sara zu.

Mark fuhr fort: »Anzeichen dafür, dass man die Droge aufgenommen hat, sind: ein trockener Mund, erweiterte Pupillen, hohe Körpertemperatur, erhöhte Herzfrequenz und Dyspnoe.«

»Beide Opfer litten an diesen Symptomen«, bemerkte Sara. »Was für eine Dosis würde sie auslösen?«

»Es handelt sich um recht starkes Zeug. Schon bei einem Teebeutel könnte jemand ausflippen, besonders, wenn er nicht regelmäßig weiche Drogen konsumiert. Die Beeren sind nicht so schlimm, aber alles von der Wurzel oder den Blättern dürfte gefährlich sein, es sei denn, man weiß ganz genau, was man tut. Aber auch dann gibt es keine Garantie.«

»Das erste Opfer war Vegetarierin«, sagte Sara.

»Sie war auch Chemikerin, oder?«, fragte Mark. »Ich wüsste eine Million andere Drogen außer Belladonna, mit denen man herumspielen könnte. Ich glaube nicht, dass jemand, der sich die Zeit zum Recherchieren nähme, ein solches Risiko einzugehen bereit wäre. Es wäre russisches Roulette, besonders, wenn man es mit der Wurzel zu tun hat. Das ist nämlich der tödlichste Teil der Pflanze. Nur ein ganz klein wenig zu viel davon, und man ist hinüber. Ein Gegengift ist nicht bekannt.«

»Ich konnte bei Julia Matthews keine Anzeichen von Drogenkonsum feststellen«, sagte Sara und an Jeffrey gewandt: »Ich nehme an, du wirst sie nachher befragen?«

Er nickte und fragte Mark: »Sonst noch was?«

Mark fuhr sich mit den Fingern durchs Haar. »Es ist interessant und entbehrt auch nicht einer gewissen Ironie, dass die Droge bei einem Sexualverbrechen angewendet wurde.«

»Wieso?«, fragte Jeffrey.

»Im Mittelalter wurde die Droge manchmal mit einem

Applikator in die Vagina eingeführt, um den Rauschzustand zu beschleunigen. Manche Leute sind sogar der Ansicht, dass der Mythos von den Hexen, die auf Besenstielen durch die Gegend fliegen, zurückzuführen ist auf die Vorstellung von einer Frau, die sich die Droge mit einem hölzernen Applikator einführt.« Er lächelte. »Aber in diesem Zusammenhang müssten wir eine ausführliche Diskussion über Götterverehrung und das Aufkommen des Christentums in den europäischen Kulturen führen.«

Mark schien zu ahnen, dass er sein Publikum verloren hatte. »Alle aus Drogenkreisen, die über Belladonna Bescheid wissen, wollen lieber nichts damit zu tun zu haben.« Er sah Sara an. »Wenn Sie vielleicht meine Wortwahl entschuldigen würden, Ma'am?«

Sara zuckte die Achseln. Bei dem Umgangston in der Klinik und den Ausdrücken ihres Vaters hatte sie so ziemlich alles gehört.

Mark wurde dennoch rot, als er sagte: »Der Verstand wird total gefickt.« Mit einem Lächeln entschuldigte er sich bei Sara. »Die Erinnerung, die an erster Stelle steht, auch bei Benutzern der Droge, die dann später unter Amnesie leiden, ist das Fliegen. Sie glauben wirklich, dass sie fliegen, und wenn sie wieder runtergekommen sind, können sie es nicht fassen, dass sie gar nicht geflogen sind.«

Jeffrey verschränkte die Arme. »Das könnte vielleicht erklären, warum sie unentwegt aus dem Fenster starrt.«

»Hat sie überhaupt schon etwas gesagt?«, fragte Sara.

Er schüttelte den Kopf. »Nichts.« Dann fügte er hinzu: »Wir gehen anschließend ins Krankenhaus. Wenn du mitkommen möchtest?«

Sara schaute auf ihre Uhr und tat so, als würde sie überlegen. Aber sie würde eher aus dem Fenster springen, als Julia Matthews ein zweites Mal gegenüberzutreten. Sie konnte nicht einmal daran denken. »Ich habe Patienten«, sagte sie.

Jeffrey deutete auf sein Büro. »Sara, kann ich vielleicht einen Moment mit dir sprechen?«

Sara wäre am liebsten davongerannt, aber sie beherrschte sich. »Geht es um meinen Wagen?«

»Nein.« Jeffrey wartete, bis sie in seinem Büro waren, und schloss die Tür. Sara setzte sich auf die Schreibtischkante und gab sich alle Mühe, entspannt zu wirken. »Ich musste heute Morgen mit meinem Boot zur Arbeit kommen«, sagte sie. »Weißt du eigentlich, wie kalt es draußen auf dem See ist?«

Er überging die Frage und kam gleich zur Sache. »Wir haben deine Waffe gefunden.«

»Oh«, entfuhr es Sara, und sie überlegte, was sie sagen sollte. Das hatte sie am Allerwenigsten erwartet. Die Ruger hatte schon so lange in ihrem Wagen gelegen, dass sie sie ganz vergessen hatte. »Bin ich jetzt verhaftet?«

»Wo hast du sie her?«

»Sie war ein Geschenk.«

Jeffrey sah sie streng an. »Du willst mir weismachen, dass dir jemand eine .357er mit abgefeilter Seriennummer zum Geburtstag geschenkt hat?«

Sara tat seine Frage mit einem Achselzucken ab. »Ich habe sie schon seit Jahren, Jeffrey.«

»Und wann hast du dies Auto gekauft, Sara? Vor ein paar Jahren?«

»Ich habe sie aus dem alten Auto in das neue umgepackt, als ich es gekauft hatte.«

Wortlos starrte er sie an. Sara wusste sehr genau, dass er wütend war, aber ihr fiel keine gute Ausrede ein. Dennoch versuchte sie es: »Ich könnte damit gar nicht umgehen.«

»Da bin ich ja beruhigt, Sara«, schnauzte er sie an. »Du hast in deinem Auto eine Waffe, mit der du jemandem den Kopf von den Schultern pusten könntest, aber du weißt nicht so genau, wie man sie benutzt?« Er hielt inne, offenbar bemüht, sie zu verstehen. »Was hast du denn damit vor, wenn jemand dir nachstellt, hä?«

Sara wusste die Antwort, sagte aber nichts.

Jeffrey fragte: »Warum hast du sie denn überhaupt?«

Sara musterte ihren ehemaligen Mann und überlegte, wie sie am schnellsten aus diesem Büro herauskam, ohne wieder einen Riesenkrach zu bekommen. Sie war müde und durcheinander. Dies war nicht der richtige Zeitpunkt für ein paar Runden mit Jeffrey. Dazu hatte Sara im Moment einfach nicht die Kraft.

»Ich habe sie eben«, antwortete sie.

»Eine solche Waffe hat man nicht einfach so«, sagte er.

»Ich muss in die Klinik zurück.« Sie stand auf, aber er stellte sich ihr in den Weg.

»Sara, was zum Teufel geht hier vor?«

»Was meinst du damit?«

Seine Augen verengten sich, aber er antwortete nicht. Er trat zur Seite und öffnete ihr die Tür

Sara dachte einen Moment lang, das sei nur eine Finte. »War es das?«, fragte sie.

Er ging ganz zur Seite. »Ich kann die Antwort ja nicht gut aus dir herausprügeln.«

Sie legte ihm die Hand auf die Brust und bekam ein schlechtes Gewissen. »Jeffrey.«

Er blickte hinaus in den Mannschaftsraum. »Ich muss rüber ins Krankenhaus«, sagte er. Damit war sie unmissverständlich entlassen.

16

Lena stützte das Kinn in die Hand und schloss die Augen, um sich einen Moment Ruhe zu gönnen. Länger als eine Stunde hatte sie schon auf dem Stuhl vor dem Krankenzimmer von Julia Matthews gesessen, und die letzten paar Tage machten sich jetzt bemerkbar. Sie war müde, und ihre Periode kündigte sich an. Ihre Hosen schlackerten um die Hüften, weil sie nichts aß. Als sie an diesem Morgen ihr Holster über den Gürtel geschoben hatte, hatte es im Laufe des Tages dann tatsächlich ihre Haut wund gerieben.

Lena wusste, dass sie dringend etwas essen musste, dass sie anfangen musste, ihr normales Leben zu leben, statt sich nur durch die Tage zu schleppen, als lebte sie in geborgter Zeit. Aber im Moment konnte sie sich noch nicht vorstellen, das zu tun. Sie wollte nicht morgens aufstehen und ihren Dauerlauf machen, wie sie es die letzten fünfzehn Jahre lang jeden Morgen getan hatte. Sie wollte nicht ins Crispy Creme gehen und mit Frank und den anderen Detectives ihren Kaffee trinken. Sie wollte sich kein Lunchpaket packen und auch nicht zum Abendessen gehen. Sobald sie etwas Essbares sah, wurde ihr übel. Sie konnte an nichts anderes denken, als dass Sibyl niemals wieder etwas essen würde. Lena ging umher, aber Sibyl war tot. Lena atmete, Sibyl nicht. Nichts machte noch Sinn. Nichts würde je wieder sein wie früher.

Lena atmete tief durch und blickte links und rechts den Flur entlang. Julia Matthews war heute die einzige Patientin im Krankenhaus, was Lena die Arbeit leicht machte. Außer der Krankenschwester, die als Aushilfe von Augusta abgestellt war, befanden sich nur Lena und Julia in diesem Stockwerk.

Sie stand auf und versuchte, durch Bewegung irgendwie zur Vernunft zu kommen. Sie fühlte sich angeschlagen und konfus, und um dagegen anzukämpfen, fiel ihr nichts anderes ein, als sich zu bewegen. Ihr gesamter Körper schmerzte, weil sie sich im Bett hin und her gewälzt und keinen Schlaf gefunden hatte, und sie konnte den Anblick auf dem Tisch im Leichenschauhaus einfach nicht vergessen. Irgendwie war Lena auch froh, dass es noch ein weiteres Opfer gegeben hatte. Irgendwie verspürte sie das Bedürfnis, in Julia Matthews' Zimmer zu gehen und sie zu schütteln, sie anzuflehen, sie möge ihr sagen, wer ihr das angetan hatte, wer Sibyl ermordet hatte. Aber Lena wusste, dass das zu nichts führen würde.

Die wenigen Male, die Lena das Zimmer betreten hatte, um nach der jungen Frau zu sehen, hatte diese geschwiegen, hatte nicht einmal auf die einfachsten Fragen geantwortet. Ob sie noch ein weiteres Kissen wollte? Ob Lena jemanden für sie anrufen sollte?

Weil sie durstig war, hatte die junge Frau auf den Krug auf dem Nachttisch gedeutet, statt um Wasser zu bitten. Sie hatte immer noch einen abwesenden, aber auch gehetzten Blick, was wohl daran lag, dass die Droge in ihrem Organismus nachwirkte. Ihre Pupillen waren weit geöffnet, und sie machte den Eindruck einer Blinden – blind, wie auch Sibyl gewesen war. Aber Julia Matthews würde sich wieder erholen. Julia Matthews würde wieder sehen. Es würde ihr bessergehen. Sie würde ihr Studium wiederaufnehmen und Freundschaften schließen, irgendwann vielleicht einmal einen Mann kennenlernen, den sie heiraten und mit dem sie Kinder haben würde. Erinnerungen an das Geschehene würden sie immer begleiten, unbewusst, aber wenigstens würde Julia Matthews leben. Wenigstens würde sie eine Zukunft haben. Lena wusste genau, dass sie ebendies der jungen Frau verübelte. Und Lena wusste auch, dass sie, ohne eine Sekunde zu überlegen, das Leben von Julia Matthews für das von Sibyl gegeben hätte.

Die Fahrstuhltür öffnete sich mit einem Läuten, und Lenas Hand zuckte unwillkürlich zu ihrer Waffe. Jeffrey und Nick Shelton traten auf den Gang, gefolgt von Frank und einem dürren jungen Burschen, der so aussah, als käme er gerade von der Abschlussfeier seiner Highschool. Sie ließ die Hand wieder sinken und ging ihnen entgegen. Dabei dachte sie, sie würde einen Teufel tun und mit ansehen, wie all diese Männer ein kleines Krankenzimmer betraten, in dem eine Frau lag, die gerade vergewaltigt worden war.

»Wie macht sie sich?«, fragte Jeffrey.

Lena überging die Frage. »Sie wollen doch nicht etwa alle da rein, oder?«

Jeffreys Miene bestätigte, dass er das vorgehabt hatte.

»Sie spricht noch immer nicht«, sagte Lena, weil sie verhindern wollte, dass er sein Gesicht verlor. »Sie hat bis jetzt nicht das Geringste gesagt.«

»Vielleicht sollten nur Sie und ich hineingehen«, entschied er schließlich. »Tut mir leid, Mark.«

Dem jungen Mann schien das nichts auszumachen.

»Ach, ich bin doch schon froh, dass mir das hier alles einen freien Tag beschert hat.«

Lena fand, dass es ziemlich beschissen von ihm war, so etwas in unmittelbarer Nähe einer Frau zu sagen, die durch die Hölle gegangen war, aber Jeffrey nahm sie beim Arm, bevor sie etwas sagen konnte, und geleitete sie den Flur hinauf.

»Sie ist stabil?«, fragte er. »Medizinisch betrachtet?«

»Ja.«

Jeffrey blieb vor der Tür des Krankenzimmers stehen, griff nach der Klinke, aber öffnete die Tür noch nicht.

»Wie steht es mit Ihnen? Kommen Sie zurecht?«

»Sicher.«

»Ich habe so eine Ahnung, dass ihre Eltern sie nach Augusta verlegen lassen möchten. Was halten Sie davon mitzugehen?«

Lenas erste Regung war Protest, aber dann nickte sie in für sie so gar nicht charakteristischer Nachgiebigkeit. Es würde ihr ganz guttun, aus der Stadt rauszukommen. Hank würde in ein, zwei Tagen nach Reece zurückfahren. Vielleicht würde sie sich anders fühlen, wenn sie das Haus wieder für sich allein hatte.

»Ich lasse Sie beginnen«, sagte Jeffrey. »Wenn es so aussieht, als würde sie sich wohler fühlen, wenn sie mit Ihnen allein ist, werde ich gehen.«

»Okay«, sagte Lena, die wusste, dass dies vorschriftsmäßiges Vorgehen war. Normalerweise wollte keine Frau, die vergewaltigt worden war, mit einem Mann darüber sprechen. Als einzigem weiblichen Detective in der Truppe war Lena diese Aufgabe schon einige Male zugefallen. Sie war sogar nach Macon gefahren, um bei der Befragung eines jungen

Mädchens mitzuhelfen, das von seinem Nachbarn brutal geprügelt und anschließend vergewaltigt worden war. Und dennoch, obwohl Lena den ganzen Tag in Julias nähe gewesen war, schlug ihr die Vorstellung auf den Magen, mit der jungen Frau zu reden und sie zu verhören. Es ging ihr einfach zu nahe.

»Sind Sie bereit?«, fragte Jeffrey, die Hand auf der Türklinke.

»Yeah.«

Jeffrey öffnete die Tür und ließ Lena den Vortritt. Julia Matthews hatte geschlafen, aber wachte von dem Geräusch sofort auf. Lena konnte sich nicht vorstellen, dass die junge Frau so bald – wenn überhaupt je – wieder ruhigen Schlaf finden würde.

»Möchten Sie einen Schluck Wasser?«, fragte Lena, ging ans Kopfende des Bettes und hob den Krug. Sie füllte das Glas und drehte den Strohhalm so, dass sie trinken konnte.

Jeffrey war an der Tür stehen geblieben, weil er offenbar die junge Frau nicht zu sehr bedrängen wollte. Er sagte: »Hallo, ich bin Chief Tolliver, Julia. Erinnern Sie sich noch von heute Morgen an mich?«

Sie reagierte mit einem kaum merklichen Nicken.

»Sie haben eine Droge im Körper, die man Belladonna nennt. Wissen Sie, worum es sich dabei handelt?«

Sie schüttelte den Kopf.

»Sie hat manchmal zur Folge, dass man seine Stimme verliert. Meinen Sie, dass Sie sprechen können?«

Die junge Frau öffnete den Mund, und es kam ein Krächzen heraus. Sie bewegte die Lippen, versuchte Wörter zu formulieren.

Jeffrey lächelte ihr ermunternd zu. »Wollen Sie versuchen, mir Ihren Namen zu sagen?«

Sie öffnete wieder den Mund und brachte leise und krächzend »Julia« hervor.

»Schön«, sagte Jeffrey. »Das hier ist Lena Adams. Sie kennen sich bereits, stimmt's?«

Julia nickte, und ihr Blick suchte Lena.

»Sie wird Ihnen einige Fragen stellen, einverstanden?«

Lena gab sich keine Mühe, ihre Verblüffung zu verhehlen. Sie war sich nicht sicher, ob sie in der Lage wäre, Julia Matthews zu sagen, wie spät es war, geschweige denn, die junge Frau zu verhören. Aber sie besann sich wieder auf ihre Ausbildung und begann mit dem, was sie wusste.

»Julia?« Lena zog sich einen Stuhl an das Bett. »Wir müssen wissen, ob Sie uns irgendetwas darüber sagen können, was Ihnen angetan worden ist.«

Julia schloss die Augen. Ihre Lippen bebten, aber sie antwortete nicht.

»Kannten Sie den Mann?«

Sie schüttelte den Kopf.

»War es jemand aus dem College? Hatten Sie zusammen mit ihm Unterricht?«

Julia schloss die Augen. Ein paar Sekunden später liefen die Tränen. Schließlich sagte sie: »Nein.«

Lena legte eine Hand auf Julias Arm. Er wirkte dünn und zerbrechlich, so wie Sibyls Arm im Leichenschauhaus gewirkt hatte. Sie versuchte, nicht an ihre Schwester zu denken, als sie sagte: »Sprechen wir von seinem Haar. Können Sie mir sagen, welche Farbe es hatte?«

Wieder schüttelte sie den Kopf.

»Irgendwelche Tätowierungen oder besondere Kennzeichen, mit deren Hilfe wir ihn identifizieren könnten?«

»Nein.«

Lena sagte: »Ich weiß, dass es schwer ist, aber wir müssen herausfinden, was geschehen ist. Wir müssen diesen Kerl von der Straße holen, damit er nicht noch mehr Unheil anrichtet.«

Julia hielt die Augen geschlossen. Im Zimmer war es so unerträglich still, dass Lena den Drang verspürte, etwas ganz Lautes zu tun. Irgendwie machte die Stille sie nervös.

Ohne Vorwarnung begann Julia. Ihre Stimme war rau. »Er hat mich überlistet.«

Lena presste die Lippen aufeinander, wollte der jungen Frau Zeit lassen.

»Er hat mich überlistet«, wiederholte Julia und kniff die Augen noch fester zusammen. »Ich war in der Bibliothek.«

Lena dachte an Ryan Gordon. Das Herz klopfte ihr bis zum Hals. Hatte sie sich in ihm getäuscht? War er vielleicht doch zu so einer Tat fähig? Vielleicht war Julia entkommen, weil er im Gefängnis einsaß.

»Ich hatte eine Prüfung«, fuhr Julia fort, »und bin länger geblieben, um dafür zu lernen.« Bei der Erinnerung fiel ihr das Atmen immer schwerer.

»Jetzt wollen wir ganz tief und ruhig durchatmen«, sagte Lena und atmete zusammen mit Julia ein und aus. »So ist es gut. Bleiben Sie ganz ruhig.«

Jetzt fing sie hemmungslos zu weinen an. »Ryan war auch da«, sagte sie.

Lena warf Jeffrey einen raschen Blick zu. Seine Stirn war in tiefe Falten gelegt, und er hatte sich ganz auf Matthews konzentriert. Lena vermochte fast seine Gedanken zu lesen.

»In der Bibliothek?«, fragte Lena. Sie war bemüht, nicht zu ungeduldig zu klingen.

Julia nickte und griff nach ihrem Wasserglas.

»Moment«, sagte Lena und half ihr hoch, damit sie leichter trinken konnte. Die junge Frau nahm mehrere Schlucke und ließ den Kopf wieder nach hinten sinken. Sie starrte von Neuem aus dem Fenster, brauchte wohl Zeit, um die Fassung wiederzugewinnen. Lena gab sich alle Mühe, nicht nervös mit dem Fuß zu klopfen. Sie konnte einfach nicht begreifen, wie Julia Matthews bei der Befragung so passiv bleiben konnte. Hätte Lena dort im Bett gelegen, hätte sie ganz bestimmt alle Einzelheiten ausgespuckt, an die sie sich erinnern konnte. Lena hätte jeden, der ihr zuhören wollte, dazu gedrängt, den Mann zu finden, der dies Verbrechen verübt hatte. Ihr hätte es in den Fingern gejuckt, diesem Mann das Herz aus der Brust zu reißen. Wie Julia Matthews einfach so daliegen konnte, wollte ihr nicht in den Kopf.

Lena zählte bis zwanzig, weil sie sich zwingen wollte, der Frau Zeit zu geben. Sie hatte auch bei der Vernehmung von Ryan Gordon gezählt. Das war ein alter Trick von ihr. So konnte sie den Anschein erwecken, geduldig zu sein. Als sie bei fünfzig angelangt war, fragte Lena: »Ryan war dort?«

Julia nickte.

»In der Bibliothek?«

Wieder nickte sie.

Lena legte noch einmal die Hand auf Julias Arm. Sie hätte auch ihre Hand gehalten, wenn diese nicht fest von Verbänden umwickelt gewesen wäre. Mit fester Stimme sagte sie: »Sie haben Ryan in der Bibliothek getroffen. Was geschah dann?«

Julia reagierte auf das Drängen. »Wir haben ein bisschen geredet, und dann musste ich ins Wohnheim zurück.«

»Waren Sie wütend auf ihn?«

Julia suchte Lenas Blick. Eine unausgesprochene Botschaft wurde zwischen ihnen ausgetauscht. Lena begriff in diesem Augenblick, dass Ryan eine gewisse Kontrolle über Julia ausübte, dass sie sich jedoch davon befreien wollte. Lena wusste auch, dass Ryan Gordon zwar ein großes Ekelpaket war, aber nicht ein Mann, der seiner Freundin etwas Derartiges antun konnte.

Lena fragte: »Gab es Streit?«

»Irgendwie haben wir uns aber versöhnt.«

»Irgendwie, aber doch nicht wirklich?«, versuchte Lena klarzustellen. Sie ahnte, was an dem Abend in der Bibliothek geschehen war. Sie konnte sich sehr gut vorstellen, dass Ryan Gordon versucht hatte, Julia dazu zu drängen, sich zu ihm zu bekennen. Und sie verstand, dass Julia endgültig die Augen dafür geöffnet worden waren, was für ein Mensch ihr ehemaliger Freund war. Aber jemand, der weitaus schlimmer war als Ryan Gordon, hatte auf sie gewartet.

Lena fragte: »Sie haben also die Bibliothek verlassen, und was war dann?«

»Da war ein Mann«, sagte sie. »Auf dem Weg zum Wohnheim.«

»Welchen Weg sind Sie gegangen?«

»Hinten um das Landwirtschaftsgebäude herum.«

»Am See?«

Sie schüttete den Kopf. »Auf der anderen Seite.«

Lena wartete darauf, dass sie fortfuhr.

»Ich bin mit ihm zusammengestoßen, er hat seine Bücher

fallen lassen und ich meine.« Ihre Stimme verlor sich, aber ihre Atemgeräusche wurden laut. Sie begann fast zu keuchen.

»Haben Sie sein Gesicht gesehen?«

»Ich kann mich nicht erinnern. Er hat zugestochen.«

Lena runzelte die Stirn. »Mit einer Spritze?«

»Ich habe es nur gespürt. Gesehen habe ich nichts.«

»Wo haben Sie es gespürt?«

Sie legte eine Hand auf ihre linke Hüfte.

»Er war hinter ihnen, als Sie den Einstich gespürt haben?«, fragte Lena und dachte, dass der Täter somit Linkshänder war wie der, der Sibyl überfallen hatte.

»Ja.«

»Und danach hat er Sie entführt?«, fragte Lena. »Er hat Sie angerempelt, dann haben Sie den Einstich gespürt, und danach hat er Sie irgendwohin gebracht?«

»Ja.«

»In seinem Auto?«

»Ich kann mich nicht erinnern«, sagte sie. »Als Nächstes habe ich mich in einem Keller wiedergefunden.« Sie bedeckte ihr Gesicht mit den Händen und weinte hemmungslos. Ihr ganzer Körper wurde vom Kummer geschüttelt.

»Ist ja gut«, sagte Lena und legte eine Hand auf die der anderen Frau. »Möchten Sie, dass wir aufhören? Das dürfen Sie entscheiden.«

Wieder war nichts zu hören als Julias Atmen. Als sie sprach, flüsterte sie mit heiserer Stimme so leise, dass sie kaum zu verstehen war: »Er hat mich vergewaltigt.«

Lena spürte einen Kloß im Hals. Sie wusste das natürlich schon, aber die Art, wie Julia es sagte, beraubte Lena aller Abwehrmechanismen, die sie zur Verfügung hatte.

Lena fühlte sich ausgeliefert. Sie wollte nicht, dass Jeffrey sich im selben Raum befand, und irgendwie schien er das auch zu spüren. Als sie zu ihm hinübersah, nickte er in Richtung Tür. Lena formte die Lippen zu einem »Ja«, und er ging schweigend hinaus.

»Wissen Sie noch, was dann geschah?«, fragte Lena.

Julia sah sich suchend um.

»Er ist fort«, sagte Lena. Ihre Stimme klang sicherer, als sie sich fühlte. »Nur wir beide sind hier, Julia. Nur Sie und ich, und wir haben den ganzen Tag Zeit, wenn Sie wollen. Eine ganze Woche, ein ganzes Jahr.« Sie hielt inne aus Furcht, dass die junge Frau darin eine Ermutigung sehen könnte, die Befragung abzubrechen. »Vergessen Sie nur nicht: Je eher wir die Einzelheiten erfahren, desto schneller können wir ihn fassen. Sie wollen doch auch nicht, dass er das noch einer weiteren jungen Frau antut, oder?«

Diese Frage setzte ihr zu, wie Lena es erwartet hatte. Lena wusste nämlich, dass sie ziemlich bestimmt auftreten musste, weil die junge Frau sonst einfach dichtmachen und alle Einzelheiten für sich behalten würde.

Julia schluchzte, und diese Laute hallten Lena in den Ohren und schienen das Zimmer zu füllen.

Julia sagte: »Ich will nicht, dass einer anderen Frau dasselbe passiert.«

»Ich auch nicht«, bestätigte Lena. »Sie müssen mir erzählen, was er Ihnen angetan hat.« Nach einer Pause fragte sie: »Haben Sie sein Gesicht gesehen?«

»Nein«, antwortete sie. »Ich meine, das habe ich zwar, aber ich konnte nichts erkennen. Es war die ganze Zeit stockdunkel. Absolut kein Licht.«

»Sind Sie sicher, dass Sie in einem Keller waren?«

»So roch es«, sagte sie. »Modrig, und ich konnte hören, wie Wasser tropfte.«

»Wasser?«, fragte Lena. »Wie aus einem Hahn oder von einem Bach?«

»Ein Wasserhahn«, sagte Julia. »Es klang …« Sie schloss die Augen und schien sich für ein paar Sekunden wieder an jenen Ort zurückzuversetzen. »Wie ein metallisches Klicken.« Sie ahmte das Geräusch nach: »Klick, klick, klick, wieder und wieder. Es hörte nicht auf.« Sie hielt sich die Ohren zu.

»Kehren wir wieder zurück zum College«, sagte Lena. »Sie haben die Spritze in Ihrer Hüfte gespürt, und dann? Wissen Sie noch, was für einen Wagen er gefahren hat?«

Heftig schüttelte Julia den Kopf. »Ich kann mich nicht erinnern. Ich habe meine Bücher zusammengesammelt, und ich weiß nur, ich war, ich war …« Sie unterbrach sich.

»In dem Keller?«, legte Lena ihr nahe. »Fällt Ihnen irgendetwas dazu ein, wo Sie waren?«

»Es war dunkel.«

»Sie konnten gar nichts erkennen?«

»Ich bekam meine Augen nicht mehr auf. Es ging einfach nicht.« Sie sprach so leise, dass Lena sich sehr anstrengen musste, um sie zu verstehen. »Ich bin durch die Luft geflogen.«

»Geflogen?«

»Ich schwebte immer wieder in die Höhe, und dann kam ich mir vor wie auf dem Wasser. Ich konnte die Wellen vom Ozean hören.«

Lena atmete tief durch. »Hatte er Sie auf den Rücken gelegt?«

Bei dieser Frage entgleisten ihre Züge, und Schluchzer erschütterten ihren Körper.

»War er weiß? Schwarz? Konnten Sie es erkennen?«, fragte Lena.

Sie schüttelte wieder den Kopf. »Ich konnte ja die Augen nicht öffnen. Er hat auf mich eingeredet. Seine Stimme.« Ihre Lippen zitterten, und ihr Gesicht war besorgniserregend rot geworden. Die Tränen strömten ihr übers Gesicht. »Er hat gesagt, dass er mich liebt.« Sie rang nach Luft, wurde von Panik überwältigt. »Er hat mich immer wieder geküsst. Seine Zunge ...« Sie hörte zu reden auf und schluchzte nur noch.

Lena holte tief Luft, um sich zu beruhigen. Sie setzte der jungen Frau mit ihren Fragen zu sehr zu. Sie zählte langsam bis hundert und sagte dann: »Die Löcher in Ihren Händen. Wir wissen, dass er Ihre Hände und Füße durchbohrt hat.«

Julia betrachtete die Verbände, als sähe sie sie zum ersten Mal. »Ja«, sagte sie, »als ich aufgewacht bin, waren meine Hände festgenagelt. Ich konnte die Nägel sehen, aber es tat nicht weh.«

»Sie lagen auf dem Fußboden?«

»Ich glaube schon. Es kam mir vor, als würde ich« – sie suchte nach dem richtigen Wort – »in der Luft hängen. Ich flog. Wie hat er das geschafft? Bin ich wirklich geflogen?«

Lena räusperte sich. »Nein«, antwortete sie und begann wieder zu fragen: »Julia, fällt Ihnen irgendjemand ein, der vor Kurzem erst in Ihr Leben getreten ist, vielleicht jemand auf dem Campus oder in der Stadt, in dessen Gegenwart Sie sich unbehaglich gefühlt haben? Ist es Ihnen vielleicht so vorgekommen, als würden Sie beobachtet?«

»Ich werde noch immer beobachtet«, sagte sie und sah zum Fenster hinaus.

»Ich beobachte Sie«, sagte Lena und drehte den Kopf der jungen Frau wieder zu sich. »Und ich passe auf Sie auf, Julia. Niemand wird Ihnen noch mal etwas zuleide tun. Verstehen Sie? Niemand.«

»Ich fühle mich aber nicht sicher«, sagte sie, verlor wieder die Fassung und begann zu weinen. »Er kann mich sehen. Ich weiß, dass er mich sehen kann.«

»Außer Ihnen und mir ist niemand hier«, versicherte ihr Lena. Es kam ihr vor, als spräche sie zu Sibyl, als versicherte sie ihrer Schwester, dass sie sich um sie kümmern würde. »Wenn Sie nach Augusta müssen, werde ich Sie begleiten. Ich werde Sie nicht aus den Augen lassen. Verstehen Sie?«

Trotz Lenas Versprechen wirkte Julia nur noch verängstigter. Mit krächzender Stimme fragte sie: »Warum muss ich nach Augusta?«

»Das weiß ich auch nicht genau«, antwortete Lena und griff nach dem Wasserkrug. »Aber machen Sie sich deswegen jetzt keine Sorgen.«

»Wer will mich denn nach Augusta schicken?«, fragte Julia. Ihre Lippen bebten.

»Trinken Sie noch einen Schluck Wasser«, forderte Lena sie auf und hielt ihr den Becher an die Lippen. »Ihre Eltern werden bald hier sein. Machen Sie sich keine Gedanken, sondern achten Sie nur auf sich, damit es Ihnen bald wieder besser geht.«

Die junge Frau würgte, und Wasser lief ihr den Hals hinab und aufs Bett. Panisch riss sie die Augen auf. »Warum verlegen Sie mich?«, fragte sie. »Was wird mit mir geschehen?«

»Wir werden Sie nicht verlegen, wenn Sie das nicht wollen«, sagte Lena. »Ich spreche mit Ihren Eltern.«

»Mit meinen Eltern?«

»Sie müssten bald hier sein«, versicherte Lena. »Es ist alles in Ordnung.«

»Wissen sie Bescheid?«, fragte Julia mit lauterer Stimme. »Hat man ihnen erzählt, was mit mir passiert ist?«

»Ich weiß es nicht«, antwortete Lena. »Ich kann nicht sagen, ob sie Einzelheiten kennen.«

»Meinem Daddy dürfen Sie es nicht sagen«, schluchzte die junge Frau. »Niemand darf es meinem Vater sagen, okay? Er darf niemals erfahren, was geschehen ist.«

»Sie haben doch gar nichts getan«, sagte Lena. »Julia, ihr Dad wird ihnen das doch nicht zum Vorwurf machen, was geschehen ist.«

Julia schwieg. Nach einer Weile sah sie wieder zum Fenster hinaus. Tränen kullerten ihr übers Gesicht.

»Ist ja gut«, sagte Lena beschwichtigend. Sie zog ein Papiertaschentuch aus der Schachtel auf dem Tisch und tupfte das Wasser vom Kopfkissen. Was diese junge Frau jetzt am Allerwenigsten brauchte, war die Furcht vor der Reaktion ihres Vaters auf das, was ihr widerfahren war. Lena hatte schon früher Vergewaltigungsopfer betreut und mit ihnen gearbeitet. Sie wusste, wie es mit der Schuldzuweisung funktionierte. Nur sehr selten gab das Opfer jemand anderem die Schuld als sich selbst.

Lena hörte ein eigenartiges Geräusch, das ihr irgendwie bekannt vorkam. Zu spät merkte sie, dass es von ihrer Waffe verursacht worden war.

»Gehen Sie weg«, flüsterte Julia. Sie hielt die Waffe unbeholfen in ihren verbundenen Händen. Die Mündung neigte sich in Lenas Richtung und zeigte dann wieder auf Julia, als diese versuchte, die Waffe besser in den Griff zu bekommen. Lena sah zur Tür und dachte daran, Jeffrey zu rufen, aber Julia warnte sie: »Nicht.«

Lena streckte die Arme seitlich von sich, ging aber keinen Schritt zurück. Sie wusste, dass die Waffe gesichert war, aber sie wusste auch, dass die junge Frau sie in Sekundenschnelle entsichern konnte. Lena sagte: »Geben Sie mir die Waffe.«

»Sie verstehen nicht«, entgegnete die junge Frau mit Tränen in den Augen. »Sie verstehen nicht, was er mir angetan hat, wie er …« Sie unterbrach sich und schluchzte. Sie hielt die Waffe nicht besonders fest in der Hand, aber der Lauf war auf Lena gerichtet, und einen Finger hatte sie am Abzug. Lena spürte, wie ihr der kalte Schweiß ausbrach, und auf einmal konnte sie nicht mehr mit Gewissheit sagen, ob die Waffe gesichert war oder nicht. Mit Bestimmtheit konnte sie jedoch sagen, dass bereits eine Patrone in der Kammer war. Wenn sie entsichert war, genügte ein leichter Druck auf den Abzug, und der Schuss ging los.

Lena gab sich alle Mühe, besonnen zu klingen. »Was denn, Mädchen? Was verstehe ich nicht?«

Julia richtete die Waffe jetzt auf ihren Kopf. Sie hantierte sehr ungeschickt damit und hätte sie beinahe fallen lassen.

»Tun Sie das nicht«, bat Lena inständig. »Bitte geben Sie mir die Waffe. In der Kammer ist eine Patrone.«

»Ich kenne mich mit Waffen aus.«

»Julia, bitte«, sagte Lena. Sie musste die junge Frau zum Weiterreden bringen. »Hören Sie mir zu.«

Ein Lächeln trat auf ihre Lippen. »Mein Daddy hat mich immer zur Jagd mitgenommen. Und ich durfte auch helfen, die Gewehre zu reinigen.«

»Julia …«

»Als ich dort war.« Sie unterdrückte ein Schluchzen. »Als ich mit ihm zusammen war.«

»Mit dem Mann. Mit dem Mann, der Sie gewaltsam entführt hat?«

»Sie wissen ja gar nicht, was er getan hat«, sagte sie, und die Wörter blieben ihr beinahe im Hals stecken. »Das, was er mit mir gemacht hat. Ich kann Ihnen das nicht sagen.«

»Es tut mir so leid«, sagte Lena. Sie wollte nach vorn gehen, aber in Julia Matthews' Blick lag etwas, das sie wie angewurzelt stehen bleiben ließ. Sich auf die junge Frau zuzubewegen, kam absolut nicht infrage.

Lena sagte: »Ich werde es nicht zulassen, dass er Ihnen noch mal wehtut, Julia. Das verspreche ich.«

»Sie verstehen nicht«, schluchzte die junge Frau und schob die Waffe langsam bis zur Unterlippe. Sie vermochte die Waffe kaum zu halten, aber Lena wusste, dass dies ohne Bedeutung war.

»Bitte tun Sie das nicht«, sagte Lena und ließ den Blick zur Tür wandern.

Jeffrey befand sich auf der anderen Seite im Flur, und vielleicht konnte sie ihn irgendwie alarmieren, ohne dass Julia es bemerkte.

»Machen Sie das nicht«, sagte Julia, als könne sie Lenas Gedanken lesen.

»Sie müssen es nicht tun«, sagte Lena. Sie gab sich alle Mühe, mit fester Stimme zu sprechen, aber in Wahrheit hatte sie von dieser Situation bisher nur in Handbüchern gelesen. Sie hatte noch nie jemandem ausgeredet, sich umzubringen.

Julia sagte: »Wie er mich angefasst hat. Wie er mich geküsst hat.« Ihre Stimme versagte. »Sie wissen es einfach nicht.«

»Was?«, fragte Lena. Langsam bewegte sie die Hand auf die Waffe zu. »Was weiß ich nicht?«

»Er …« Sie hielt inne und gab einen kehligen Laut von sich. »Er hat die Liebe mit mir gemacht.«

»Er …«

»Er hat die Liebe mit mir gemacht«, wiederholte sie. »Wissen Sie, was das bedeutet?«, fragte sie. »Er hat immer wieder gesagt, dass er mir nicht wehtun wollte. Dass er nur mit mir die Liebe machen will. Das hat er dann auch getan.«

Lena sah, dass sie die Lippen bewegte, aber sie konnte nicht hören, was sie zu hören glaubte. »Was sagen Sie da?«, fragte sie ungeduldig. »Was meinen Sie denn damit?«

»Er hat mit mir die Liebe gemacht«, wiederholte Julia. »Die Art, wie er mich berührt hat.«

Lena schüttelte den Kopf, als wollte sie diese Worte nicht wahrhaben. Sie konnte kaum verhehlen, wie fassungslos sie war, als sie fragte: »Wollen Sie damit sagen, dass Sie Gefallen daran fanden?«

Mit einem Schnappen entsicherte Julia die Waffe. Lena war vor Schreck wie erstarrt, aber sie erwiderte Julias Blick, Sekunden bevor die junge Frau auf den Abzug drückte. Lena schaute zur Seite und sah Julia Matthews' Kopf explodieren.

Die Wasserstrahlen der Dusche schmerzten wie Nadelstiche auf Lenas Haut. Sie spürte den brennenden Schmerz, aber er war ihr nicht unangenehm. Sie war völlig empfindungslos, wie abgestorben. Ihre Knie gaben nach, und Lena ließ sich in die Wanne rutschen. Sie zog die Knie an die Brust und schloss die Augen. Das Wasser prasselte auf ihr Gesicht. Sie ließ den Kopf sinken, fühlte sich wie eine kraftlose Puppe. Das Wasser drosch auf ihren Schädel, brannte auf ihrem Nacken, aber sie ließ es einfach geschehen. Ihr Körper war ihr fremd. Sie war leer. Nichts war in ihrem Leben noch von Bedeutung, weder ihr Job noch Jeffrey, nicht Hank Norton und ganz gewiss nicht sie selbst.

Julia Matthews war tot, ebenso wie Sibyl. Lena hatte sie beide im Stich gelassen.

Das Wasser wurde langsam kalt. Lena stellte die Dusche ab und trocknete sich ab. Sie war nicht bei der Sache, und sie kam sich noch immer schmutzig vor, obwohl sie in den vergangenen fünf Stunden zweimal geduscht hatte. Außerdem hatte sie einen seltsamen Geschmack im Mund. Lena war sich nicht sicher, ob das nur Einbildung war oder ob ihr tatsächlich etwas in den Mund geflogen war, als Julia abgedrückt hatte.

Bei dem Gedanken daran erschauerte sie.

»Lee?«, rief Hank vor der Badezimmertür.

»Bin in einer Minute unten«, antwortete Lena und drückte Zahnpasta auf die Zahnbürste. Sie betrachtete sich im Spiegel, während sie versuchte, sich den Geschmack aus dem Mund zu bürsten. Die Ähnlichkeit mit Sibyl war heute verschwunden. Von ihrer Schwester war nichts mehr übrig.

Lena ging in Hausmantel und Pantoffeln hinunter in die Küche. Vor der Küchentür stützte sie sich mit der Hand an der Wand ab, weil ihr schwindlig und übel war. Sie zwang ihren Körper, sich zu bewegen. Ihr Körper sehnte sich danach einzuschlafen, ganz aufzugeben, aber Lena wusste, dass sie Julia Matthews vor sich sehen würde, sobald ihr Kopf auf das

Kissen sank. Julia Matthews, kurz bevor sie sich umgebracht hatte. Die junge Frau hatte Lena angesehen, als sie abdrückte. Ihre Blicke hatten sich getroffen.

Hank saß am Küchentisch und trank eine Coke. Er stand auf, als sie eintrat. Lena vermied es, ihm in die Augen zu sehen. Als Frank sie nach Hause gefahren hatte, war sie im Auto noch stark geblieben. Sie hatte kein Wort zu ihm gesagt und sich auch nicht dazu geäußert, dass trotz aller Bemühungen, sich im Krankenhaus zu waschen, noch Spuren grauer Hirnmasse und Blutreste wie erkaltetes Wachs an ihr klebten. In ihrer Brusttasche fanden sich Knochensplitter, und sie fühlte Blut an Gesicht und Hals herunterrinnen, obwohl sie es im Krankenhaus abgewischt hatte. Erst als sie die Eingangstür hinter sich geschlossen hatte, war Lena in der Lage gewesen, sich gehenzulassen. Dass Hank da gewesen war, dass sie zugelassen hatte, in seinen Armen zu schluchzen, war etwas, dessen sie sich noch immer schämte. Sie erkannte sich einfach nicht mehr wieder. Sie wusste nicht mehr, wer diese schwache Frau war.

Lena blickte aus dem Fenster und bemerkte: »Es ist dunkel draußen.«

»Du hast auch eine Weile geschlafen«, sagte Hank und ging zum Herd. »Möchtest du vielleicht einen Tee?«

»Ja«, sagte Lena, obwohl sie gar nicht geschlafen hatte. Wenn sie die Augen schloss, fühlte sie sich wieder zurückversetzt zu dem, was geschehen war. Lenas einzige Rettung bestand darin, nie wieder zu schlafen.

»Dein Boss hat angerufen und sich nach dir erkundigt«, sagte Hank.

Lena, die sich an den Tisch gesetzt und ein Bein untergeschlagen hatte, reagierte nur mit einem »Oh«. Sie fragte sich, was Jeffrey wohl durch den Kopf gehen mochte. Er hatte auf dem Krankenhausflur darauf gewartet, dass Lena ihn hereinrief, als der Schuss losgegangen war. Lena erinnerte sich an seinen schockierten Gesichtsausdruck, als er zur Tür hereingestürmt war. Lena hatte über Julia gebeugt dagestanden, mit Fleischfetzen und Knochensplittern auf Brust und Gesicht. Jeffrey hatte sie aus dieser Stellung aufgerichtet, hatte geprüft, dass sie nicht angeschossen worden war.

Lena hatte sich alles schweigend gefallen lassen und nicht vermocht, den Blick von dem zu lösen, was von Julia Matthews' Gesicht übrig geblieben war. Die junge Frau hatte die Waffe unter dem Kinn angesetzt und sich den ganzen Hinterkopf weggeschossen. Die Wand hinter dem Bett und die Zimmerdecke darüber waren bespritzt. Knapp einen Meter unterhalb der Zimmerdecke befand sich das Einschussloch. Jeffrey hatte Lena gezwungen, in diesem Zimmer zu bleiben, um auch die letzte Einzelheit von Julia Matthews' Bericht zu erfahren. Immer wieder hatte er nachgehakt, obwohl Lena mit zitternden Lippen dagestanden und kaum in der Lage gewesen war, den eigenen Worten zu folgen.

Lena stützte den Kopf in die Hände. Sie hörte, wie Hank den Kessel füllte und der Gasherd mit dem Klicken des elektrischen Zünders ansprang.

Hank setzte sich ihr gegenüber und faltete die Hände. »Bist du okay?«, fragte er.

»Ich weiß nicht«, antwortete sie. Es hörte sich an, als käme ihre Stimme aus weiter Ferne. Die Waffe war nicht weit von ihrem Ohr losgegangen. Das Klingen im Ohr hatte zwar schon vor einer Weile aufgehört, aber alle Geräusche klangen noch immer wie ein dumpfer Schmerz.

»Weißt du, was ich glaube?«, fragte Hank und lehnte sich auf seinem Stuhl nach hinten. »Erinnerst du dich noch, wie du vorn von der Veranda gefallen bist?«

Lena starrte ihn an, ohne zu begreifen, worauf er hinauswollte. »Ja, und?«

»Na ja.« Er zuckte die Achseln und lächelte unergründlich. »Sibyl hat dich geschubst.«

Lena bezweifelte, dass sie ihn richtig verstanden hatte. »Was?«

»Sie hat dich geschubst. Ich hab's gesehen«, versicherte er.

»Sie hat mich von der Veranda gestoßen?« Lena schüttelte den Kopf. »Nein, sie hat versucht, mich vor dem Fallen zu bewahren.«

»Sie war blind, Lee. Wie hätte sie wissen sollen, dass du fallen würdest?«

Lena knirschte mit den Zähnen. Er hatte ja nicht so unrecht. »Mein Bein musste mit sechzehn Stichen genäht werden.«

»Ich weiß.«

»Sie hat mich geschubst?«, fragte Lena mit einer um zwei Oktaven höheren Stimme. »Und warum sollte sie so etwas tun?«

»Ich weiß nicht. Vielleicht nur so zum Spaß.« Hank lachte in sich hinein. »Du hast so laut gebrüllt, dass ich schon dachte, die Nachbarn würden kommen.«

»Ich bezweifle, dass die Nachbarn auf einen Salut von einundzwanzig Schuss reagiert hätten«, konnte Lena dazu nur sagen. Hank Nortons Nachbarn waren seit Langem daran gewöhnt, dass in seinem Haus Tag und Nacht allerhand Remmidemmi herrschte.

»Erinnerst du dich noch an damals am Strand?«, hob Hank an.

Lena sah ihn durchdringend an. Sie hätte zu gern gewusst, wieso er davon anfing. »Wann denn?«

»Als du dein Schwimmbrett nicht finden konntest?«

»Das Rote?«, fragte Lena. Und fügte hinzu: »Sag bloß, sie hat es vom Balkon geschubst.«

Er lachte. »Nein. Sie hat es im Pool verloren.«

»Wie kann man ein Schwimmbrett in einem Pool verlieren?«

Er winkte ab. »Irgendein Kind wird es mitgenommen haben. Es geht aber darum, dass es deins war. Du hast sie ermahnt, es nicht zu nehmen, aber sie tat es trotzdem und hat es verloren.«

Lena spürte, dass ihr unwillkürlich ein Teil der Last von ihren Schultern fiel. »Warum erzählst du mir das alles?«, fragte sie.

Wieder zuckte er nur andeutungsweise die Achseln. »Ich weiß auch nicht. Ich habe nur heute Morgen an sie denken müssen. Erinnerst du dich noch an das Hemd, das sie immer getragen hat? Das mit den grünen Streifen?«

Lena nickte.

»Sie hatte es immer noch.«

»Nein«, sagte Lena ungläubig. Sie hatten sich in der High-school wegen des Hemds gestritten, bis Hank eine Münze geworfen hatte. »Warum hat sie es behalten?«

»Es war ihrs«, sagte Hank.

Lena wusste nicht, was sie sagen sollte, und starrte ihren Onkel an.

Er stand auf und nahm einen Becher aus dem Schrank.

»Möchtest du eine Zeit lang allein sein, oder soll ich bei dir bleiben?«

Lena überlegte. Sie musste allein sein, um wieder zu sich zu finden. Das konnte sie nicht, wenn ausgerechnet Hank in der Nähe war. »Fährst du nach Reece zurück?«

»Ich dachte, ich bleibe über Nacht bei Nan und helfe ihr dabei, ein paar Sachen zu ordnen.«

Lena spürte leichte Panik. »Sie wird doch nichts wegwerfen, oder?«

»Nein, natürlich nicht. Sie geht nur die Sachen durch, räumt ihre Kleidung zusammen.« Hank lehnte sich mit verschränkten Armen an die Frühstückstheke. »Dabei sollte man sie nicht allein lassen.«

Lena schaute gebannt auf ihre Hände. Da war etwas unter den Fingernägeln. Sie vermochte nicht zu sagen, ob es Blut war oder Schmutz. Sie steckte einen Finger in den Mund, um den Nagel zu säubern.

Hank sah ihr dabei zu. Er sagte: »Du kannst ja später vorbeikommen, wenn dir danach sein sollte.«

Lena schüttelte den Kopf und biss auf den Fingernagel. Sie würde ihn sich lieber ausreißen, als zu ertragen, dass das Blut dortblieb. »Ich muss morgen sehr früh aufstehen und zur Arbeit«, log sie.

»Wenn du es dir anders überlegen solltest …«

»Vielleicht«, murmelte sie. Sie schmeckte Blut und war überrascht, als sie sah, dass es ihr eigenes war. Die Nagelhaut hatte sich gelöst, und ein hellroter Fleck breitete sich an der Stelle aus.

Hank stand auf, sah sie an und griff nach seiner Jacke auf der Stuhllehne. Sie hatten eine solche Situation bereits oft erlebt, wenn auch zugegebenermaßen nicht von dieser Intensität. Es war ein altes, ihnen wohlvertrautes Ritual, und beide kannten den Ablauf. Hank ging einen Schritt vor, Lena machte zwei Schritte zurück. Jetzt war nicht der Zeitpunkt, das Ritual zu verändern.

Er sagte: »Du kannst mich anrufen, wenn du mich brauchst. Das weißt du doch, oder?«

»Mhm-hm«, flüsterte sie zwischen zusammengepressten Lippen. Sie war kurz davor, wieder in Tränen auszubrechen, aber sie wusste auch, dass sie ihre Selbstachtung ganz verlor, wenn sie noch einmal vor Hanks Augen zusammenbrach.

Er schien das zu ahnen, denn er legte ihr die Hand auf die Schulter und küsste ihren Scheitel.

Lena hielt den Kopf gesenkt und wartete darauf, dass die Haustür ins Schloss fiel. Sie seufzte tief und anhaltend, als sie hörte, wie Hanks Wagen in der Auffahrt zurücksetzte.

Aus dem Kessel dampfte es, er hatte aber noch nicht zu pfeifen begonnen. Lena mochte Tee nicht besonders, aber sie kramte dennoch in den Schränken, um einen Beutel zu finden. Sie stöberte einen ganzen Karton mit Pfefferminztee auf, als an die Hintertür geklopft wurde.

Sie rechnete mit Hank und war überrascht, als sie die Tür öffnete.

»Oh, hallo«, sagte sie und rieb sich das Ohr, als ein schrilles Pfeifen ertönte. Ihr wurde klar, dass das der Teekessel sein musste, und sie sagte: »Einen Moment …«

Sie stellte die Gasflamme ab, als sie jemanden hinter sich spürte, dann fühlte sie einen stechenden Schmerz im linken Oberschenkel.

17

Sara stand neben der Leiche von Julia Matthews, die Arme vor der Brust verschränkt. Aufmerksam betrachtete sie die junge Frau, versuchte sie aus klinischer Sicht einzuschätzen und zudem die Frau, deren Leben Sara gerettet hatte, von der toten Frau vor ihr auf dem Tisch zu trennen. Der Schnitt, den Sara gemacht hatte, um an Julias Herz zu gelangen, war noch nicht verheilt, und der Faden war mit schwarzem Blut verkrustet. Ein kleines Loch befand sich unter dem Kinn der Frau. Versengte Haut um die Eintrittswunde herum zeugte davon, dass der Lauf der Waffe gegen das Kinn gepresst worden war, als sie abgefeuert wurde. Ein klaffendes Loch am Hinterkopf verriet die Stelle, wo die Kugel ausgetreten war. Wie makabrer Schmuck an einem blutigen Weihnachtsbaum hingen Knochensplitter aus dem offenen Schädel herab.

Die Leiche von Julia Matthews lag auf dem Autopsietisch aus Keramik fast so, wie Sibyl Adams vor ein paar Tagen dort gelegen hatte. Am Kopf des Tisches befand sich ein Wasserhahn, an dem ein schwarzer Gummischlauch angebracht war. Darüber hing eine Organwaage, die sich nicht sonderlich von jenen Waagen unterschied, mit denen Händler Obst und Gemüse abwiegen. Neben dem Tisch lag das Handwerkszeug für eine Autopsie aufgereiht: Ein Skalpell, ein ungefähr fünfunddreißig Zentimeter langes Parenchymmesser mit speziell geschärfter Klinge, eine ebenso geschärfte Schere, eine Pinzette, auch »Schnapper« genannt, eine Knochensäge und eine Rippenschere, eine Art Rosenschere mit langen Griffen, wie man sie normalerweise in der Garage neben dem Rasenmäher findet. Cathy Linton besaß eine ähnliche Schere, und immer, wenn Sara ihre Mutter beim Beschneiden der Azaleen sah, musste sie daran denken, wie sie die Schere im Leichenschauhaus benutzte, um den Brustkorb aufzuschneiden.

Fast automatisch bereitete sie schrittweise die Leiche von Julia Matthews zur Autopsie vor. Mit den Gedanken war sie woanders, dachte an den Abend, als Julia Matthews auf Saras Wagen gelegen hatte, als die junge Frau noch am Leben gewesen war und eine Chance gehabt hatte.

Sara hatte bis jetzt nie Schwierigkeiten damit gehabt, eine Autopsie durchzuführen. Der Tod hatte sie nie aus dem Gleichgewicht gebracht. Eine Leiche zu öffnen war, wie ein Buch aufzuschlagen; aus Gewebe und Organen gab es so viel zu erfahren. Im Tod stand der Körper für eine gründliche Beurteilung zur Verfügung. Zum Teil hatte Sara die Arbeit als Leichenbeschauerin für Grant County auch deswegen angenommen, weil sie sich bei der Arbeit in der Klinik zu langweilen begann. Die Arbeit als Coroner bot eine Herausforderung, die Gelegenheit, neue Fähigkeiten zu erwerben und Menschen zu helfen. Doch der Gedanke, Julia Matthews aufschneiden zu müssen und so ihren Körper noch mehr zu misshandeln, versetzte Sara einen Stich ins Herz.

Wieder betrachtete Sara das, was von Julia Matthews' Kopf geblieben war. Die Wirkung von Kopfschüssen war kaum je vorherzusehen. Meistens versanken die Opfer im Koma und vegetierten dann dank der Wunder moderner Wissenschaft den Rest ihres Lebens dahin. Julia Matthews hatte ihre Sache besser gemacht als die meisten Selbstmörder, als sie die Waffe unter dem Kinn angesetzt und den Abzug betätigt hatte. Das Geschoss war auf einer aufwärts gerichteten Bahn in ihren Schädel eingetreten, hatte das Keilbein zerbrochen, war an der lateralen zerebralen Spalte entlanggepflügt und dann durch das Hinterhauptbein ausgetreten. Der Hinterkopf war weggesprengt, sodass man direkt in den Hirnkasten sehen konnte. Anders als bei ihrem früheren Selbstmordversuch, von dem die Narben an ihren Handgelenken Zeugnis ablegten, war Julia Matthews diesmal fest entschlossen gewesen, ihr Leben zu beenden. Fraglos hatte die junge Frau sehr genau gewusst, was sie tat.

Sara war flau im Magen. Am liebsten hätte sie die junge Frau ins Leben zurückgeschüttelt, von ihr verlangt, weiterzuleben, sie gefragt, wie sie all das hatte durchstehen können, was ihr in den vergangenen Tagen widerfahren war, um sich dann das Leben zu nehmen. Es schien, als hätten die Gräuel, die Julia Matthews überlebt hatte, sie am Ende auch umgebracht.

»Alles okay mit dir?«, fragte Jeffrey. Er sah sie besorgt an.

»Ja«, brachte Sara mit Mühe heraus. Sie fragte sich, ob das stimmte. Sie hatte das Gefühl, wie eine offene Wunde zu sein, die nicht verschorfen wollte. Sara wusste, wenn Jeffrey jetzt einen Annäherungsversuch unternahm, würde sie darauf eingehen. Sie konnte an nichts anderes denken als daran, wie gut es tun würde, sich von ihm in die Arme nehmen zu lassen, seine Lippen auf den ihren zu spüren, seine Zunge in ihrem Mund. Ihr Körper verlangte schmerzlich nach ihm, wie es ihn seit Jahren nicht mehr nach ihm verlangt hatte. Es war nicht Sex, was sie sich wünschte, sie brauchte einfach nur die Bestätigung, dass er da war. Sie wollte sich beschützt fühlen. Sie wollte zu ihm gehören. Sara hatte vor langer Zeit erfahren, dass Jeffrey keine andere Möglichkeit kannte, als ihr durch Sex diese Gefühle zu vermitteln.

Von der anderen Seite des Tisches fragte Jeffrey: »Sara?«

Sie öffnete den Mund und wollte ihm einen entsprechenden Antrag machen, aber hielt sich doch noch zurück. So viel war in den vergangenen paar Jahren geschehen. So viel hatte sich verändert. Der Mann, den sie wollte, existierte eigentlich gar nicht mehr. Sara war nicht einmal davon überzeugt, dass es ihn je gegeben hatte.

Sie räusperte sich. »Ja?«

»Möchtest du das hier aufschieben?«, fragte er.

»Nein«, antwortete Sara schroff. Insgeheim schalt sie sich dafür, dass sie Jeffrey brauchte. In Wahrheit tat sie das nämlich nicht. Sie war ohne ihn so weit gekommen, und ganz gewiss konnte sie auch noch weiterkommen.

Sie tippte mit dem Fuß auf die Fernbedienung des Diktiergeräts und sagte: »Vor mir liegt die nicht balsamierte Leiche einer schlanken, aber gut gebauten und gut ernährten, jungen, erwachsenen weißen Frau mit einem Gewicht von« – Sara blickte über Jeffreys Schulter zur Tafel, auf der sie einige Notizen gemacht hatte – »einhundertundzwölf Pfund und einer Größe von einem Meter zweiundsechzig.« Sie stellte das Aufnahmegerät aus und atmete tief durch, um wieder einen klaren Kopf zu bekommen. Sie bekam nur schwer Luft.

»Sara?«

Sie schaltete das Gerät wieder ein und wandte sich kopfschüttelnd Jeffrey zu. Dass sie sich noch vor ein paar Minuten

Mitgefühl von ihm gewünscht hatte, bereitete ihr jetzt Unbehagen. Es kam ihr vor, als hätte sie sich eine Blöße gegeben.

Sie diktierte: »Das Erscheinungsbild der Verstorbenen entspricht dem angegebenen Alter von zweiundzwanzig. Die Leiche ist für einen Zeitraum von nicht weniger als drei Stunden gekühlt worden und fühlt sich noch immer kalt an.« Sara hielt inne und räusperte sich wieder. »Totenstarre ist in den oberen und unteren Extremitäten eingetreten, und Totenflecke sind auf der hinteren Seite der Leiche an Rumpf und Extremitäten zu sehen, außer an den abhängigen, nicht aufliegenden Körperpartien.«

Und so ging sie weiter, diese klinische Beschreibung einer Frau, die vor ein paar Stunden noch am Leben gewesen war, wenn auch übel zugerichtet, und die vor Wochen noch zufrieden, wenn nicht gar glücklich gewesen war. Sara listete die Merkmale von Julia Matthews' äußerer Erscheinung auf und stellte sich dabei vor, was die Frau durchgemacht haben musste. War sie wach, als der Sexualverbrecher ihr die Zähne herausgebrochen hatte, um sie oral zu vergewaltigen? War sie bei Bewusstsein, als ihr das Rektum aufgerissen wurde? Hatten die Drogen ihr Schmerzempfinden gedämpft, als sie an den Fußboden genagelt worden war? Eine Autopsie konnte nur die physischen Verletzungen aufdecken; die geistige Wahrnehmung der jungen Frau im Augenblick des Verbrechens würde für immer ein Rätsel bleiben. Niemand würde je wissen, was sie gedacht hatte, als sie überfallen wurde. Niemand würde je genau das sehen, was die junge Frau gesehen hatte. Sara vermochte nur zu raten, und die Bilder, die sie damit heraufbeschwor, gefielen ihr ganz und gar nicht. Wieder sah sie sich selbst auf einer Krankentrage. Wieder sah sie sich als Subjekt einer Untersuchung.

Sara zwang sich, den Blick von der Leiche zu lösen. Sie fühlte sich zittrig und fehl am Platze. Jeffrey schaute sie durchdringend an. Sein Gesichtsausdruck war eigenartig. »Was?«, fragte sie.

Er schüttelte den Kopf, aber ließ sie nicht aus den Augen.

»Mir wäre es lieb«, begann Sara, hielt inne und schluckte den Kloß herunter, den sie im Hals verspürt hatte. »Mir wäre es sehr lieb, wenn du mich nicht so ansehen würdest, okay?« Sie wartete, aber er ging nicht auf ihren Wunsch ein.

Stattdessen fragte er: »Wie sehe ich dich denn an?«

»Beutegierig«, antwortete sie, doch das stimmte nicht ganz. Er sah sie so an, wie sie es sich wünschte. Verantwortungsbewusstsein lag in seinem Blick, als wünsche er sich nichts mehr, als die Sache in die Hand zu nehmen und alles zum Guten zu wenden. Sie hasste sich für diesen Wunsch.

»Das ist keine Absicht«, sagte er.

Sie zog die Gummihandschuhe aus. »Okay.«

»Ich mache mir Sorgen um dich, Sara. Ich möchte, dass du mit mir darüber sprichst, was los ist.«

Sara ging zum Vorratsschrank, weil sie dieses Gespräch nicht direkt neben Julia Matthews' Leiche führen wollte. »Darauf hast du keinen Anspruch mehr. Und erinnerst du dich noch, warum das so ist?«

Wenn sie ihn geschlagen hätte, wäre seine Miene dieselbe gewesen. »Ich habe nie aufgehört, etwas für dich zu empfinden.«

Sie schluckte schwer, bemüht, diese Worte nicht an sich herankommen zu lassen. »Danke.«

»Manchmal«, hob er an, »wenn ich morgens aufwache, habe ich ganz vergessen, dass du nicht mehr da bist. Ich habe vergessen, dass ich dich verloren habe.«

»Ungefähr so, wie du auch mal vergessen hast, dass du mit mir verheiratet warst?«

Er trat auf sie zu, aber sie machte einen Schritt rückwärts, bis sie nur noch ein paar Zentimeter vom Schrank entfernt war. Er stand vor ihr, die Hände auf ihren Armen. »Ich liebe dich noch immer.«

»Das ist aber nicht genug.«

Er trat näher. »Und was ist genug?«

»Jeffrey«, sagte sie. »Bitte.«

Erst jetzt wich er zurück, und mit schroffer Stimme fragte er: »Und was meinst du?« Er bezog sich auf die Leiche. »Meinst du, du findest etwas?«

»Ich glaube, sie hat ihre Geheimnisse mit ins Grab genommen.«

Jeffrey sah sie erstaunt an. Normalerweise hatte Sara nicht gerade viel für Melodramatisches übrig. Sie gab sich Mühe, sich nichts anmerken zu lassen und mit der Situation professioneller umzugehen, aber das war emotional eine harte Probe.

Sara zwang sich, eine ruhige Hand zu bewahren, als sie bei der Leiche den Standard-Y-Schnitt machte. Das Geräusch, das entstand, als sie das Fleisch zur Seite klappte, machte ihren Vorsatz zunichte. Vielleicht half reden. »Wie halten sich denn ihre Eltern?«

Jeffrey sagte: »Du kannst dir gar nicht vorstellen, wie furchtbar es war, ihnen sagen zu müssen, dass ihre Tochter vergewaltigt worden war. Und dann dies.« Er deutete auf die Leiche. »Du kannst es dir wirklich nicht vorstellen.«

Wieder schweiften Saras Gedanken ab. Sie sah ihren Vater über ein Krankenhausbett gebeugt stehen und ihre Mutter, die ihn von hinten umarmte. Sekundenlang schloss sie die Augen und vertrieb das Bild. Sie würde das hier nicht bewerkstelligen können, wenn sie sich immer wieder in Julia Matthews' Situation versetzte.

»Sara?«, fragte Jeffrey.

Sara blickte auf. Überrascht stellte sie fest, dass sie die Autopsie unterbrochen hatte. Sie stand vor der Leiche, die Arme vor der Brust gekreuzt. Jeffrey wartete geduldig und verzichtete auf die naheliegende Frage.

Sara nahm das Skalpell zur Hand, machte sich wieder an die Arbeit und diktierte. »Die Leiche wurde mit dem üblichen Y-Schnitt geöffnet. Die Organe im Thoraxraum und im Abdomen befinden sich in der normalen anatomischen Position.«

Jeffrey fing wieder zu reden an, kaum dass sie aufgehört hatte. Erfreulicherweise wählte er diesmal ein anderes Thema. Er sagte: »Ich weiß nicht, was ich mit Lena machen soll.«

»Was meinst du?«, fragte Sara erleichtert und interessiert zugleich.

»Sie wird nicht besonders gut damit fertig«, sagte er. »Ich habe ihr vorgeschlagen, dass sie sich ein paar Tage freinehmen soll.«

»Und meinst du, das tut sie?«

»Könnte durchaus sein.«

Sara nahm die Schere und schnitt mit routinierten Bewegungen den Herzbeutel auf. »Und wo liegt dann das Problem?«

»Es steht mit ihr auf der Kippe. Das spüre ich. Ich weiß einfach nicht, was ich tun soll.« Er deutete auf Julia Matthews. »Ich möchte nämlich nicht, dass sie auch so endet.«

Sara betrachtete ihn forschend über den Rand ihrer Brille hinweg. Sie wusste nicht, ob er es mit billiger Amateurpsychologie versuchte und seine Sorge um Sara hinter vorgegebener Besorgnis um Lena verbarg oder ob er tatsächlich um einen Rat bat, wie er mit Lena umgehen sollte.

Sie gab ihm eine Antwort, die zu beiden Alternativen passte. »Lena Adams?« Sie schüttelte verneinend den Kopf und war sich dieser einen Sache ganz sicher. »Sie ist eine Kämpferin. Menschen wie Lena bringen sich nicht um. Sie töten andere, aber niemals sich selbst.«

»Ich weiß«, antwortete Jeffrey. Dann schwieg er, als Sara den Magen abklammerte und entfernte.

»Das wird jetzt unangenehm«, warnte sie ihn und legte den Magen in eine Abwurfschale aus rostfreiem Stahl. Jeffrey hatte schon viele Autopsien miterlebt, und nichts verströmte einen so beißenden Geruch wie der Verdauungstrakt.

»He.« Überrascht davon, was sie sah, hielt Sara inne. »Sieh dir das hier an.«

»Was ist das denn?«

Sie rückte etwas zur Seite, damit er den Mageninhalt sehen konnte. Der war schwarz und flüssig. Daher benutzte sie ein Sieb, um den Inhalt zu filtern.

»Was ist das?«, wiederholte er.

»Ich weiß nicht. Vielleicht irgendwelche Samen«, sagte sie und nahm einen davon mit der Pinzette heraus. »Ich denke, wir sollten Mark Webster anrufen.«

»Hier«, sagte er und hielt ihr einen Beutel für Beweismittel hin. Sie ließ den Samen in den Beutel fallen. »Meinst du, er will erwischt werden?«

»Sie wollen doch alle erwischt werden, oder?«, entgegnete er. »Bedenke doch nur, beide Opfer zur Schau gestellt. Beide an halbwegs öffentlichen Orten. Er kostet das Risiko voll aus.«

»Ja«, stimmte sie zu und zwang sich, nicht mehr zu sagen. Sie wollte nicht auf die grässlichen Details der Fälle eingehen. Sie wollte nur ihre Arbeit tun und dann von dort, aus Jeffreys Gegenwart, verschwinden.

Jeffrey hingegen schien das Gegenteil vorzuhaben. Er fragte: »Die Samen haben eine starke Wirkung, stimmt's?«

Sara nickte.

»Glaubst du also, er hat dafür gesorgt, dass sie nicht zurechnungsfähig war, während er sie vergewaltigt hat?«

»Ich habe nicht die geringste Ahnung«, antwortete sie wahrheitsgemäß.

Er hielt inne, als wüsste er nicht, wie er den nächsten Satz formulieren sollte.

»Was ist?«, hakte sie nach.

»Lena«, sagte er. »Ich meine, Julia hat Lena erzählt, dass es ihr gefallen hat.«

Sara merkte, dass sie unwillkürlich die Stirn runzelte. »Was?«

»Nicht, dass es ihr wirklich gefiel, aber dass er die Liebe mit ihr gemacht hat.«

»Er hat ihr die Zähne ausgeschlagen und ihr das Rektum aufgerissen. Wie konnte sie das als Liebemachen bezeichnen?«

Er zuckte die Achseln, fügte jedoch hinzu: »Vielleicht hat er sie derart unter Drogen gesetzt, dass sie nichts gespürt hat. Vielleicht wusste sie gar nicht, wie ihr geschah, bis es vorbei war.«

Sara überlegte. »Wäre möglich«, sagte sie. Ihr war unwohl bei dem Gedanken.

»Jedenfalls hat sie das gesagt«, beharrte er.

Bis auf das surrende Geräusch der Kühlanlage war es still im Raum. Sara machte sich wieder an die Autopsie und trennte mit Hilfe von Klemmen Dünndarm von Dickdarm. Die Gedärme lagen schlaff in ihren Händen, wie nasse Nudeln, als sie sie aus der Bauchhöhle hob. Während der letzten paar Tage ihres Lebens hatte Julia Matthews so gut wie keine feste Nahrung zu sich genommen. Ihr Verdauungstrakt war relativ leer.

»Sehen wir uns das mal an«, sagte Sara und legte die Eingeweide auf die Organwaage. Ein metallisches Klicken ertönte, als sei ein Penny in eine Blechdose gefallen.

»Was war das?«, fragte Jeffrey.

Sara antwortete nicht. Sie nahm die Eingeweide wieder in die Hand und ließ sie nochmals auf die Waage fallen. Dasselbe Geräusch war zu hören, eine blecherne Vibration auf der Waagschale. »Irgendwas ist da drin«, murmelte Sara und ging zum Lichtkasten an der Wand hinüber. Mit dem Ellbogen schaltete sie das Licht ein, das die Röntgenaufnahmen von Julia Matthews beleuchtete. Die Bilder vom Abdomen hingen in der Mitte.

»Erkennst du etwas?«, fragte Jeffrey.

»Was immer es ist, es befindet sich im Dickdarm«, antwortete Sara und starrte auf einen Gegenstand unterhalb des Sigmas, der aussah wie ein Splitter. Sie hatte ihn vorher noch nicht bemerkt oder war davon ausgegangen, dass es ein Fehler der Filmfolie war. Der transportable Röntgenapparat im Leichenschauhaus war nämlich alt und nicht gerade für seine Verlässlichkeit bekannt.

Noch ein paar Sekunden lang studierte Sara die Aufnahmen, dann ging sie zur Waage zurück. Sie trennte das Ileum an der Bauhin-Klappe ab und trug den Dickdarm zum Spülbecken. Nachdem sie das Blut mit dem Wasserschlauch beseitigt hatte, quetschte sie vom unteren Sigma Richtung Rektum den Darm aus, um den Gegenstand zu finden, der das Geräusch verursacht hatte. Ungefähr zehn Zentimeter innerhalb des Rektums ertastete sie einen harten Klumpen.

»Reich mir das Skalpell«, verlangte sie und streckte die Hand aus. Jeffrey kam ihrer Bitte nach und sah ihr bei der Arbeit zu.

Sara machte einen kleinen Einschnitt, wodurch sich ein übler Geruch im Raum verbreitete. Jeffrey trat zurück, Sara hingegen war diese Wohltat nicht vergönnt. Sie benutzte die Pinzette, um einen Gegenstand von gut einem Zentimeter Länge zu entfernen. Nach der Säuberung unter dem Wasserhahn stellte sich heraus, dass es sich um einen kleinen Schlüssel handelte.

»Ein Handschellenschlüssel?«, fragte Jeffrey. Er hatte sich vorgebeugt, um besser sehen zu können.

»Ja«, antwortete Sara. Sie verspürte einen leichten Schwindel. »Durch den Anus wurde er in ihr Rektum gepresst.«

»Warum?«

»Vermutlich, damit wir ihn finden«, antwortete Sara. »Könntest du einen Beweismittelbeutel besorgen?«

Jeffrey öffnete den Plastikbeutel, damit sie den Schlüssel hineinfallen lassen konnte. »Glaubst du, dass wir darauf etwas finden werden?«

»Bakterien«, antwortete sie. »Wenn du an Fingerabdrücke denkst, würde ich das ernsthaft bezweifeln.« Sie presste die

Lippen aufeinander und überlegte. »Mach mal einen Moment lang das Licht aus.«

»Was überlegst du?«

Sara ging zum Lichtkasten und schaltete ihn mit dem Ellbogen aus. »Ich denke, dass er den Schlüssel relativ früh dort hineingeschoben hat. Ich glaube, er hat eine scharfe Kante. Vielleicht hat diese Kante das Kondom beschädigt.«

Jeffrey ging zum Lichtschalter, während Sara die Handschuhe abstreifte. Sie nahm die Speziallampe zur Hand, mit der sie Spermaspuren sichtbar machen konnte.

»Bist du so weit?«, fragte er.

»Ja«, sagte sie, und das Licht ging aus.

Sara blinzelte ein paarmal, bis sich ihre Augen an das unnatürliche Licht gewöhnt hatten. Langsam führte sie das Schwarzlicht an dem Einschnitt entlang, den sie ins Rektum gemacht hatte. »Halt die mal«, sagte sie und gab Jeffrey die Lampe. Sie zog ein neues Paar Handschuhe über und öffnete den Einschnitt mit ihrem Skalpell noch ein Stück weiter. Ein kleiner lila Fleck zeigte sich in der Öffnung.

Jeffrey seufzte leise, als wenn er lange den Atem angehalten hätte. »Reicht das für einen DNA-Abgleich?«

Sara starrte auf die lila leuchtende Substanz. »Ich denke schon.«

Auf Zehenspitzen schlich Sara durch die Wohnung ihrer Schwester und warf einen Blick ins Schlafzimmer, weil sie feststellen wollte, ob Tessa allein war.

»Tessie?«, flüsterte sie und rüttelte sie behutsam.

»Was?«, grummelte Tessa und rollte sich auf die Seite. »Wie spät ist es?«

Sara blickte zur Uhr auf dem Nachttisch. »Ungefähr zwei Uhr in der Früh.«

»Was?«, wiederholte Tessa. Sie rieb sich die Augen. »Stimmt was nicht?«

Sara sagte: »Rutsch mal rüber.«

Tessa hob die Decke an und rutschte auf die Seite. »Stimmt was nicht?«

Wortlos zog Sara die Steppdecke bis unters Kinn.

»Alles in Ordnung«, sagte Sara schließlich.

»Ist die Frau wirklich tot?«

Sara schloss die Augen. »Ja.«

Tessa setzte sich auf und machte das Licht an. »Wir müssen reden, Sara.«

Sara drehte sich zur Seite, sodass sie ihrer Schwester den Rücken zuwandte. »Ich will aber nicht reden.«

»Mir egal«, antwortete Tessa und zog Sara die Decke weg. »Komm hoch.«

»Kommandier mich nicht rum«, entgegnete Sara erzürnt. Sie war zu ihrer kleinen Schwester gekommen, um sich geborgen zu fühlen und zu schlafen, nicht um von ihr bevormundet zu werden.

»Sara«, fing Tessa wieder an. »Du musst Jeffrey sagen, was los ist.«

Ärgerlich fuhr Sara hoch. »Nein«, antwortete sie. Ihre Lippen waren nur ein schmaler Strich.

»Sara«, sagte Tessa mit fester Stimme. »Hare hat mir von der jungen Frau erzählt. Er hat mir von dem Klebeband über ihrem Mund erzählt und davon, wie sie auf deinem Wagen lag.«

»Er dürfte mit dir über diese Dinge gar nicht reden.«

»Er hat es auch nicht getan, weil er es so interessant fand«, sagte Tessa. Sie erhob sich aus dem Bett. Ganz offensichtlich war sie sehr wütend.

»Weswegen bist du denn so sauer auf mich?«, wollte Sara wissen, die inzwischen ebenfalls aufgestanden war. Auf entgegengesetzten Seiten des Zimmers standen sie einander gegenüber, das Bett zwischen sich.

Sara stemmte die Hände in die Hüften. »Das ist nicht meine Schuld, okay? Ich habe getan, was ich konnte, um ihr zu helfen, und wenn sie damit nicht leben konnte, dann war das ihre eigene Entscheidung.«

»Tolle Entscheidung, hm? Wahrscheinlich ist es besser, sich eine Kugel in den Kopf zu schießen, als das alles ewig für sich zu behalten.«

»Scheiße, was soll das denn heißen?«

»Du weißt genau, was das heißt«, fuhr Tessa sie an. »Du musst es Jeffrey endlich sagen, Sara.«

»Das tue ich nicht.«

Tessa kreuzte die arme vor der Brust und drohte: »Wenn du nicht willst, werde ich es eben tun.«

»Was?« Sara rang entsetzt nach Luft. Hätte Tessa sie geschlagen, wäre Sara weniger entsetzt gewesen. Ungläubig sagte sie: »Das würdest du nicht tun.«

»Würde ich doch«, antwortete Tessa entschlossen. »Und wenn ich es nicht tue, wird Mom es tun.«

»Du und Mom habt diesen kleinen Plan zusammen ausgeheckt?« Sara lachte bitter. »Ich nehme an, Dad ist auch eingeweiht?« Sie schlug die Hände über dem Kopf zusammen. »Meine ganze Familie hat sich gegen mich verschworen.«

»Wir haben uns nicht gegen dich verschworen«, widersprach Tessa. »Wir versuchen nur, dir zu helfen.«

»Was mir geschehen ist«, sagte Sara klar und deutlich, »hat nichts damit zu tun, was Sibyl Adams und Julie Matthews zugestoßen ist.« Sie beugte sich vor und sah Tessa warnend an. Sie verstanden sich beide auf dieses Spiel.

»Das entscheidest du nicht allein«, widersprach Tessa.

Jetzt konnte Sara ihren Zorn nicht länger im Zaum halten. »Möchtest du, dass ich dir sage, warum es bei den beiden Frauen etwas anderes war, Tessie? Möchtest du alles erfahren, was ich von diesen Fällen weiß?« Sie gab ihrer Schwester nicht die Gelegenheit zu antworten. »Erstens einmal hat mir niemand ein Kreuz in die Brust geschlitzt und mich dann auf der Toilette verbluten lassen.« Sie hielt inne, weil sie wusste, welche Wirkung ihre Worte haben würden. Wenn Tessa Sara herumschubsen wollte, würde Sara sie zurückschubsen.

Sie fuhr fort: »Hinzu kommt, dass niemand mir die Schneidezähne ausgeschlagen hat, um mich besser in den Mund zu vögeln.«

Tessa schlug die Hand vor den Mund. »Mein Gott!«

»Niemand hat mir Hände und Füße an den Fußboden genagelt, um mich ficken zu können.«

»Nein«, keuchte Tessa, der die Tränen in die Augen schossen.

Sara vermochte sich nicht mehr zu beherrschen, obwohl ihre Worte ganz offensichtlich wie Säure in Tessas Ohren brannten. »Niemand hat mir den Mund mit Clorox ausgeschrubbt. Niemand hat mir das Schamhaar abrasiert, damit keine Spuren bleiben.« Sie hielt inne, um Luft zu holen. »Niemand hat mir ein Loch in den Bauch gestochen, damit er …«

Sara zwang sich zum Aufhören, denn sie wusste, dass sie bereits zu weit gegangen war. Dennoch war ein leiser Seufzer von Tessa zu hören, als diese die richtige Schlussfolgerung zog. Sie hatte die ganze Zeit über Sara nicht aus den Augen gelassen, und von dem Entsetzen in ihrem Blick bekam Sara Schuldgefühle.

Sie flüsterte: »Es tut mir leid, Tessie. Es tut mir ja so leid.«

Tessa ließ ihre Hand langsam sinken und sagte: »Jeffrey ist doch Polizist.«

Sara legte ihr die Hand auf den Arm. »Das weiß ich.«

»Du bist so schön«, sagte Tessa. »Und du bist klug, du bist witzig, und du bist groß.«

Sara lachte, um nicht weinen zu müssen.

»Vor zwölf Jahren wurdest du ziemlich genau um diese Zeit vergewaltigt«, schloss Tessa.

»Auch das weiß ich.«

»Jedes Jahr schickt er dir Postkarten, Sara. Er weiß, wo du wohnst.«

»Das weiß ich.«

»Sara«, ein Flehen lag in Tessas Stimme. »Du musst es Jeffrey sagen.«

»Das kann ich nicht.«

FREITAG

18

Jeffrey schlüpfte in seine Unterhosen und humpelte in Richtung Küche. Sein Knie war noch immer steif durch die Schrotkugeln, und sein Magen rebellierte, seit er Julia Matthews' Zimmer betreten hatte. Er machte sich Sorgen um Lena. Er machte sich Sorgen um Sara. Er machte sich Sorgen um seine Stadt.

Vor wenigen Stunden hatte Brad Stephens die DNA-Probe nach Macon gebracht. Es würde mindestens eine Woche dauern, bis ein Ergebnis vorlag, und vielleicht eine weitere Woche, bis man Zugang zur DNA-Datenbank des FBI bekam und nach Übereinstimmungen mit den Proben polizeibekannter Sexualstraftäter suchen konnte. Wie fast immer handelte es sich auch hier um eine Geduldsprobe. Was der Täter in der Zwischenzeit vorhatte, war unmöglich zu sagen. Jeffrey wusste nur, dass er in ebendiesem Moment seinem nächsten Opfer auflauern konnte, es vielleicht gerade vergewaltigte und ihm Dinge antat, die jedes Vorstellungsvermögen übertrafen.

Jeffrey öffnete den Kühlschrank und nahm die Milch heraus. Auf dem Weg, sich ein Glas zu holen, drückte er den Schalter fürs Oberlicht, aber nichts geschah. Er fluchte vor sich hin, als er ein Glas aus dem Schrank nahm. Er hatte den Strom in der Küche vor ein paar Wochen abgedreht, als eine neue Lampe, die er bestellt hatte, per Post geliefert wurde. Er war von der Dienststelle angerufen worden, als er die Drähte isoliert hatte. Die Lampe lag noch immer auf dem Karton und wartete darauf, dass Jeffrey die Zeit fand, sie aufzuhängen. Wenn es so weiterging, würde Jeffrey noch die nächsten Jahre beim Licht seines Kühlschranks essen.

Er trank die Milch aus und humpelte zur Spüle, um das Glas auszuwaschen. Am liebsten hätte er Sara angerufen, um sich nach ihrem Wohlergehen zu erkundigen, aber er unterließ es lieber. Sie hatte ihre eigenen Gründe, sich von ihm abzukapseln. Und er hatte seit der Scheidung kein Anrecht mehr, sich in ihre Angelegenheiten zu mischen. Vielleicht war sie heute Abend mit Jeb zusammen. Er hatte von Marla, die wiederum mit Marty Ringo gesprochen hatte, erfahren, dass Sara und Jeb sich wieder trafen. Vage erinnerte er sich, dass Sara neulich im Krankenhaus etwas von einer Verabredung gesagt hatte, aber den genauen Wortlaut bekam er nicht mehr zusammen. Und da ihm das erst wieder eingefallen war, nachdem Marla es für nötig gehalten hatte, den Klatsch weiterzutratschen, war kein Verlass auf diese Erinnerung.

Jeffrey stöhnte, als er sich auf den Barhocker vor den Küchentresen setzte. Vor Monaten hatte er den Tresen gebaut. Er hatte ihn sogar zwei Mal gebaut, denn beim ersten Mal war er nicht damit zufrieden gewesen. Jeffrey war Perfektionist und hasste es, wenn etwas nicht symmetrisch war. Er wohnte in einem alten Haus, und da gab es ständig etwas zu richten. Keine Wand im Haus war gerade.

Eine sanfte Brise bewegte die dicken Plastikbahnen an der Rückseite der Küche. Er schwankte zwischen Terrassentüren und einer Fensterfront über die gesamte Wand und der Überlegung, die Küche um ungefähr drei Meter in den rückwärtigen Garten hinaus zu erweitern. Eine Frühstücksecke wäre schön, in der man morgens sitzen und die Vögel hinten im Garten beobachten konnte. Unbedingt wollte er eine große Terrasse mit einem Hot Tub und vielleicht einem modernen Außengrill. Wozu auch immer er sich entschied, wichtig war ihm, dass das Haus hell blieb. Jeffrey gefiel es, wenn das Tageslicht durch die halb durchsichtigen Plastikbahnen fiel, und er mochte es, dass man in den Garten hinaussehen konnte, besonders in Augenblicken wie diesem, als er jemanden dort entlanggehen sah.

Jeffrey stand auf und griff sich ein Schlagholz aus dem Wäscheraum.

Er schlüpfte zwischen zwei Plastikbahnen hindurch und schlich auf Zehenspitzen über den Rasen. Das Gras war nass vom feinen Nebel der Nachtluft, und Jeffrey zitterte vor Kälte. Er hoffte inständig, nicht wieder angeschossen zu werden. Ihm kam auch der Gedanke, dass ein möglicher Angreifer, der ihm im Garten auflauerte, keine Angst, sondern einen Lachanfall bekommen könnte, wenn er ihn erblickte, nackt bis auf seine grünen Boxershorts und mit einem Baseballschläger im Anschlag.

Er hörte ein vertrautes Geräusch. Es klang, als würde sich ein Hund das Fell lecken. Er blinzelte ins Mondlicht und erkannte drei Gestalten. Zwei von ihnen waren klein genug, um Hunde zu sein. Eine von ihnen war so groß, dass es sich nur um Sara handeln konnte. Sie spähte durchs Fenster in sein Schlafzimmer.

Jeffrey ließ den Schläger sinken und schlich von hinten auf Zehenspitzen an sie heran. Wegen Billy oder Bob machte er sich keine Sorgen, die beiden Greyhounds waren die trägsten Tiere, die er je erlebt hatte. Und entsprechend regten sie sich auch kaum, als er plötzlich hinter ihr stand.

»Sara?«

»Oh, mein Gott.« Sara machte einen Satz und stolperte über den Hund direkt neben ihr. Jeffrey streckte die Arme aus und fing sie auf, bevor sie auf den Hintern fiel.

Jeffrey lachte und tätschelte Bobs Kopf. »Kleiner Spanner?«, fragte er.

»Du Arschloch«, zischte Sara. Sie stemmte die Hände gegen seine Brust und sagte: »Du hast mir einen Riesenschrecken eingejagt.«

»Was?« Jeffrey tat unschuldig. »Ich bin doch nicht derjenige, der um ein Haus herumschleicht.«

»Als wenn du das noch nie getan hättest.«

»Ich schon«, räumte Jeffrey ein. »Aber du doch nicht.« Er stützte sich auf den Schläger. Nachdem das Adrenalin wieder verebbt war, spürte er in seinem Bein wieder diesen dumpfen Schmerz. »Möchtest du mir vielleicht erklären, warum du mitten in der Nacht bei mir durchs Fenster spionierst?«

»Ich wollte dich nicht wecken.«

»Ich war in der Küche.«

»Im Dunkeln?« Sara kreuzte die Arme und musterte ihn mit einem herausfordernden Blick. »Allein?«

»Komm doch rein«, lud Jeffrey sie ein und wartete ihre Antwort nicht ab. Er ging langsam zurück zur Küche und war froh, dass er Saras Schritte hinter sich hörte. Sie trug ein Paar ausgeblichene Jeans und dazu ein altes weißes Hemd.

»Bist du zu Fuß mit den Hunden hergekommen?«

»Ich habe mir Tessas Wagen geliehen«, sagte Sara und kraulte Bob am Kopf.

»Klug von dir, deine Kampfhunde mitzubringen.«

»Ich bin nur froh, dass du mich nicht umbringen wolltest.«

»Wer sagt denn, dass ich das nicht wollte?«, fragte Jeffrey und benutzte den Schläger, um die Plastikbahn zur Seite zu schieben, damit sie eintreten konnte.

Sara betrachtete das Provisorium und sah dann ihn an. »Ich finde es sehr schön, was du mit dem Haus gemacht hast.«

»Das alles bräuchte aber noch die Hand einer Frau«, gab Jeffrey zu bedenken.

»Ich bin sicher, da gäbe es jede Menge Bewerber.«

Er unterdrückte ein Stöhnen. »Hier gibt es keinen Strom«, erklärte er und zündete am Herd eine Kerze an.

»Haha«, sagte Sara und probierte einen Lichtschalter in ihrer Nähe. Dann ging sie quer durch den Raum und versuchte es mit dem anderen Schalter, während Jeffrey eine zweite Kerze anzündete. »Was ist denn los?«

»Das Haus ist eben alt.« Er zuckte die Achseln, mochte seine Faulheit nicht eingestehen. »Brad hat die Probe nach Macon gebracht.«

»Zwei Wochen, hm?«

»Ja.« Er nickte. »Glaubst du, er ist ein Cop?«

»Brad?«

»Nein, der Täter. Glaubst du, er ist ein Cop? Vielleicht hat er ja deswegen den Handschellenschlüssel zurückgelassen, in ihrem … du weißt schon, da.« Er hielt inne. »Findest du nicht, das könnte ein Hinweis sein?«

»Vielleicht benutzt er Handschellen, um ein leichteres

Spiel mit ihnen zu haben«, meinte Sara. »Vielleicht steht er auf SM. Vielleicht hat seine Mama ihn auch ans Bett gefesselt, als er ein kleiner Junge war.«

Ihr frivoler Ton verwirrte ihn, aber er verzichtete wohlweislich auf einen Kommentar.

Aus heiterem Himmel sagte Sara dann: »Ich möchte einen Screwdriver.«

Jeffrey runzelte die Stirn.

»Einen Drink.« Sara öffnete die Tür des Tiefkühlfachs und nahm den Wodka heraus.

»Ich glaube, ich habe keinen Orangensaft im Haus«, sagte er, als sie die Kühlschranktür öffnete.

»Hiermit geht's auch«, sagte sie und hielt den Preiselbeersaft in die Höhe. Sie suchte in den Küchenschränken nach einem Glas, und wie es aussah, mischte sie sich dann einen mächtig starken Drink.

Besorgt beobachtete Jeffrey sie dabei. Sara trank nur sehr selten, und nach einem Glas Wein konnte sie schon ziemlich beschwipst sein. Während ihrer gesamten Ehe hatte er sie nichts Stärkeres als eine Margarita trinken sehen.

Sara schüttelte sich, als sie getrunken hatte. »Wie viel hätte ich denn einschenken sollen?«, fragte sie.

»Wahrscheinlich ein Drittel von dem, was du genommen hast«, antwortete er und nahm ihr den Drink aus der Hand. Er trank einen kleinen Schluck, bei dem Geschmack musste er nach Luft ringen. »Himmel auch«, bekam er hustend heraus. »Willst du dich umbringen?«

»Mich und Julia Matthews«, konterte sie. »Hast du vielleicht was Süßes?«

Jeffrey öffnete den Mund, um sie zu fragen, was sie mit

ihrem Kommentar gemeint hatte, aber Sara stöberte bereits wieder in den Küchenschränken.

»Da ist Pudding im Kühlschrank. Im untersten Fach ganz hinten.«

»Kalorienarm?«, fragte sie.

»Nö.«

»Sehr gut«, sagte Sara und bückte sich, um den Pudding herauszunehmen. Jeffrey beobachtete sie. Er hätte sie gern gefragt, was sie am frühen Morgen in seiner Küche zu suchen hatte. Er hätte sie außerdem gern gefragt, warum sie sich in letzter Zeit so seltsam benahm.

»Jeff?«, fragte Sara und kramte weiter im Kühlschrank.

»Hm?«

»Starrst du auf meinen Hintern?«

Jeffrey schmunzelte. Er hatte das zwar nicht getan, antwortete aber: »Ja.«

Sara richtete sich auf und hielt einen Puddingbecher wie eine Siegestrophäe in die Höhe. »Der Letzte.«

»Stimmt.«

Sara entfernte den Deckel und setzte sich mit Schwung auf den Küchentresen. »Das wird eine schlimme Sache.«

»Meinst du?«

»Na ja.« Sie zuckte die Achseln und leckte den Pudding vom Deckel. »Collegestudentinnen, die vergewaltigt werden. Die sich umbringen. Das passt doch eigentlich gar nicht zu uns, oder?«

Wieder war Jeffrey überrascht von ihrer scheinbar unbekümmerten Art. Das entsprach Sara ganz und gar nicht, aber in letzter Zeit wusste er überhaupt nicht mehr, woran er bei ihr war.

»Finde ich auch«, sagte er.

»Hast du es ihren Eltern schon gesagt?«

Jeffrey antwortete: »Frank hat sie am Flughafen abgeholt.« Er hielt inne und fügte hinzu: »Ihren Vater.« Wieder hielt er inne. Den von Schmerz und Trauer gepeinigten Gesichtsausdruck von Jon Matthews würde Jeffrey nicht so schnell vergessen.

»Den Vater hat das sehr mitgenommen, hm?«, sagte Sara. »Daddys hören es nicht gern, dass jemand mit ihrem kleinen Mädchen rumgemacht hat.«

»Glaube ich auch«, sagte Jeffrey und staunte über ihre Ausdrucksweise.

»Da glaubst du richtig.«

»Ja«, sagte Jeffrey. »Ihn hat das sehr mitgenommen.«

Etwas blitzte in Saras Augen auf, aber sie senkte rasch den Blick. Sie nahm einen großen Schluck aus ihrem Glas und verschüttete etwas auf ihr Hemd. Sie fing tatsächlich zu kichern an.

Obwohl er es besser hätte wissen müssen, fragte Jeffrey: »Was ist bloß los mit dir, Sara?«

Sie deutete auf seine Taille. »Wann hast du denn angefangen, so was zu tragen?«, fragte sie.

Jeffrey blickte an sich hinunter. Da er nichts anderes am Leib trug als die grünen Boxershorts, nahm er an, dass sie von ihnen sprach. Er sah wieder Sara an, zuckte die Achseln und sagte: »Vor einer Weile.«

»Vor weniger als zwei Jahren«, kommentierte sie und leckte weiter an dem Pudding.

»Ja«, erklärte er und ging mit zur Seite weggestreckten Armen auf sie zu, seine Unterhosen präsentierend. »Gefallen sie dir?«

Sie stellte den Pudding ab und klatschte applaudierend in die Hände.

»Was tust du hier, Sara?«

Sekundenlang sah sie ihm in die Augen und lehnte sich zurück, wobei ihre Fersen leicht gegen die unteren Fächer im Tresen stießen. »Ich habe neulich an den Tag denken müssen, als ich auf dem Steg saß. Erinnerst du dich?«

Er schüttelte den Kopf, weil sie praktisch jede freie Sekunde jedes Sommers auf dem Steg verbracht hatten.

»Ich war gerade schwimmen gewesen, saß auf dem Steg und bürstete mir das Haar. Dann kamst du, nahmst die Bürste und bürstetest es für mich.«

Er nickte. Ihm fiel ein, dass er an genau diese Situation gedacht hatte, als er am Morgen im Krankenhaus aufgewacht war. »Ich erinnere mich.«

»Du hast mir mindestens eine Stunde lang das Haar gebürstet. Weißt du das auch noch?« Er lächelte.

»Du hast mir einfach nur das Haar gebürstet, bis es Zeit fürs Abendessen wurde. Erinnerst du dich?« Er nickte.

»Was habe ich falsch gemacht?«, fragte sie, und ihr Blick brachte ihn fast um. »Lag es am Sex?«

Er schüttelte den Kopf. Sex mit Sara war die erfüllendste Erfahrung seines Erwachsenenlebens gewesen. »Natürlich nicht«, sagte er.

»Wolltest du, dass ich abends für dich koche? Oder öfter zu Hause gewesen wäre, wenn du nach Hause kamst?«

Er wollte sich ein Lachen abringen. »Du hast mir doch das Abendessen gemacht, weißt du nicht mehr? Ich war drei Tage lang krank.«

»Ich meine es ernst, Jeff. Ich will wissen, was ich falsch gemacht habe.«

»Es lag nicht an dir«, antwortete er und wusste, dass das

abgedroschen klingen musste, noch bevor er den Satz beendet hatte. »Es lag an mir.«

Sara seufzte tief. Sie griff nach dem Glas und leerte es in einem Zug.

»Ich war dumm«, fuhr er fort, obwohl er wusste, dass er lieber den Mund halten sollte. »Ich hatte Angst, weil ich dich so sehr geliebt habe.« Er hielt inne, weil er sich richtig ausdrücken wollte. »Ich dachte, dass du mich nicht so gebraucht hast, wie ich dich gebraucht habe.«

Er konnte ihrem Blick nicht ausweichen. »Möchtest du noch immer, dass ich dich brauche?«

Zu seiner Verblüffung spürte er ihre Hand auf seiner Brust, spürte, wie ihre Finger sein Haar streichelten. Er schloss die Augen, als sie die Finger hinauf zu seinen Lippen klettern ließ.

Sie sagte: »Im Moment brauche ich dich wirklich.«

Er öffnete die Augen. Einen Sekundenbruchteil lang dachte er, dass sie nur einen Scherz machte. »Was hast du gesagt?«

»Jetzt, wo du es hast, willst du es nicht?«, fragte Sara. Sie berührte immer noch seine Lippen.

Er fuhr mit der Zunge über ihre Fingerspitze.

Sara lächelte und kniff die Augen zusammen, als wolle sie seine Gedanken lesen. »Willst du mir nicht antworten?«

»Doch«, sagte er, obwohl er sich nicht einmal mehr an die Frage erinnerte. »Ja. Ja, ich will dich noch immer.«

Sie küsste seinen Hals, und ihre Zunge berührte leicht seine Haut. Er umfasste ihre Taille und zog sie an den Rand des Tresens. Sie schlang die Beine um seine Hüften.

»Sara.« Er stöhnte und wollte sie auf den Mund küssen, aber sie entzog sich, und ihre Lippen wanderten an seiner

Brust hinunter. »Sara«, wiederholte er, »lass mich mit dir Liebe machen.«

Sie sah ihn an, ein listiges Lächeln auf den Lippen. »Ich will aber keine Liebe machen.«

Er wusste nicht, wie er darauf reagieren sollte. »Was soll das heißen?«, brachte er schließlich heraus.

»Das heißt ...«, begann sie, nahm seine Hand und führte sie an ihren Mund. Er sah zu, wie sie mit ihrer Zunge über die Spitze seines Zeigefingers fuhr. Langsam nahm sie seinen Finger in den Mund und lutschte daran. Es dauerte nicht annähernd lange genug, da nahm sie ihn wieder heraus. Sie lächelte durchtrieben. »Na?«

Jeffrey beugte sich vor, um sie zu küssen, aber sie ließ sich vom Tresen rutschen. Er stöhnte, als Sara sich alle Zeit der Welt ließ, seine Brust abzuküssen, bis hinunter zum Bund seiner Boxershorts, den sie zwischen die Zähne nahm. Unter Schwierigkeiten kniete er sich vor sie hin und versuchte abermals, sie auf den Mund zu küssen. Wieder entzog sie sich.

»Ich möchte dich aber küssen«, sagte er, überrascht von dem flehenden Ton seiner Worte.

Sie schüttelte den Kopf und knöpfte sich das Hemd auf. »Mir fallen da ein paar andere Dinge ein, die du mit deinem Mund machen könntest.«

»Sara ...«

Sie schüttelte den Kopf. »Nicht reden, Jeffrey.«

Es kam ihm sehr seltsam vor, dass sie das sagte, denn das Beste am Sex mit Sara war das Reden gewesen. Er nahm ihr Gesicht zwischen die Hände. »Komm her«, sagte er.

»Was?«

»Was ist los mit dir?«

»Nichts.«

»Das glaube ich dir nicht.« Er wartete darauf, dass sie seine Frage beantwortete, aber sie starrte ihn nur an.

Er fragte: »Warum lässt du mich dich nicht küssen?«

»Mir ist einfach nicht nach Küssen.« Ihr Lächeln war nicht mehr so verschmitzt. »Auf den Mund.«

»Was ist denn los?«, wiederholte er.

Fast schon warnend sah sie ihn aus zusammengekniffenen Augen an.

»Antworte mir«, wiederholte er.

Sara wandte den Blick nicht von ihm ab, während sie ihre Hand über den Gummizug seiner Shorts weiter nach unten wandern ließ. Sie presste ihre Hand gegen ihn, als wollte sie sichergehen, dass er sie verstand. »Ich will aber nicht mit dir reden.«

Er hielt ihre Hand zurück. »Sieh mich an.«

Sie schüttelte den Kopf, und als er sie zwang aufzublicken, schloss sie die Augen.

Er flüsterte: »Irgendwas stimmt doch mit dir nicht!«

Sara antwortete nicht. Sie küsste ihn mitten auf den Mund, und ihre Zunge suchte sich fordernd den Weg an seinen Zähnen vorbei. Es war ein Zungenkuss, wie er ihn von Sara eigentlich gar nicht kannte, aber hinter ihm war eine Leidenschaft zu spüren, die ihm weiche Knie bescherte.

Sie hielt plötzlich inne, ließ den Kopf an seine Brust sinken. Er wollte sie dazu bringen, dass sie ihn ansah, aber sie weigerte sich.

Er fragte: »Sara?«

Er spürte, wie sie ihn wieder umarmte, aber anders als zu-

vor. Es war eine gewisse Verzweiflung darin, wie sie ihn umklammerte. Fast so, als würde sie ertrinken.

»Halt mich nur fest«, flehte sie. »Bitte halt mich fest.«

Jeffrey schreckte aus dem Schlaf auf. Er streckte die Hand
aus, wusste aber im selben Moment wieder, dass Sara nicht
neben ihm lag. Er entsann sich vage, dass sie sich schon vor
einiger Zeit fortgeschlichen hatte. Jeffrey war zu müde gewesen, um sich zu bewegen, geschweige denn sie aufzuhalten. Er
drehte sich auf die andere Seite und drückte sein Gesicht in
das Kissen auf ihrer Seite. Er konnte den Lavendelduft ihres
Shampoos und einen Hauch ihres Parfüms riechen. Jeffrey
hielt das Kissen in den Armen und drehte sich auf den Rücken. Er blickte an die Decke und versuchte sich daran zu erinnern, was letzte Nacht geschehen war. Er verstand es immer noch nicht. Er hatte Sara ins Bett getragen. Sie hatte leise
an seiner Schulter geweint. Er hatte Angst gehabt vor dem,
was diese Tränen auslöste. Er hatte ihr keine Fragen mehr
gestellt.

Jeffrey setzte sich auf und kratzte sich die Brust. Er konnte
nicht den ganzen Tag im Bett bleiben. Die restlichen der über-
führten Sexualstraftäter auf seiner Liste mussten noch verhört werden. Er musste auch noch Ryan Gordon verhören
sowie alle anderen, die mit Julia Matthews an jenem Abend
in der Bibliothek gewesen waren, als sie zum letzten Mal
vor ihrer Entführung dort gesehen worden war. Außerdem
musste er Sara aufsuchen, um sich davon zu überzeugen, dass
es ihr gut ging.

Er reckte sich und berührte die Oberkante des Türrah-
mens, als er ins Badezimmer ging. Vor der Toilette blieb er

stehen. Auf dem Spülkasten lag ein Stapel Papier. Von einer silberfarbenen Klemme wurden ungefähr zweihundert Blatt Papier zusammengehalten. Die Seiten hatten Eselsohren und waren teilweise vergilbt, als hätte jemand sie häufig durchgeblättert. Wie Jeffrey feststellte, handelte es sich um ein Prozessprotokoll.

Er sah sich im Bad um, als müsse der Protokollgeist, der es zurückgelassen hatte, noch irgendwo sein. Außer Sara war niemand im Haus gewesen, und er konnte sich nicht vorstellen, wieso sie dergleichen hätte zurücklassen sollen. Er las auf dem Deckblatt, dass die Akte zwölf Jahre alt war. Der Fall trug den Titel *Der Staat Georgia gegen Jack Allen Wright*.

Ein gelber Post-it-Zettel klebte auf einer Seite und ragte am Rand heraus. Jeffrey schlug das Protokoll auf und hielt inne, als er sah, dass Saras Name ganz oben auf der Seite stand. Ruth Jones, wahrscheinlich die Bezirksstaatsanwältin, die in diesem Fall Klage geführt hatte, war als Fragestellerin aufgeführt.

Jeffrey setzte sich auf den Toilettendeckel und begann, Ruth Jones' Befragung von Sara Linton zu lesen.

Frage: Doktor Linton, würden Sie uns bitte mit Ihren eigenen Worten schildern, was sich am Dreiundzwanzigsten um diese Zeit letzten Jahres zugetragen hat?

Antwort: Ich arbeitete am Grady Hospital als Assistenzärztin in der Pädiatrie. Ich hatte einen schweren Tag und beschloss, zwischen den Schichten eine Spazierfahrt mit meinem Wagen zu machen.

Frage: Haben Sie dabei etwas Ungewöhnliches bemerkt?

Antwort: Als ich zu meinem Auto kam, sah ich, dass das Wort Fotze in die Beifahrertür geritzt worden war. Ich dachte, dass es sich vermutlich nur um einen Fall von Vandalismus handelte, und daher benutzte ich Klebeband, das ich im Kofferraum hatte, um das Wort zu überkleben.

Frage: Und was taten Sie danach?

Antwort: Ich ging zurück ins Krankenhaus, um meine Schicht anzutreten.

Frage: Möchten Sie vielleicht ein Glas Wasser?

Antwort: Nein danke. Ich ging zur Toilette, und als ich mir die Hände wusch, kam Jack Wright herein.

Frage: Der Angeklagte?

Antwort: So ist es. Er kam herein. Er hatte einen Schrubber dabei und trug einen grauen Overall. Ich wusste, dass er der Hausmeister war. Er entschuldigte sich dafür, dass er nicht geklopft hatte, sagte, er würde später zurückkommen, um sauberzumachen, und verließ dann die Toilette.

Frage: Und was geschah dann?

Antwort: Ich ging in eine der Kabinen, um die Toilette zu benutzen. Der Angeklagte, Jack Wright, sprang von oben über die Seitenwand auf mich herab. Er fesselte meine Hände mit Handschellen an die Haltegriffe an den Seiten und klebte mir den Mund mit silberfarbenem Klebeband zu.

Frage: Sind Sie sicher, dass es sich um den Angeklagten handelte?

Antwort: Ja. Er trug zwar eine rote Skimaske, aber ich erkannte seine Augen. Er hat sehr charakteristische blaue Augen. Ich erinnere mich noch, dass ich vorher gedacht hatte, mit seinen langen blonden Haaren, seinem Bart und seinen blauen Augen sehe er aus wie Jesus in einer Bilderbibel. Ich bin sicher, dass es Jack Wright war, der mich attackiert hat.

Frage: Gibt es noch ein weiteres besonderes Kennzeichen, das Sie glauben lässt, es sei der Angeklagte gewesen, der Sie vergewaltigt hat?

Antwort: Ich sah auf seinem Arm eine Tätowierung, die Jesus am Kreuz zeigte, mit den Worten JESUS darüber und SAVES darunter. Ich erkannte diese Tätowierung als die von Jack Wright, Hausmeister am Krankenhaus. Ich war ihm bereits mehrere Male auf dem Gang begegnet, aber wir hatten noch nie miteinander gesprochen.

Frage: Was geschah als Nächstes, Doktor Linton?

Antwort: Jack Wright riss mich von der Toilette herunter. Meine Knöchel wurden von meiner Hose eingeklemmt. Sie war bis auf den Boden runtergerutscht, meine Hose. Bis auf meine Knöchel.

Frage: Bitte, lassen Sie sich Zeit, Doktor Linton.

Antwort: Ich wurde nach vorn gezogen, aber meine Arme waren ja fixiert, ungefähr so. Er legte mir einen Arm um die Taille und hielt mich in dieser Position fest. Er presste mir ein langes Messer, ungefähr fünfzehn Zentimeter lang, ans Gesicht. Er verletzte mir die Lippe, um mich einzuschüchtern, glaube ich.

Frage: Und was tat der Angeklagte dann?

Antwort: Er steckte seinen Penis in mich hinein und vergewaltigte mich.

Frage: Doktor Linton, könnten Sie uns berichten, ob der Angeklagte während der Vergewaltigung etwas zu ihnen sagte, und wenn, was das war?

Antwort: Er bezeichnete mich immer wieder als »Fotze«.

Frage: Könnten Sie uns bitte sagen, was als Nächstes geschah?

Antwort: Er versuchte, zur Ejakulation zu kommen, aber es gelang ihm nicht. Er zog seinen Penis heraus und

brachte sich selbst zum Höhepunkt [undeutlich gespro-
chen].

Frage: Würden Sie das bitte wiederholen?

Antwort: Er brachte sich selbst zum Höhepunkt und eja-
kulierte auf mein Gesicht und meine Brust.

Frage: Würden Sie uns bitte schildern, was anschließend
geschah?

Antwort: Er beschimpfte mich aufs Neue und stach dann
mit dem Messer zu. Hier links hinein.

Frage: Und was passierte danach?

Antwort: Ich schmeckte etwas in meinem Mund. Ich
würgte. Es war Essig.

Frage: Er goss ihnen Essig in den Mund?

Antwort: Ja, er hatte eine kleine Phiole bei sich, wie die
für Parfümproben. Die leerte er in meinen Mund und
sagte: »Es ist vollbracht.«

Frage: Hat diese Aussage für Sie irgendeine besondere
Bedeutung, Doktor Linton?

Antwort: Sie stammt aus dem Evangelium des Johannes.
»Es ist vollbracht.« Nach Johannes sind das die letzten

Worte, die Jesus spricht, als er am Kreuz stirbt. Er bittet um etwas zu trinken, und man gibt ihm Essig. Er trinkt davon, und danach gibt er den Geist auf und stirbt.

Frage: Das geschieht bei der Kreuzigung?

Antwort: Ja.

Frage: Jesus sagt: »Es ist vollbracht«?

Antwort: Ja.

Frage: Er kann die Arme nicht bewegen?

Antwort: Ja.

Frage: Mit einem Schwert wird ihm in die Seite gesto-. chen?

Antwort: Ja.

Frage: Wurde sonst noch etwas gesagt?

Antwort: Nein. Jack Wright sagte das und verließ dann die Toilette.

Frage: Doktor Linton, haben Sie eine Vorstellung davon, wie viel Zeit Sie in der Toilette zubrachten?

Antwort: Nein.

Frage: Waren Sie noch immer mit Handschellen gefes-selt?

Antwort: Ja. Ich trug noch immer Handschellen und lag auf den Knien, mein Gesicht zeigte zu Boden. Ich konnte mich nicht aufrichten.

Frage: Und dann geschah was?

Antwort: Eine Krankenschwester kam herein. Sie sah das Blut auf dem Fußboden und schrie um Hilfe. Ein paar Sekunden später kam Doktor Lange, mein Super-visor, herein. Ich hatte eine Menge Blut verloren. Sie begannen, mir zu helfen, aber sie konnten nicht viel aus-richten, solange die Handschellen noch angelegt waren. Jack Wright hatte das Schloss so präpariert, dass es sich nicht öffnen ließ. Er hatte irgendetwas in das Schloss ge-steckt, einen Zahnstocher oder so. Ein Schlosser musste gerufen werden, um die Handschellen zu lösen. In der Zwischenzeit verlor ich das Bewusstsein. Ich lag so, dass die Stichwunde permanent weiterblutete. Ich verlor also sehr viel Blut aus dieser Wunde.

Frage: Doktor Linton, lassen Sie sich Zeit. Wünschen Sie vielleicht eine kurze Unterbrechung?

Antwort: Nein, ich möchte weitermachen.

Frage: Könnten Sie mir sagen, was in der Folgezeit der Vergewaltigung geschah?

Antwort: Ich wurde schwanger, aber es war eine Eilei-terschwangerschaft. Dann ist mein Eileiter geplatzt, und deswegen kam es zu Blutungen in die Bauchhöhle.

Frage: Hatte das Nachwirkungen? Und wenn ja, welche waren es?

Antwort: Es wurde eine teilweise Hysterektomie vorge-nommen, bei der meine Fortpflanzungsorgane entfernt wurden. Ich kann keine Kinder mehr bekommen.

Frage: Doktor Linton?

Antwort: Ich hätte gern eine Unterbrechung.

Jeffrey saß in seinem Bad und starrte auf die Seiten des Ver-handlungsprotokolls. Er las sie nochmals und dann noch ein-mal, und seine Schluchzer hallten wider, als er um eine Sara weinte, die er nie gekannt hatte.

19

Lena hob ganz langsam den Kopf und versuchte, ein Gefühl dafür zu bekommen, wo sie sich befand. Sie sah nichts als Dunkelheit. Sie hielt sich die Hand vors Gesicht, konnte aber weder Handfläche noch Finger genau erkennen. Sie vermochte sich nur noch daran zu erinnern, dass sie zuletzt in ihrer Küche gesessen und sich mit Hank unterhalten hatte. Was danach folgte, war wie ausgelöscht. Ihr war, als hätte sie einmal geblinzelt und sich dann an diesem Ort wiedergefunden. Wo immer sich dieser Ort befinden mochte.

Sie stöhnte und wollte sich aufsetzen. Mit plötzlicher Deutlichkeit wurde ihr klar, dass sie nackt war. Der Boden unter ihr fühlte sich rau an. Sie spürte die Maserung der Holzbohlen. Ihr Herz begann schneller zu schlagen, Lena streckte die Hand aus und ertastete noch mehr raues Holz, aber vertikal, das musste eine Wand sein.

Indem sie sich mit den Händen gegen die Wand stützte, konnte sie aufstehen. Von irgendwoher nahm sie ein Geräusch wahr, aber vertraut war es ihr nicht. Alles war zusammenhanglos und fehl am Platz. Sie spürte körperlich, dass sie nicht an diesen Ort gehörte. Lena lehnte sich mit der Stirn gegen die Wand, und sie spürte, wie das Holz einen Abdruck auf ihrer Stirn hinterließ. Das Geräusch war ein Stakkato in der Peripherie, hämmernd, dann Stille, hämmernd, dann wieder Stille, wie ein Hammer, der auf ein Stück Stahl schlägt. Wie ein Schmied, der ein Hufeisen formt.

Klink, klink, klink.

Wo hatte sie das schon einmal gehört?

Lenas Herzschlag wollte aussetzen, als ihr der Zusammenhang klar wurde. In der Dunkelheit sah sie, wie sich Julia Matthews' Lippen bewegten, das Geräusch nachahmten.

Klink, klink, klink.

Das Geräusch von tropfendem Wasser.

20

Jeffrey stand hinter dem durchsichtigen Spiegel und blickte in den Verhörraum. Ryan Gordon saß am Tisch, die mageren Arme über der eingefallenen Brust gekreuzt. Buddy Conford saß neben ihm, die Hände vor sich auf der Tischplatte. Buddy war eine Kämpfernatur. Mit siebzehn hatte er sein rechtes Bein vom Knie abwärts bei einem Autounfall verloren. Mit sechsundzwanzig hatte er sein linkes Auge durch Krebs verloren. Als er neununddreißig war, hatte ein unzufriedener Klient den Versuch unternommen, Buddys Bemühungen mit zwei Kugeln zu honorieren. Buddy hatte eine Niere verloren, und einer seiner Lungenflügel war kollabiert, aber zwei Wochen später stand er schon wieder im Gerichtssaal. Jeffrey hoffte, dass Buddys Sinn für Recht und Unrecht ihnen heute helfen würde, die Dinge voranzubringen. Jeffrey hatte an diesem Morgen ein Foto von Jack Allen Wright von der staatlichen Datenbank heruntergeladen. Jeffrey würde in Atlanta eine weitaus bessere Ausgangsposition haben, wenn er über eine eindeutige Identifizierung verfügte.

Jeffrey hatte sich noch nie für einen gefühlsbetonten Menschen gehalten, aber jetzt verspürte er einen Schmerz in der Brust, der einfach nicht vergehen wollte. Er wollte unbedingt mit Sara reden, aber er hatte schreckliche Angst davor, etwas Falsches zu sagen.

Auf der Fahrt zur Arbeit war er im Geist immer wieder durchgegangen, was er zu ihr sagen würde, und manchmal hatte er es auch laut ausgesprochen, um zu hören, wie es klang. Aber nichts konnte ihn zufriedenstellen, und schließlich saß Jeffrey dann geschlagene zehn Minuten mit der Hand auf dem Telefon in seinem Büro, bevor er genügend Mut zusammengenommen hatte, um Saras Nummer in der Klinik zu wählen.

Nachdem er Nelly gesagt hatte, dass es sich nicht um einen Notfall handelte, er aber dennoch gern mit Sara gesprochen hätte, wurde er nur mit einem schnippischen »sie ist bei einem Patienten« abgefertigt, bevor der Hörer auf die Gabel geworfen wurde. Das bewirkte bei Jeffrey zuerst eine enorme Erleichterung, aber dann verspürte er auch Abscheu vor seiner Feigheit.

Er wusste, dass er um ihretwillen stark sein musste, aber Jeffrey fühlte sich zu sehr überrumpelt, um zu etwas anderem fähig zu sein, als loszuschluchzen wie ein Kind, sobald er daran dachte, was Sara widerfahren war. Er war verletzt, dass sie ihm nicht genug vertraut hatte, um zu erzählen, was sie in Atlanta erlebt hatte. Andererseits war er auch wütend, dass sie ihn rundheraus belogen hatte. Die Narbe war bagatellisiert worden als Überbleibsel einer Blinddarmoperation, obwohl Jeffrey sich im Rückblick erinnerte, dass die Narbe gezackt war und vertikal verlief, ganz anders als der saubere Schnitt eines Chirurgen.

Dass sie keine Kinder haben konnte, war etwas, weswegen er ihr nie zugesetzt hatte, es handelte sich dabei um ein ziemlich heikles Thema. Es fiel ihm auch nicht schwer, sie in dieser Hinsicht in Ruhe zu lassen. Er nahm an, es gäbe da ein medizinisches Problem, oder vielleicht war sie auch, wie so manche Frau, einfach nicht dazu ausersehen, ein Kind auszutragen. Er war schließlich ein Cop, ein Detective, und daher hatte er alles, was sie ihm erzählt hatte, für bare Münze genommen. Sara war eine Frau, die immer die Wahrheit sagte. Oder zumindest hatte er sie für eine solche gehalten.

»Chief?«, sagte Marla und klopfte an die Tür. »Jemand aus Atlanta hat angerufen und lässt ausrichten, alles sei vorbereitet. Wollte keinen Namen hinterlassen. Sagt Ihnen das etwas?«

»Ja«, antwortete Jeffrey und sah in der Akte, die er in der Hand hielt, noch einmal nach, ob der Ausdruck auch da war. Er starrte das Bild an, obwohl er das unscharfe Foto praktisch schon im Gedächtnis gespeichert hatte. Er überholte Marla auf dem Flur. »Nach der Sache hier fahre ich gleich nach Atlanta. Ich weiß nicht, wann ich wieder zurück bin. Frank übernimmt hier solange das Kommando.«

Jeffrey ließ ihr keine Zeit zu einer Erwiderung. Er öffnete die Tür zum Verhörraum und trat ein.

Buddy sagte vorwurfsvoll: »Wir sitzen hier schon seit zehn Minuten.«

»Und wir werden auch nur noch weitere zehn Minuten hier sitzen, wenn Ihr Klient sich zur Kooperation entschließt«, sagte Jeffrey und setzte sich Buddy gegenüber auf einen Stuhl.

Jeffrey war sich nur einer einzigen Sache sicher, und zwar, dass er Jack Allen Wright umbringen wollte. Außerhalb des Football-Spielfeldes war Jeffrey nie ein gewalttätiger Mensch gewesen, aber den Mann, der Sara vergewaltigt hatte, wollte er töten, koste es, was es wolle.

»Können wir jetzt endlich anfangen?«, fragte Buddy und klopfte auf den Tisch.

Jeffrey sah durch das kleine Fenster in der Tür auf den Gang. »Wir müssen nur noch auf Frank warten«, sagte er. Er fragte sich, wo der Mann nur blieb. Gleichzeitig hoffte er, dass er sich um Lena kümmerte.

Die Tür wurde geöffnet, und Frank betrat den Raum. Er sah aus, als hätte er die ganze Nacht nicht geschlafen. Sein Hemd hing an der Seite aus der Hose, und auf seiner Krawatte war ein Kaffeefleck. Jeffrey warf einen tadelnden Blick auf seine Uhr.

»Tut mir leid«, sagte Frank und setzte sich auf den Stuhl neben Jeffrey.

»Also schön«, sagte Jeffrey. »Es gibt da einige Fragen, die wir Gordon stellen müssen. Sollte er sich entgegenkommend verhalten, verzichten wir auf eine strafrechtliche Verfolgung wegen Drogenbesitzes.«

»Scheiß drauf«, fauchte Gordon. »Ich hab Ihnen doch gesagt, es war nicht meine Hose.«

Jeffrey tauschte mit Buddy einen Blick. »Ich kann meine Zeit nicht damit verschwenden. Wir schicken ihn einfach in den Knast nach Atlanta und ersparen uns die ganze Arbeit.«

»Um was für Fragen handelt es sich denn?«, fragte Buddy.

Jeffrey ließ die Katze aus dem Sack. Buddy hatte damit gerechnet, wieder einmal einen Collegestudenten in einer simplen Drogensache zu verteidigen. Jeffrey gab sich Mühe, möglichst sachlich zu klingen, als er sagte: »Fragen zum Tod von Sibyl Adams und zur Vergewaltigung von Julia Matthews.«

Buddy reagierte leicht schockiert. Er wurde kreidebleich im Gesicht, sodass seine schwarze Augenklappe umso auffälliger wirkte. Er fragte Gordon: »Weißt du irgendwas darüber?«

Frank antwortete für ihn. »Er war der Letzte, der Julia Matthews in der Bibliothek gesehen hat. Und er war ihr Freund.«

Gordon legte wieder los. »Ich hab doch schon gesagt, dass es nicht meine Hose war. Scheiße, holen Sie mich hier raus.«

Buddy fixierte Gordon: »Du solltest denen hier lieber erzählen, was passiert ist, wenn du nicht deiner Mom demnächst Briefe aus dem Gefängnis schreiben willst.«

Gordon verschränkte wütend die Arme. »Ich denke, Sie sind mein Anwalt?«

»Und ich denke, du bist ein menschliches Wesen«, entgegnete Buddy und nahm seine Aktentasche zur Hand. »Diese Mädchen wurden zusammengeschlagen und umgebracht, Junge. Du könntest einer Anklage wegen Drogenbesitzes entgehen, wenn du jetzt einfach das tust, was du sofort hättest tun sollen. Und wenn du damit ein Problem hast, dann musst du dir einen anderen Anwalt suchen.«

Buddy stand auf, aber Gordon hielt ihn zurück. »Sie war in der Bibliothek, okay?«

Buddy setzte sich wieder, behielt aber seine Aktentasche auf dem Schoß.

»Auf dem Campus?«, fragte Frank.

»Jawohl, auf dem Campus«, blaffte Gordon. »Ich bin ihr nur übern Weg gelaufen, okay?«

»Okay«, antwortete Jeffrey.

»Also hab ich mit ihr geredet, ist doch klar? Sie wollte mich zurück. Das hab ich sofort geschnallt.«

Jeffrey nickte, obwohl er sich vorstellen konnte, dass Julia

Matthews sehr bestürzt gewesen war, Gordon in der Bibliothek zu treffen.

»Jedenfalls haben wir geredet, so 'n bisschen auf Small Talk gemacht, wenn Sie verstehen, was ich meine. »Haben dann verabredet, dass wir uns später noch treffen.«

»Und danach was?«, fragte Jeffrey.

»Dann ist sie gegangen. Sag ich doch. Sie ist einfach abgehauen, hat sich ihre Bücher geschnappt und hat gesagt, bis später dann, und ist abgedüst.«

Frank fragte: »Hast du gesehen, ob ihr jemand gefolgt ist? Jemand Verdächtiges?«

»Nö«, antwortete er. »Sie war allein. Mir wär doch aufgefallen, wenn jemand sie beobachtet hätte. Sie war mein Mädchen. Ich hatte immer ein Auge auf sie.«

Jeffrey sagte: »Du kannst dir niemanden vorstellen, den sie vielleicht gekannt hat, nicht einen Fremden, bei dem sie vielleicht ein unbehagliches Gefühl hatte? Vielleicht hat sie sich ja auch mit jemandem getroffen, nachdem ihr Schluss gemacht habt?«

Gordon sah ihn an, als wäre er völlig begriffsstutzig. »Sie hat sich mit niemandem getroffen. Sie war in mich verliebt.«

»Du kannst dich nicht entsinnen, irgendwelche fremden Autos auf dem Campus gesehen zu haben?«, fragte Jeffrey. »Oder Lieferwagen?«

Gordon schüttelte den Kopf. »Nichts hab ich gesehen, okay?«

Frank sagte: »Kommen wir zu eurer Verabredung. Du solltest sie also später treffen?«

Gordon gab sich mitteilsam: »Sie wollte sich um zehn mit mir hinter dem Landwirtschaftsgebäude treffen.«

»Aber sie ist nie dort aufgetaucht?«, fragte Frank.

»Nein«, antwortete Gordon. »Ich hab noch gewartet, verstehen Sie? Dann wurde ich irgendwann sauer und ging sie suchen. Ich bin auch in ihr Zimmer gegangen, um zu sehen, was anlag, aber da war sie auch nicht.«

Jeffrey räusperte sich. »War Jenny Price dort?«

»Die Nutte?« Gordon winkte ab. »Die war doch bestimmt unterwegs und hat das halbe Naturwissenschaftsseminar gevögelt.«

Jeffrey merkte, wie der Ärger in ihm aufstieg. Mit Männern, die in allen Frauen Huren sahen, hatte er sein Problem, und zwar nicht zuletzt deswegen, weil diese Haltung gewöhnlich einherging mit Gewalttätigkeit gegenüber Frauen. »Also, Jenny war nicht da«, fasste Jeffrey zusammen. »Und was hast du danach gemacht?«

»Bin zurück in mein Wohnheim.« Er zuckte mit den Achseln. »Und ins Bett gegangen.«

Jeffrey lehnte sich zurück. »Was verschweigst du uns, Ryan?«, fragte er. »So wie ich die Sache sehe, hast du unseren Handel noch nicht eingehalten. So wie ich das sehe, wirst du wohl die nächsten zehn Jahre in dem orangen Overall stecken, den du jetzt schon trägst.«

Gordon warf Jeffrey einen Blick zu, der wohl bedrohlich sein sollte. »Ich hab Ihnen alles gesagt.«

»Nein«, wandte Jeffrey ein. »Das hast du nicht. Du lässt etwas aus, das ziemlich wichtig ist, und ich schwöre, wir verlassen diesen Raum erst, wenn du mir erzählt hast, was du weißt.«

Gordons Blick wurde unstet. »Ich weiß nichts.«

Buddy beugte sich zu ihm hinüber und flüsterte Gordon etwas ins Ohr, woraufhin er die Augen weit aufriss.

Was immer der Anwalt seinem Mandanten gesagt haben mochte – es wirkte.

Gordon sagte: »Ich bin ihr gefolgt, als sie aus der Bibliothek wegging.«

»Ja?« Jeffrey wollte ihn anspornen.

»Sie hat sich mit diesem Typen getroffen, okay?« Jeffrey wusste nicht, wo er seine Hände lassen sollte. Er hätte den Widerling am liebsten gepackt und gewürgt. »Ich hab versucht, sie einzuholen, aber sie waren zu schnell.«

»Was soll das heißen – schnell?«, fragte Jeffrey. »Rannte sie neben ihm her?«

»Nein«, sagte Gordon. »Er hat sie getragen.«

Jeffrey hatte das Gefühl, dass sich ihm der Magen umdrehte. »Und dir kam das nicht verdächtig vor, dass ein Typ sie wegtrug?«

Gordon zog die Schultern hoch bis an die Ohren. »Ich war sauer, okay? Ich war sauer auf sie.«

»Du wusstest, dass sie dich später nicht mehr treffen würde«, begann Jeffrey, »und deswegen bist du ihr gefolgt.«

Er reagierte mit einem leichten Achselzucken, das ja oder nein bedeuten konnte.

»Und du hast gesehen, wie dieser Typ sie fortgeschleppt hat?«, fuhr Jeffrey fort.

»Hab ich.«

Frank fragte: »Wie sah er denn aus?«

»Groß, schätz ich«, sagte Gordon. »Sein Gesicht konnte ich nicht sehen, wenn Sie das meinen.«

»Weiß? Schwarz?«, fragte Jeffrey.

»Ja, weiß«, bot Gordon an. »Weiß und groß. Er trug dunkle Kleidung, alles schwarz. Man konnte die beiden gar nicht richtig sehen. Aber sie trug ja dieses weiße Shirt, okay? Das fing irgendwie das Licht ein, deshalb hab ich sie gesehen, aber ihn nicht.«

Frank fragte: »Bist du ihnen gefolgt?«

Gordon schüttelte den Kopf.

Frank blieb stumm und biss vor Ärger die Zähne zusammen. »Du weißt, dass sie jetzt tot ist, oder?«

Gordon sah auf die Tischplatte. »Ja, weiß ich.«

Jeffrey öffnete den Umschlag und zeigte Gordon den Ausdruck. Er hatte Wrights Namen mit einem schwarzen Marker ausgestrichen, aber alle anderen Daten waren noch zu lesen. »Ist das hier der Kerl?«

Gordon senkte den Blick noch weiter. »Nein.«

»Sieh dir das verdammte Foto an«, forderte Jeffrey ihn auf. Er sprach so laut, dass Frank neben ihm aufschreckte.

Gordon tat, wozu er aufgefordert worden war, und näherte sich mit dem Gesicht dem Foto, bis seine Nase es fast berührte. »Weiß ich doch nicht, Mann«, sagte er. »Es war dunkel. Ich konnte sein Gesicht nicht erkennen.« Er ließ den Blick über Wrights persönliche Daten schweifen. »Er war etwa so groß. Auch ungefähr so gebaut. Könnte der hier gewesen sein, schätze ich.« Er zuckte gleichgültig die Achseln. »Ich mein, Scheiße, ich hab doch nicht auf ihn geachtet. Ich hab nur sie gesehen.«

Die Fahrt nach Atlanta dauerte lange und war ermüdend. Nur gelegentlich unterbrach eine Baumgruppe in den Fängen der eingeschleppten und nicht mehr wegzudenkenden asiatischen Kletterpflanze Kudzu die Monotonie der Landschaft. Zweimal versuchte er, Sara zu Hause anzurufen und eine Nachricht für sie zu hinterlassen, aber ihr Anrufbeantworter sprang auch nach dem zwanzigsten Klingeln nicht an. Jeffrey verspürte plötzliche Erleichterung, aber gleich darauf schämte er sich ganz entsetzlich. Je näher er der Stadt kam, desto intensiver redete er sich ein, dass er das Richtige tat. Er konnte Sara ja noch anrufen, sobald er etwas wusste. Vielleicht konnte er sie auch mit der Nachricht überraschen, dass Jack Allen Wright in einen unglückseligen Unfall verwickelt worden war, an dem Jeffreys Waffe und Wrights Brust beteiligt waren.

Obwohl er 130 Stundenkilometer fuhr, brauchte Jeffrey vier Stunden, bevor er von der 20 abbog und die Ausfahrt in die Innenstadt nahm. Kurz hinter der Gabelung kam er am Grady Hospital vorbei und spürte, dass ihm wieder die Tränen kommen wollten. Das Krankenhaus war ein monströses Gebäude, das dort über der Interstate aufragte, die Atlantas Verkehrsberichterstatter die Grady Curve nannten. Grady war eines der größten Krankenhäuser der Welt. Sara hatte ihm erzählt, dass im Jahresdurchschnitt über zweihunderttausend Patienten in der Notfallklinik behandelt wurden. Nach einer kürzlichen Renovierung, die vierhundert Millionen Dollar gekostet hatte, sah das Krankenhaus aus, als gehörte es zur Kulisse eines Batman-Films. In einer für die Stadt Atlanta typischen politischen Situation war die Renovierung zum Thema einer brisanten Untersuchung geworden, wobei Schmiergelder und Bestechungssummen geflossen waren, die bis hinauf ins Rathaus hatten zurückverfolgt werden können.

Jeffrey nahm die Ausfahrt zur Innenstadt und fuhr am Capitol vorbei. Sein Freund aus der Polizeitruppe von Atlanta war im Dienst angeschossen worden und hatte einen Posten als Wachhabender im Gericht der frühzeitigen Pensionierung vorgezogen. Mit einem Anruf aus Grant war ein Treffen um ein Uhr verabredet worden. Es war fünfzehn Minuten vor eins, als Jeffrey einen Parkplatz in der sehr belebten Innenstadt ums Capitol gefunden hatte.

Keith Ross wartete vor dem Gerichtsgebäude, als Jeffrey eintraf. In einer Hand hielt er einen großen Aktenordner, in der anderen einen einfachen weißen Briefumschlag.

»Hab dich ja schon eine kleine Ewigkeit nicht mehr gesehen«, sagte Keith und begrüßte Jeffrey mit einem festen Händedruck.

»Freut mich auch, dich zu sehen, Keith«, erwiderte Jeffrey und versuchte, seine Stimme so locker klingen zu lassen, wie er sich ganz und gar nicht fühlte. Die Fahrt nach Atlanta hatte Jeffrey noch mehr angespannt. Und auch der schnelle Fußmarsch vom Parkhaus zum Gerichtsgebäude hatte nicht dazu beigetragen, seine Anspannung zu lösen.

»Ich kann dir das hier nur ganz kurz überlassen«, sagte Keith, der spürte, wie viel Jeffrey an dieser Sache lag. »Ich hab's von einem Kumpel aus dem Archiv.«

Jeffrey nahm den Aktenordner entgegen, aber öffnete ihn noch nicht. Er wusste, was er darin finden würde: Bilder von Sara, Zeugenaussagen, detaillierte Beschreibungen dessen, was genau auf jener Toilette geschehen war.

»Gehen wir rein«, sagte Keith und geleitete Jeffrey ins Gebäude.

Jeffrey zeigte an der Tür kurz seine Dienstmarke und entging dadurch der Sicherheitsüberprüfung. Keith führte ihn in ein kleines Büro seitlich neben dem Eingang. Ein Schreibtisch, der mit TV-Monitoren beladen war, füllte fast den gesamten Raum aus. Ein junger Bursche mit dicken Brillengläsern in einer Polizeiuniform sah überrascht auf, als sie eintraten.

Keith zog einen Zwanzigdollarschein aus der Tasche. »Hier, kauf dir was zu naschen«, sagte er.

Der junge Mann nahm das Geld und ging, ohne einen Ton zu sagen.

»Hingebungsvolle Dienstauffassung«, kommentierte Keith sarkastisch. »Man muss sich ja schon fragen, was die bei der Polizei wollen.«

»Ja«, murmelte Jeffrey, der sich nichts weniger wünschte, als eine weitschweifige Unterhaltung über die Qualität von Polizeirekruten.

»Ich lass dich damit allein«, sagte Keith. »Zehn Minuten, okay?«

»Okay«, antwortete Jeffrey, der nur noch darauf wartete, dass die Tür geschlossen wurde.

Die Akte war kodiert und datiert und trug irgendwelche obskuren Bezeichnungen, die wohl nur ein städtischer Angestellter enträtseln konnte. Jeffrey rieb mit der Hand über die Vorderseite, als könne er sich die Informationen einverleiben, ohne sie tatsächlich betrachten zu müssen. Da das nicht gelingen wollte, atmete er tief durch und öffnete die Akte.

Bilder von Sara nach der Vergewaltigung stürmten auf ihn ein. Farbige Nahaufnahmen ihrer Hände und Füße, der Stichwunde an ihrer Seite und ihrer geschundenen Geschlechtsorgane ergossen sich über den Tisch. Bei ihrem Anblick rang er nach Luft. Es schnürte ihm den Brustkorb zusammen, und stechende Schmerzen durchfuhren seinen Arm. Einen Augenblick lang dachte Jeffrey, er hätte einen Herzanfall, aber ein paar tiefe Atemzüge verhalfen ihm langsam wieder zu einem klaren Kopf. Er merkte, dass er unwillkürlich die Augen geschlossen hatte, und als er sie wieder aufschlug, drehte er die Bilder von Sara um, ohne noch einmal hinzusehen.

Jeffrey lockerte seine Krawatte. Er gab sich große Mühe, die Bilder zu verdrängen, die er gerade noch gesehen hatte. Er blätterte die anderen Fotos durch und stieß auf ein Bild von Saras Auto. Es war ein silberfarbener BMW 320 mit schwarzen Stoßstangen und blauen Streifen an den Seiten. In die Tür geritzt war, wohl mit einem Schlüssel, das Wort Fotze, wie Sara im Rahmen ihrer Aussage vor Gericht auch beschrieben hatte. Es gab sowohl ein »Vorher«- wie ein »Nachher«-Foto von der Autotür, einmal ohne und einmal mit dem silbernen Klebeband. Jeffrey hatte ganz plötzlich Sara vor Augen, wie sie vor der Tür kniete und die Verunstaltung überklebte. Wahrscheinlich hatte sie sich dabei vorgenommen, den Schaden von ihrem Onkel Al beheben zu lassen, wenn sie wieder einmal nach Grant käme.

Jeffrey warf einen Blick auf seine Armbanduhr. Fünf Minuten waren schon verstrichen. Auf dem Monitor einer der Überwachungskameras sah er Keith. Er hatte die Hände tief in den Hosentaschen vergraben und quatschte mit den Wächtern am Eingang.

Als er weiter hinten in der Akte blätterte, fand er den Bericht über die Festnahme von Jack Allen Wright. Wright war vorher bereits zweimal unter Verdacht in Gewahrsam genommen, aber nicht angeklagt worden. Beim ersten Vorkommnis hatte eine junge Frau in ungefähr dem Alter, in dem sich Sara bei dem Überfall befunden hatte, die Beschuldigung zurückgezogen und war aus der Stadt weggezogen. In dem anderen Fall hatte sich die junge Frau das Leben genommen. Jeffrey rieb sich die Augen. Er dachte an Julia Matthews.

Es klopfte an der Tür, dann sagte Keith: »Die Zeit ist um, Jeffrey.«

»Yeah«, sagte Jeffrey und klappte die Akte zu. Er mochte sie auch gar nicht mehr in den Händen halten. Er streckte sie Keith entgegen, ohne ihn anzusehen.

»Hat's dir was geholfen?«

Jeffrey nickte und rückte seine Krawatte zurecht. »Ein wenig«, sagte er. »Konntest du rausfinden, wo der Typ steckt?«

»Nur die Straße runter«, antwortete Keith. »Arbeitet im Bank Building.«

»Heißt das, zehn Minuten von der Uni entfernt? Und noch fünf mehr vom Grady?«

»Du sagst es.«

»Und, was macht er?«

»Ist wieder Hausmeister, wie im Grady«, sagte Keith. Er hatte sich die Akte offenbar angesehen, bevor er sie Jeffrey gegeben hatte. »Diese vielen Studentinnen, und er ist nur zehn Minuten von ihnen entfernt.«

»Weiß die Campuspolizei Bescheid?«

»Inzwischen ja«, sagte Keith und sah Jeffrey vielsagend an. »Ist ja wohl keine große Gefahr mehr.«

»Was soll das heißen?«, fragte Jeffrey.

»Teil seiner Bewährung«, sagte Keith und deutete auf die Akte. »So weit bist du wohl nicht gekommen. Er nimmt Depo.«

Unbehagen überkam Jeffrey. Depo-Provera war der neueste Trend bei der Behandlung von Sexualverbrechern. Normalerweise wurde es bei Frauen als Hormonsubstitution eingesetzt, aber bei ausreichend hoher Dosis ließen sich damit auch die sexuellen Bedürfnisse eines Mannes einschränken. Wenn die Droge bei Sexualtätern eingesetzt wurde, sprach man von chemischer Kastration. Jeffrey wusste jedoch, dass die Droge nur so lange wirkte, wie der Täter sie auch einnahm. Es handelte sich eher um ein Medikament, das die Symptome unterdrückte, als um ein Heilmittel.

Jeffrey deutete auf den Aktenordner. Er durfte in diesem Raum Saras Namen nicht aussprechen. »Hat er danach noch mal jemanden vergewaltigt?«

»Zwei andere Frauen hat er nach dieser Sache hier noch vergewaltigt«, antwortete Keith. »Das war das Linton-Mädchen, nicht wahr? Auf sie hat er auch eingestochen. Versuchter Mord, sechs Jahre. Hat wegen guter Führung früh Bewährung bekommen, wurde auf Depo gesetzt, hat das Depo abgesetzt, ging los und hat noch drei weitere Frauen vergewaltigt. In einem Fall konnten sie ihn überführen, die anderen Frauen wollten nicht aussagen. Er wanderte für drei weitere Jahre hinter Gitter, und jetzt ist er auf Bewährung frei und bekommt das Depo unter strenger Kontrolle verabreicht.«

»Er hat sieben Frauen vergewaltigt und dafür nur zehn Jahre gesessen?«

»Sie haben ihn nur in drei Fällen überführen können, und außer bei ihr« – er deutete auf Saras Akte – »waren die anderen Identifikationen ziemlich zweifelhaft. Er trug eine Maske. Du weißt ja, wie es ist, wenn diese Frauen im Zeugenstand sind. Sie werden unheimlich nervös, und ehe du dich versiehst, hat der gegnerische Anwalt sie so weit, dass sie sich fragen, ob sie überhaupt vergewaltigt wurden. Noch weniger können sie sich an den Täter erinnern.«

Jeffrey biss sich auf die Lippe, aber Keith schien seine Gedanken zu lesen.

»He«, sagte er, »wenn ich diese Fälle bearbeitet hätte, wäre der Hundesohn auf den Stuhl geschickt worden. Du weißt doch, was ich meine?«

»Ja«, sagte Jeffrey, der fand, dass diese Aufschneiderei sie auch nicht weiterbrachte. »Ist er fällig für seinen ›dritten Treffer‹?«, fragte er. In Georgia war, wie in vielen anderen Bundesstaaten, vor einiger Zeit ein »Third strike«-Gesetz verabschiedet worden, durch das ein Straftäter nach seiner dritten Verurteilung wegen eines Verbrechens, mochte es diesmal auch noch so geringfügig sein, sofort zurück ins Gefängnis geschickt wurde, möglicherweise lebenslänglich.

»Sieht ganz so aus«, antwortete Keith.

»Wer ist denn sein Bewährungshelfer?«

»Darum habe ich mich schon gekümmert«, sagte Keith. »Wright trägt ein Armband. Sein Bewährungshelfer sagt, die letzten beiden Jahre ist er sauber geblieben. Er sagt auch, der Bursche würde sich eher den Kopf abhacken lassen, als wieder ins Gefängnis zu gehen.«

Jeffrey nickte. Jack Wright musste als Teil seiner Bewährung eine Überwachungsmanschette tragen. Wenn er seinen Bewegungsradius verließ oder zu einer bestimmten Zeit nicht wieder im Haus war, schrillte in der Überwachungsstation eine Alarmglocke. Im Stadtgebiet von Atlanta waren die meisten Bewährungshelfer in den jeweiligen Polizeibezirken stationiert, sodass man die Leute, die ihre Auflagen nicht erfüllten, sofort schnappen konnte. Es war ein gutes System, und obwohl Atlanta eine so große Stadt war, schlüpften nicht viele auf Bewährung entlassene durch die Maschen.

»Außerdem«, sagte Keith, »bin ich auch zum Bank Building runtergegangen.« Er zuckte entschuldigend mit den Achseln, denn er wusste sehr wohl, dass er damit seine Befugnisse überschritten hatte. Das hier war Jeffreys Fall, aber Keith langweilte sich wahrscheinlich zu Tode, wenn er den ganzen Tag lang nur in Besuchertaschen nach Handfeuerwaffen kramte.

»Ist schon okay«, sagte Jeffrey. »Was hast du rausgefunden?«

»Hab mir mal seine Stechkarten angesehen. Er ist jeden Morgen um sieben gekommen, ist mittags um zwölf raus, um halb eins wieder zurück und schließlich Feierabend um fünf.«

»Könnte doch jemand anders für ihn gestempelt haben.«

Keith reagierte mit einem Schulterzucken. »Seine Vorgesetzte hatte ihn nicht ständig im Auge, aber sie sagt, es hätte Beschwerden aus den Büros gegeben, wenn er nicht am Arbeitsplatz gewesen wäre. Anscheinend legen die feinen Herren Angestellten sehr viel Wert darauf, dass ihre Klos ständig auf Hochglanz geputzt sind.«

Jeffrey deutete auf den weißen Briefumschlag, den Keith in der Hand hielt. »Was ist das?«

»Zulassung«, sagte Keith und reichte ihm den Umschlag. »Er fährt einen blauen Chevy Nova.«

Jeffrey riss den Umschlag mit dem Daumennagel auf. Er fand die Fotokopie von Jack Allen Wrights Pkw-Zulassung. Unter dem Namen stand auch eine Adresse. »Aktuell?«, fragte Jeffrey.

»Ja«, antwortete Keith. »Nur – von mir hast du sie nicht bekommen.«

Jeffrey wusste, was er meinte. Atlantas Polizeichefin leitete ihre Behörde konsequent und streng. Jeffrey kannte ihren Ruf und bewunderte ihre Leistung, aber er wusste auch, dass er sehr schnell einen zehn Zentimeter langen Stilettoabsatz im Nacken spüren würde, wenn sie meinte, dass ein Hinterwäldler-Cop aus Grant County ihr auf die Zehen trat.

»Wenn du von Wright bekommst, was du brauchst«, sagte Keith, »dann ruf beim APD an.« Er reichte Jeffrey eine Visitenkarte mit Atlantas aus der Asche aufsteigendem Phoenix. Jeffrey drehte sie um und las auf der Rückseite einen Namen und eine Telefonnummer.

Keith sagte: »Das ist seine Bewährungshelferin. Ein gutes Mädchen, aber du musst schon was Handfestes vorzuweisen haben, wenn du ihr erklären willst, warum du es auf Wright abgesehen hast.«

»Du kennst sie?«

»Hab von ihr gehört«, sagte Keith. »Ziemlich harter Brocken, also sei auf der Hut. Wenn du sie einbeziehen willst, ihren Jungen zu schnappen, und es ihr nicht passt, wie du sie ansiehst, sorgt sie dafür, dass du ihn nie wieder zu Gesicht bekommst.«

Jeffrey sagte: »Ich versuche, mich wie ein Gentleman zu benehmen.«

Keith fügte noch hinzu: »Ashton liegt gleich an der Interstate. Ich werd's dir beschreiben.«

21

Nick Sheltons Stimme dröhnte durchs Telefon: »He, Lady!«

»He, Nick«, entgegnete Sara und schloss ein Krankenblatt, das vor ihr auf dem Schreibtisch lag. Seit acht Uhr früh war sie schon in der Klinik und hatte bis um vier Uhr nachmittags ständig Patienten in der Sprechstunde gehabt. Sara kam es so vor, als sei sie den ganzen Tag durch Treibsand gelaufen. Sie hatte leichte Kopfschmerzen, und zudem war ihr ein wenig übel, weil sie am Abend zuvor etwas zu viel getrunken hatte. Hinzu kam noch das Unbehagen über das emotionale Drama, das sich abgespielt hatte. Je weiter der Tag Fortschritt, desto ausgelaugter fühlte sie sich. Beim Mittagessen hatte Molly bemerkt, dass Sara heute besser Patientin als Ärztin wäre.

»Ich hab Mark diese Samen gezeigt«, sagte Nick. »Er sagt, es handelt sich auf jeden Fall um Belladonna, nur sind es die Beeren, nicht die Samen.«

»Gut zu wissen«, brachte Sara heraus. »Er ist seiner Sache sicher?«

»Hundertprozentig«, erwiderte Nick. »Er sagt, irgendwie ist es komisch, dass sie die Beeren gegessen haben. Du weißt ja, die sind am wenigsten giftig. Vielleicht gibt euer Kerl da unten ihnen die Beeren, damit sie aufgekratzt sind, und gibt ihnen die endgültige Dosis erst, wenn er von ihnen ablässt.«

»Das klingt einleuchtend«, sagte Sara, die gar nicht darüber nachdenken mochte. Heute wollte sie keine Ärztin sein. Heute wollte sie keine Gerichtsmedizinerin sein. Sie wollte nur im Bett liegen, Tee trinken und irgendwas Stumpfsinniges in der Glotze sehen. Und genau das würde sie auch tun, sobald sie die letzte Krankenakte des Tages auf den neuesten Stand gebracht hatte. Dankenswerterweise hatte Nelly den morgigen Tag als einen freien Tag für Sara angemeldet. Sie würde das Wochenende nutzen, um Kraft zu tanken. Montag würde Sara dann wieder ganz die Alte sein.

Sie fragte: »Irgendwas zu der Spermaprobe?«

»Damit haben wir ein paar Probleme, wenn man in Betracht zieht, wo du sie gefunden hast. Ich denke jedoch, dass wir da noch etwas herausbekommen.«

»Das sind ja gute Nachrichten.«

Nick sagte: »Erzählst du Jeffrey das mit den Beeren, oder soll ich ihn anrufen?«

Sara wurde bei der Erwähnung von Jeffreys Namen noch mehr übel.

»Sara?«, fragte Nick nach.

»Ja«, antwortete Sara. »Ich rede mit ihm, sobald ich die Arbeit hier hinter mir habe.«

Sara legte nach den angemessenen Abschiedsfloskeln auf. Danach saß sie in ihrem Büro und massierte sich das Kreuz. Sie überflog die nächste Krankenakte, trug die Änderung der Medikation ein und notierte, dass der Patient wegen der Laborresultate zu einem neuen Termin bestellt werden sollte. Als sie mit der letzten Akte durch war, zeigte die Uhr halb sechs.

Sara stopfte ein paar Akten in ihre Aktentasche, denn sie wusste, dass am Wochenende auch der Moment kommen würde, wo die Schuldgefühle einsetzten und sie einfach etwas arbeiten musste. In ihr kleines Aufnahmegerät konnte sie zu Hause diktieren. Es gab in Macon einen Laden, wo man Abschriften machen lassen konnte, es dauerte nur zwei Tage.

Sie knöpfte ihre Jacke zu, als sie die Straße überquerte und den Weg in die Innenstadt einschlug. Sie blieb auf dem Gehsteig gegenüber von der Apotheke, um Jeb nicht über den Weg zu laufen. Sara hielt den Kopf gesenkt, als sie an dem Haushaltswarenladen und dem Textilgeschäft vorbeiging, sie wollte niemanden zu einer Unterhaltung animieren. Dass sie vor der Polizeiwache stehen blieb, überraschte sie selbst. Ihr Verstand arbeitete, ohne dass sie sich dessen bewusst wurde, und mit jedem Schritt wurde sie zorniger auf Jeffrey, weil er sie nicht angerufen hatte. Es war doch nicht zu bestreiten, dass sie ihre Seele auf seinem Badezimmerwaschbecken entblößt hatte, und trotzdem hatte er nicht den Anstand besessen, sie anzurufen.

Sara marschierte in die Dienststelle und rang sich ein Lächeln für Marla ab. »Ist Jeffrey da?«

Marla runzelte die Stirn. »Ich glaube nicht«, sagte sie. »Er hat sich um die Mittagszeit schon abgemeldet. Sie können Frank mal fragen.«

»Und der ist hinten?« Sara deutete mit ihrer Aktentasche auf die Tür.

»Ich glaube schon«, antwortete Marla und wandte sich wieder ihrer Beschäftigung zu.

Sara warf einen Blick darauf, als sie an der älteren Frau vorbeiging. Marla löste ein Kreuzworträtsel.

Der hintere Raum war leer, und die ungefähr zehn Schreibtische, an denen normalerweise die ranghöheren Detectives arbeiteten, waren momentan nicht besetzt. Sara nahm an, dass sie dabei waren, Jeffreys Liste abzuarbeiten oder kurz etwas zu Abend aßen. Mit erhobenem Kopf steuerte sie auf Jeffreys Büro zu und trat ein. Natürlich war er nicht da.

Sara stand in dem kleinen Büroraum. Ihre Aktentasche hatte sie auf seinem Schreibtisch abgestellt. Sie war wer weiß wie oft in diesem Raum gewesen. Hier hatte sie sich immer sicher gefühlt. Auch noch nach der Scheidung hatte Sara das Gefühl gehabt, dass Jeffrey vertrauenswürdig war. Als Polizist hatte er immer das Richtige getan. Er hatte alles in seiner Macht Stehende unternommen, um sicherzustellen, dass die Menschen in seiner Stadt in Sicherheit lebten.

Als Sara vor zwölf Jahren zurück nach Grant gezogen war, konnten auch noch so viele Beteuerungen ihres Vaters und ihrer Familie sie nicht davon überzeugen, dass sie in Sicherheit war. Sara hatte gewusst, dass sich die Nachricht von einem Waffenkauf wie ein Lauffeuer verbreitet hätte. Mehr noch, sie wusste, dass sie zur Polizei gehen musste, um die Waffe registrieren zu lassen. Ben Walker, Jeffreys Vorgänger im Amt des Polizeichefs, spielte jeden Freitagabend mit Eddie Linton Poker. Sara hätte keine Waffe kaufen können, ohne alle Verwandten und Bekannten in Alarmzustand zu versetzen.

Ungefähr zu der Zeit wurde ein Mitglied einer Jugendbande ins Krankenhaus von Augusta eingeliefert, weil man ihm beinahe den ganzen Arm weggeschossen hatte. Sara hatte um den Arm des Jungen gekämpft und ihn schließlich auch gerettet. Der Junge war erst vierzehn. Als seine Mutter kam, hatte sie sofort mit ihrer Handtasche auf seinen Kopf eingeprügelt. Sara hatte das Zimmer verlassen, aber kurz darauf hatte die Mutter vor ihr gestanden. Die Frau hatte Sara die Waffe ihres Sohnes ausgehändigt und sie gebeten, darauf Acht zu geben. Wäre Sara eine gläubige Christin gewesen, hätte sie dies Ereignis als Wunder bezeichnet.

Die Waffe befand sich jetzt, wie Sara sehr wohl wusste, in Jeffreys Schreibtischschublade. Sie blickte kurz über die Schulter, bevor sie die Schublade aufzog, nahm den Beutel mit der Ruger heraus und verstaute ihn in ihrer Aktentasche. Kurz darauf hatte sie auch schon das Zimmer verlassen.

Erhobenen Hauptes ging Sara zurück zum College. Ihr Boot lag vertäut am Bootshaus. Mit einer Hand warf sie ihre Aktentasche hinein, während sie mit der anderen die Leine löste. Ihre Eltern hatten ihr das Boot zum Einzug in ihr Haus geschenkt, und es war zwar alt, aber sehr robust. Der Motor war stark, und Sara war oft in seinem Schlepptau Wasserski gefahren. Dabei war ihr Vater am Ruder gestanden und hatte immer wieder Gas weggenommen, weil er fürchtete, ihr sonst die Arme auszureißen.

Nachdem sie sich vergewissert hatte, dass sie nicht beobachtet wurde, nahm Sara vorsichtig die Waffe aus der Aktenmappe und schloss sie samt Plastikbeutel im wasserdichten Handschuhfach weg. Sie hob ein Bein über die Reling und stieß das Boot vom Steg ab. Der Motor stotterte, als sie den Zündschlüssel drehte. Sie hätte den Motor prüfen lassen sollen, nachdem sie ihn den ganzen Winter über nicht benutzt hatte, aber sie hatte keine andere Wahl, weil ihr Wagen nicht vor Montag repariert sein würde. Ihren Vater zu bitten, sie zu fahren, wäre auf ein längeres Gespräch hinausgelaufen, und Jeffrey kam gar nicht infrage.

Nachdem er eine Wolke übel aussehenden blauen Qualms ausgestoßen hatte, sprang der Motor an, und Sara legte schmunzelnd ab. Sie war sich schon fast wie eine Verbrecherin vorgekommen, als sie sich mit der Waffe in ihrer Aktentasche fortgeschlichen hatte, aber sie fühlte sich jetzt sicherer. Was Jeffrey denken mochte, wenn er feststellte, dass die Waffe weg war, konnte Sara ziemlich egal sein.

Als sie die Mitte des Sees erreicht hatte, hüpfte das Boot geradezu übers Wasser. Ihr Gesicht schmerzte in der schneidenden Kälte des Fahrtwinds, und sie setzte die Brille auf, um die Augen zu schützen. Obwohl die Sonne vom Himmel brannte, war das Wasser noch kalt von den Niederschlägen, die es kürzlich in Grant County gegeben hatte. Es sah so aus, als würde es auch an diesem Abend wieder ein Unwetter geben, aber wahrscheinlich erst lange nach Sonnenuntergang.

Sara zog den Reißverschluss ihrer Jacke ganz bis unters Kinn, um sich der Kälte zu erwehren. Doch als sie endlich ihr Haus sehen konnte, lief ihre Nase, und ihre Wangen fühlten sich an, als hätte sie den Kopf in einen Eimer mit Eiswasser getaucht. Sie steuerte scharf nach links, um einer Felsgruppe auszuweichen, die vom Wasser überspült war. Es hatte eine Zeit gegeben, da war diese Stelle mit einem Warnschild markiert gewesen, aber das war schon seit Jahren verrottet. Nach den kürzlichen Regenfällen hatte der See zwar Hochwasser, aber Sara wollte kein Risiko eingehen.

Sie hatte im Bootshaus angelegt und benutzte die elektrische Winde, um das Boot aus dem Wasser zu ziehen, als ihre Mutter hinter ihr auftauchte.

»Mist«, murmelte Sara und drückte auf den roten Knopf, um die Winde anzuhalten.

»Ich hab in der Klinik angerufen«, sagte Cathy. »Nelly meinte, du nimmst dir morgen frei?«

»Stimmt«, antwortete Sara. Dabei zog sie an der Kette, um die Tür hinter dem Boot herunterzulassen.

»Deine Schwester hat mir von eurem Streit gestern Abend erzählt.«

Sara zog mit einem Ruck an der Kette, sodass die Metallkonstruktion schepperte. »Wenn du hier bist, um mir wieder zu drohen, kann ich nur sagen: Der Schaden ist bereits angerichtet.«

»Soll heißen?«

Sara ging an ihrer Mutter vorbei. »Soll heißen, er weiß Bescheid«, sagte sie, stemmte die Hände in die Hüften und wartete darauf, dass ihre Mutter hinterherkam. »Ich hab ihm das Protokoll gezeigt.«

»Was hat er gesagt?«

»Darüber kann ich nicht sprechen«, antwortete Sara und wandte sich dem Haus zu. Ihre Mutter folgte ihr über den Rasen, blieb aber dankenswerterweise stumm.

Sara schloss die Hintertür auf und ließ sie für ihre Mutter offenstehen. Sie ging in die Küche und merkte zu spät, dass eine furchtbare Unordnung herrschte.

Cathy sagte: »Also wirklich, Sara, du müsstest wirklich mal Zeit finden, hier sauberzumachen.«

»Ich hatte sehr viel zu arbeiten.«

»Das ist keine Entschuldigung«, dozierte Cathy. »Du musst dir nur sagen: ›Ich werde jeden zweiten Tag eine Ladung Wäsche machen. Und ich werde alle Sachen wieder an den Platz zurücklegen, von dem ich sie genommen habe.‹ Dann hast du auch ruck, zuck alles im Griff.«

Sara ignorierte den inzwischen vertrauten Rat und ging ins Wohnzimmer. Sie prüfte die Rufnummernbox, aber es waren keine Anrufe registriert worden.

»Wir hatten Stromausfall«, sagte ihre Mutter und drückte auf die Knöpfe am Herd, um die richtige Zeit einzustellen. »Die Unwetter richten das reine Chaos an. Dein Vater hat gestern Abend fast einen Herzschlag gekriegt, als er *Jeopardy!* Sehen wollte und nichts als Schnee auf dem Bildschirm hatte.«

Irgendwie war Sara erleichtert. Vielleicht hatte Jeffrey ja doch angerufen. Höhere Gewalt hatte eingegriffen. Sie ging zum Waschbecken und füllte den Teekessel. »Möchtest du auch einen Tee?«

Cathy schüttelte den Kopf.

»Ich auch nicht«, murmelte Sara und ließ den Kessel im Becken stehen. Sie ging nach hinten ins Haus und zog auf dem Weg ins Schlafzimmer zuerst ihr Hemd und dann den Rock aus. Cathy folgte ihr und ließ die Tochter nicht aus den mütterlich trainierten Augen.

»Streitest du dich wieder mit Jeffrey?«

Sara zog ein T-Shirt über den Kopf. »Ich streite mich doch immer mit Jeffrey, Mutter. So sind wir nun mal.«

»Und vor lauter Lust auf solche Streitereien kannst du nicht mal in der Kirche stillsitzen?«

Sara biss sich auf die Lippe und merkte, dass sie rot wurde.

Cathy fragte: »Was ist denn diesmal passiert?«

»Mein Gott, Mama. Ich möchte wirklich nicht darüber reden.«

»Dann erzähl mir was über diese Sache mit Jeb McGuire ...«

»Da gibt es keine ›Sache‹. Wirklich nicht.« Sara schlüpfte in ein Paar Trainingshosen.

Cathy setzte sich aufs Bett und glättete das Laken mit der flachen Hand. »Das ist gut. Der ist nämlich überhaupt nicht dein Typ.«

Sara lachte. »Wie ist denn mein Typ?«

»Jemand, der es mit dir aufnehmen kann.«

»Vielleicht mag ich Jeb ja«, erwiderte Sara, der nicht entging, wie gereizt ihr Tonfall war. »Vielleicht gefällt es mir, dass er unspektakulär ist und nett und ausgeglichen. Er hat weiß Gott lange genug gewartet, bis er einmal mit mir ausgehen kann. Vielleicht sollte ich mich öfter mit ihm treffen.«

Cathy sagte: »Du bist nicht so böse auf Jeffrey, wie du denkst.«

»Oh, tatsächlich?«

»Du bist nur verletzt, und das macht dich zornig. Du öffnest dich anderen Menschen nur sehr selten«, fuhr Cathy fort. Sara bemerkte, dass die Stimme ihrer Mutter besänftigend, aber doch auch entschieden klang, als wolle sie ein gefährliches Tier aus seinem Versteck locken. »Ich weiß noch, dass du schon als kleines Mädchen sehr sorgsam darauf geachtet hast, mit wem du dich angefreundet hast.«

Sara setzte sich aufs Bett, um die Socken anzuziehen. Sie sagte: »Ich hatte massenhaft Freundinnen.«

»O ja, du warst beliebt, aber du hast nur sehr wenige an dich herangelassen.« Sie strich Sara das Haar hinters Ohr. »Und nach dem, was in Atlanta geschehen ist …«

Sara vergrub das Gesicht in den Händen. Tränen flossen, und sie flüsterte: »Mama, ich mag wirklich jetzt nicht darüber sprechen, okay? Bitte, nicht jetzt.«

»Schon gut«, lenkte Cathy ein und legte ihr den Arm um die Schulter. Sie zog Saras Kopf an ihre Brust. »Psssst«, beruhigte sie sie und streichelte ihr das Haar. »Ist ja alles gut.«

»Ich …« Sara schüttelte den Kopf, konnte nicht weiterreden. Sie hatte vergessen, wie gut es tat, von ihrer Mutter getröstet zu werden. In den letzten Tagen war sie so erpicht darauf gewesen, Jeffrey von sich zu weisen, dass sie dabei auch auf Distanz zu ihrer Familie gegangen war.

Cathy küsste Sara auf den Scheitel und sagte: »Es gab da auch mal eine Situation zwischen deinem Vater und mir.«

Sara war so verblüfft, dass sie zu weinen aufhörte. »Daddy hat dich betrogen?«

»Natürlich nicht.« Cathy runzelte die Stirn. Einige Sekunden verstrichen, bevor sie damit herauskam. »Es war umgekehrt.«

»Du hast Daddy betrogen?«

»Es ist nie vollzogen worden, aber in meinem Herzen empfand ich so, als sei es geschehen.«

»Was soll das denn heißen?« Sara schüttelte den Kopf, für sie klang es wie eine von Jeffreys Entschuldigungen: fadenscheinig. »Nein, vergiss es.« Sie wischte mit dem Handrücken über die Augen und dachte dabei, dass sie es wirklich nicht hören wollte. Die Ehe ihrer Eltern war das Podest, auf das Sara all ihre Vorstellungen von Liebe und zwischenmenschlichen Beziehungen gestellt hatte.

Cathy schien jedoch unbedingt ihre Geschichte erzählen zu wollen. »Ich habe deinem Vater gesagt, dass ich ihn wegen eines anderen Mannes verlassen wolle.«

Vor Verblüffung klappte ihr der Unterkiefer runter, und Sara kam sich reichlich blöd vor. Schließlich brachte sie die Frage heraus: »Wer?«

»Ein Mann eben. Er war solide, hatte einen Job drüben in einem der Werke. Sehr besonnen. Sehr ernsthaft. Ganz anders als dein Vater.«

»Und was ist passiert?«

»Ich habe deinem Vater gesagt, dass ich ihn verlassen wollte.«

»Und?«

»Er hat geweint, und ich hab geweint. Ungefähr sechs Monate lang waren wir getrennt. Am Ende beschlossen wir dann doch zusammenzubleiben.«

»Wer war dieser andere Mann?«

»Darum geht es jetzt nicht mehr.«

»Wohnt er immer noch in der Stadt?«

Cathy schüttelte den Kopf. »Egal. Er hat nichts mehr mit meinem Leben zu tun, und ich bin mit deinem Vater zusammen.«

Sara konzentrierte sich eine Weile darauf, ruhig zu atmen. Schließlich schaffte sie es zu fragen: »Wann war das alles?«

»Bevor du und Tessie geboren wurdet.«

Sara schluckte, aber der Kloß in ihrem Hals blieb. »Was ist passiert?«

»Was meinst du?«

Sara zog sich eine Socke an. Man musste ihrer Mutter alles aus der Nase ziehen. Sie soufflierte: »Dass du dich anders besonnen hast? Was hat dich veranlasst, bei Daddy zu bleiben?«

»Ach, ungefähr eine Million Dinge«, antwortete Cathy mit einem vielsagenden Lächeln. »Ich glaube, dieser andere Mann hat mich nur ein wenig verwirrt, und ich hab vergessen, wie wichtig mir dein Vater war.« Sie seufzte tief. »Ich weiß noch, wie ich eines Morgens in meinem alten Zimmer bei Mama aufwachte und an nichts anderes denken konnte, als dass

Eddie hätte bei mir sein müssen. Ich brauchte ihn so sehr.« Cathy missbilligte Saras Reaktion auf ihre Worte: »Du musst gar nicht rot werden, es gibt nämlich auch noch andere Arten, jemanden zu brauchen.«

Sara zuckte unter der Schelte zusammen. Sie zog die andere Socke über den Fuß. »Also hast du ihn angerufen?«

»Ich bin hinübergegangen zu seinem Haus, hab mich auf die Veranda gesetzt und fast gebettelt, dass er mich zurücknimmt. Nein, wenn ich mir's genau überlege, hab ich tatsächlich gebettelt. Ich sagte zu ihm, wenn wir beide kreuzunglücklich ohne einander wären, dann könnten wir auch miteinander kreuzunglücklich sein, und dass mir alles leidtäte und ich es nie mehr als selbstverständlich betrachten würde, dass er an meiner Seite sei, solange ich lebte.«

»Es als selbstverständlich betrachten?«

Cathy legte die Hand auf Saras Arm. »Das ist es doch, was wehtut, nicht wahr? Wenn man das Gefühl hat, dass man dem anderen nicht mehr so viel bedeutet wie früher.«

Sara nickte und gab sich alle Mühe, ans Atmen zu denken. Ihre Mutter hatte den Nagel auf den Kopf getroffen. Sie fragte: »Was hat Daddy gemacht, als du ihm das gesagt hast?«

»Hat mich aufgefordert reinzukommen und zu frühstücken.« Cathy legte ihre Hand aufs Herz. »Ich weiß nicht, wie Eddie es übers Herz gebracht hat, mir zu verzeihen, denn er ist ein so stolzer Mann, aber ich bin dankbar, dass er es getan hat. Zu wissen, dass er mir etwas derart Schreckliches verzeihen konnte, dass er mich auch noch lieben konnte, nachdem ich ihn zutiefst verletzt hatte, eben das machte meine Liebe zu ihm nur noch stärker.« Sie lächelte. »Aber ich besaß natürlich eine Geheimwaffe.«

»Und die war?«

»Du.«

»Ich?«

Cathy streichelte Saras Wange. »Ich traf mich wieder mit deinem Vater, aber die Situation war angespannt. Nichts war wie zuvor. Dann wurde ich mit dir schwanger, und plötzlich war das Leben lebenswert. Ich glaube, weil du zu uns kamst, hatte dein Vater wieder eine Perspektive. Dann kam Tessie, dann kamt ihr beide zur Schule, dann wart ihr erwachsen und gingt aufs College.« Wieder lächelte sie. »Es braucht einfach Zeit. Liebe und Zeit. Und wenn man eine kleine rothaarige Göre hat, der man ständig hinterherrennen muss, ist das eine gute Ablenkung.«

»Na ja, ich werde jedenfalls nicht schwanger«, konterte Sara, sich ihres scharfen Tons durchaus bewusst.

Cathy schien ihre Antwort abzuwägen. »Manchmal muss man das Gefühl durchleben, etwas verloren zu haben, damit einem klar wird, welchen Wert es wirklich besaß«, sagte sie. »Sprich nur nicht mit Tessie darüber.«

Sara versprach es mit einem Kopfnicken. Sie stand auf und stopfte ihr T-Shirt in die Jeans. »Ich hab es ihm gesagt, Mama«, sagte sie. »Ich hab ihm die Protokollabschrift hingelegt.«

Cathy fragte: »Das Gerichtsprotokoll?«

»Ja«, sagte Sara und lehnte sich gegen die Kommode. »Ich weiß, dass er es gelesen hat. Ich hab es ihm ins Bad gelegt.«

»Und?«

»Und«, sagte Sara, »er hat noch nicht mal angerufen. Er hat den ganzen Tag kein Wort mit mir gesprochen.«

»Na ja«, sagte Cathy, die allem Anschein nach ihr Urteil gefällt hatte. »Dann zum Teufel mit ihm. Ein Dreckskerl ist er.«

22

Jeffrey fand die Nummer 633 in der Ashton Street ohne Schwierigkeiten. Es handelte sich um ein verfallenes Haus, von dem nicht viel mehr übrig war als ein Quadrat aus Schlackenbetonsteinen. Die Fenster schienen nach und nach eingebaut worden zu sein und waren alle von verschiedener Größe. Vorn auf der Veranda stand ein Außenkamin, daneben waren Papier und Zeitschriften aufgestapelt, die wahrscheinlich als Anzündmaterial benutzt wurden.

Er sah sich ein wenig um und versuchte, möglichst unauffällig zu wirken. Da er Anzug und Krawatte trug und einen weißen Town Car fuhr, passte Jeffrey nicht so recht in diese Gegend. Die Ashton Street war zumindest in dem Teil, wo Jack Wright wohnte, heruntergekommen und verwahrlost. Die meisten Häuser in der Nachbarschaft hatten mit Brettern vernagelte Fenster und Türen, und gelbe Plakate wiesen warnend auf ihre Baufälligkeit hin. Kinder, deren Eltern nirgends zu sehen waren, spielten im Schmutz der Hinterhöfe. Ein unverkennbarer Geruch lag über der Gegend, zwar nicht der von Abwasser, aber so ähnlich. Jeffrey fühlte sich an eine Fahrt entlang der städtischen Müllhalde im Außenbezirk von Madison erinnert. An einem schönen Tag stieg einem der Gestank von verfaulendem Müll selbst bei Gegenwind in die Nase. Sogar bei geschlossenen Scheiben und laufender Klimaanlage.

Auf dem Weg zum Haus atmete Jeffrey ein paarmal ein, um sich an den Geruch zu gewöhnen. Vor der Tür befand sich ein Schutz aus dichtem Drahtgeflecht, der mit einem Vorhängeschloss gesichert war, und die Tür selbst hatte drei Riegel und ein Schloss, das aussah, als könne man es nur mit einem Puzzleteil öffnen und nicht mit einem Schlüssel. Jack Wright hatte einen großen Teil seines Lebens im Gefängnis verbracht und war offenbar ein Mann, der seine Privatsphäre schätzte. Jeffrey sah sich um, bevor er an eines der Fenster trat. Es war ebenfalls mit Drahtgeflecht und einem schweren Schloss gesichert, aber das Fensterfutter war alt und mürbe. Mit ein paar festen Stößen war der gesamte Rahmen ausgehebelt. Jeffrey warf einen Blick über die Schulter, bevor er das Fenster einschließlich Futter und allem herausnahm und ins Haus einstieg.

Das Wohnzimmer war dunkel und schmuddelig. Überall lagen Papier und Müll verstreut. Eine orange Couch war mit einer dunklen Substanz bekleckert. Jeffrey vermochte nicht zu erkennen, ob es sich um den Saft von Kautabak oder irgendeine Körperflüssigkeit handelte. Was er jedoch deutlich registrierte, war der geradezu betäubende Gestank von Schweiß, gemischt mit Lysol-Geruch, der im Zimmer hing.

Kruzifixe aller Art säumten den oberen Rand der Wohnzimmerwände wie eine Bordüre. In ihrer Größe variierten sie von kleinen Plastikteilchen, wie man sie als Zugaben aus Süßigkeitenautomaten zog, bis zu solchen, die größer als zwanzig Zentimeter waren. Sie waren dicht an dicht an die Wand genagelt und bildeten eine Kette. Fortgeführt wurde das Jesus-Motiv von Plakaten an den Wänden, die Jesus und seine Jünger zeigten und aussahen, als seien sie aus dem Klassenzimmer einer Sonntagsschule mitgenommen worden. Auf einem der Plakate hielt der Herr ein Lamm. Auf einem anderen streckte er die Hände aus und zeigte seine Wundmale.

Jeffrey spürte, dass sein Herz bei diesem Anblick zu rasen begann. Er griff nach seiner Waffe und löste den Riemen von seinem Holster, als er in den vorderen Bereich des Hauses ging, um sich zu überzeugen, dass niemand die Auffahrt heraufkam.

In der Küche waren die Teller im Spülstein gestapelt, verkrustet und unappetitlich. Der Fußboden war klebrig, und der gesamte Raum kam Jeffrey feucht vor. Im Schlafzimmer war es nicht anders: Der seltsame Moschusgeruch legte sich wie ein nasser Waschlappen auf Jeffreys Gesicht. An der Wand über der fleckigen Matratze hing ein großes Poster von Jesus Christus mit einem Heiligenschein. Wie auf dem Poster im Wohnzimmer streckte auch dieser Jesus dem Betrachter die Handflächen entgegen. Das Kreuzigungsmotiv säumte auch die Wände des Schlafzimmers, nur waren die Kreuze hier drinnen größer. Auf dem Bett stehend konnte Jeffrey erkennen, dass jemand, wahrscheinlich Wright, rote Farbe benutzt hatte, um Jesu Wunden hervorzuheben, um das Blut zu betonen, das an seinem Rumpf hinunterrann, und um die Dornenkrone auf seinem Haupt zu betonen. Die Augen von jedem Jesus waren, soweit Jeffrey sehen konnte, mit schwarzen X-en übermalt. Es war, als hätte Wright versucht, den Herrn daran zu hindern, ihn zu beobachten. Welche Taten Wright nicht im Angesicht des Herrn tun mochte, das war die Frage, die Jeffrey beantworten musste.

Jeffrey kletterte vom Bett. Er sah sich einige der Zeitschriften an, nahm sich aber die Zeit, Gummihandschuhe anzuziehen, bevor er etwas berührte. Die Zeitschriften waren größtenteils ältere Ausgaben von *People* und *Life*. Der Wandschrank im Schlafzimmer war vom Boden bis zur Decke mit Pornografie gefüllt. *Busty Babes* lagen neben einem Stapel *Righteous Redheads*. Jeffrey musste an Sara denken und spürte einen Kloß im Hals.

Mit dem Fuß hob Jeffrey die Matratze an. Eine Sig-Sauer-Neunmillimeter-Pistole lag auf den Sprungfedern. Die Waffe sah neu und gut gepflegt aus. In einer Gegend wie dieser würde sich nur ein Idiot ohne Waffe in Reichweite schlafen legen. Jeffrey grinste, als er die Matratze wieder an ihren Platz beförderte. Was er gefunden hatte, konnte vielleicht später von Nutzen sein.

Als er die Kommode öffnete, hatte Jeffrey keine Ahnung, was er zu finden erwartete. Noch mehr Pornos vielleicht. Eine weitere Pistole oder eine improvisierte Waffe. Stattdessen waren die beiden obersten Schubladen voller Damenunterwäsche. Nicht normale Unterwäsche, sondern die von der seidenen und sexy Art, wie er sie so gern an Sara gesehen hatte. Da gab es Bodys und String-Tangas sowie hoch angeschnittene Höschen mit Schleifen an den Seiten. Und sie waren allesamt extrem groß, groß genug, um einem Mann zu passen.

Am liebsten hätte sich Jeffrey vor Abscheu geschüttelt. Er benutzte einen Kugelschreiber, um in dem Inhalt der Schubladen zu stöbern, denn er wollte sich nicht an einer Nadel stechen und war sich nicht sicher, wie sauber die Unterwäsche war. Jeffrey wollte gerade eine der Schubladen wieder zuschieben, als ihn etwas stutzen ließ. Irgendetwas hatte er übersehen. Als er ein Paar dunkelgrüne Spitzenhöschen zur Seite schob, wusste er, was ihm aufgefallen war. Die Schublade war mit Seiten der Sonntagsausgabe des *Grant County Observer* ausgelegt. Er hatte den Zeitungstitel erkannt.

Jeffrey schob die Kleidungsstücke beiseite und nahm die Zeitungsseite heraus. Die Titelseite ließ auf einen Tag schließen, an dem kaum etwas passiert war. Ein Bild, auf dem der Bürgermeister ein Ferkel auf dem Arm hielt, diente als Blickfang. Dem Datum nach war die Zeitung älter als ein Jahr. Auf der Suche nach weiteren Observer-Ausgaben öffnete er die anderen Schubladen. Einige fand er auch, aber in den meisten standen völlig harmlose Artikel. Jeffrey hielt es für sehr interessant, dass Jack Wright anscheinend den *Grant County Observer* abonniert hatte.

Er ging zurück in den Wohnraum und widmete sich den Papierstapeln auf dem Fußboden mit frisch gewecktem Interesse. Brenda Collins, eines von Wrights Opfern nach Sara, stammte aus Tennessee, wie sich Jeffrey erinnerte. Ein Exemplar des *Monthly Vols*, eines Newsletters für Absolventen der University of Texas, steckte zwischen Zeitungen aus Alexander City in Alabama. In dem nächsten Stapel fand Jeffrey weitere Zeitungen aus anderen Bundesstaaten, alle aus Kleinstädten. Daneben lagen Postkarten, die verschiedene Ansichten Atlantas zeigten. Die Rückseiten waren leer und warteten darauf, beschrieben zu werden. Jeffrey konnte sich nicht vorstellen, was ein Mann wie Wright mit diesen Postkarten anfangen wollte. Er kam Jeffrey nicht gerade wie jemand vor, der viele Freunde hatte.

Jeffrey drehte sich um und überzeugte sich davon, dass er in dem zugestellten Zimmer nichts übersehen hatte.

Es gab einen Fernsehapparat, der in den alten Kamin gezwängt worden war. Er sah noch recht neu aus und wie einer von denen, die man auf der Straße für fünfzig Dollar kaufen konnte, wenn man nicht zu viele Fragen stellte, woher er stammte. Oben auf dem Gerät stand eine Set-Top-Box fürs Kabelfernsehen.

Er ging zum vorderen Fenster zurück und hielt inne, als er etwas unter der Couch sah. Er kippte die Couch auf die Seite, und in Scharen hasteten Kakerlaken davon. Ein kleines schwarzes Keyboard lag auf dem Fußboden.

Die Set-Top-Box hatte einen Internetanschluss. Jeffrey schaltete das Gerät ein und drückte die Tasten auf dem Keyboard, bis der Receiver sich ins Internet eingeloggt hatte. Er setzte sich auf die Kante der umgekippten Couch, während er darauf wartete, dass das System die Verbindung herstellte. Auf dem Revier war Brad Stephens der Computerfachmann, aber dadurch, dass er den jungen Streifenpolizisten beobachtet hatte, war es Jeffrey gelungen, so viel zu lernen, dass er sich einigermaßen im Netz zurechtfand.

An Wrights E-Mails war leicht heranzukommen. Außer dem Ersatzteilangebot eines Chevy-Händlers und den unvermeidlichen heißen Teenies, die Geld fürs College brauchten, also den E-Mails, die jeder bekam, war da noch ein langer Brief von einer Frau, die allem Anschein nach wohl Wrights Mutter war. Eine weitere Mail hatte das Foto einer jungen Frau im Anhang, die sich mit weit gespreizten Schenkeln präsentierte. Die E-Mail-Adresse des Absenders war eine Zahlenreihe. Wahrscheinlich gehörte sie einem Knastkumpel von Wright. Jeffrey notierte sie sich trotzdem auf einem Zettel, den er in seiner Tasche fand.

Mit den Pfeiltasten manövrierte Jeffrey sich weiter. Außer diversen Porno- und Gewaltseiten fand Jeffrey einen Link zum Onlineangebot des *Grant Observer*. Er war über alle Maßen schockiert, denn auf dem Monitor war die heutige Titelseite der Zeitung zu sehen, auf der der Selbstmord von Julia Matthews am gestrigen Abend gemeldet wurde. Jeffrey drückte die Abwärts-Taste und überflog den Artikel nochmals. Danach klickte er sich ins Archiv der Zeitung und ließ nach Sibyl Adams suchen. Sekunden später erschien auf dem Bildschirm ein Artikel über den Berufsberatungstermin vom letzten Jahr. Die Suche nach Julia Matthews förderte die heutige Titelseite zutage, aber sonst nichts. Über sechzig Artikel wurden aufgeführt, als er Saras Namen eintippte.

Jeffrey meldete sich ab und stellte die Couch wieder richtig hin. Draußen drückte er das Fenster zurück in das Loch. Es wollte aber nicht halten, und daher sah er sich gezwungen, einen Stuhl vor das Fenster zu zerren, um es abzustützen. Von seinem Wagen aus hatte man nicht den Eindruck, dass jemand sich am Fenster zu schaffen gemacht hatte, aber sobald er seine Veranda betrat, würde Jack Wright wissen, dass jemand in seinem Haus gewesen war.

Die Straßenlaterne über Jeffreys Wagen ging an, als er einstieg. Sogar in diesem Höllenloch von Straße bot die Sonne, die hinter der Skyline von Atlanta unterging, einen unvergesslichen Anblick. Jeffrey kam der Gedanke, dass sich die Leute in diesem Viertel ohne das Aufgehen und das Untergehen der Sonne wohl kaum mehr als Menschen fühlen würden.

Er musste dreieinhalb Stunden warten, bis der blaue Chevy Nova in die Auffahrt einbog. Das Auto war alt und verdreckt, Rostflecken befanden sich am Kofferraum und neben den

Rücklichtern. Silbernes Klebeband war im Zickzack über das Heck geklebt, und auf der einen Seite der Stoßstange war ein Aufkleber zu erkennen, auf dem GOD IS MY CO-PILOT zu lesen war. Auf der anderen Seite klebte ein Sticker, der an ein Zebrafell erinnerte, mit der Aufschrift I'M GOING WILD AT THE ATLANTA ZOO.

Jack Wright war lange genug mit dem Gesetz in Konflikt gewesen, um zu wissen, wie ein Cop aussah. Er warf Jeffrey einen verdrossenen Blick zu, als er aus seinem Nova stieg. Wright war ein dicklicher Mann mit Ansatz zur Glatze. Er trug kein Hemd, und das, was Jeffrey sah, konnte man nur als Brüste bezeichnen. Er vermutete, dass das mit der Hormon-behandlung zu tun hatte. Einer der Hauptgründe, warum Vergewaltiger und Pädophile die Droge absetzten, war deren unangenehme Nebenwirkung, die sie zunehmen und weibli-che Körpermerkmale annehmen ließ.

Wright nickte Jeffrey zu, als dieser die Auffahrt hinauf-kam. Wie heruntergekommen dieses Stadtviertel auch sein mochte, die Straßenbeleuchtung jedenfalls funktionierte. Das Haus war taghell erleuchtet.

Wright sprach mit sehr hoher Stimme, und das war eben-falls eine Nebenwirkung des Depo. Er fragte: »Willst du zu mir?«

»Ganz richtig«, antwortete Jeffrey. Er blieb direkt vor dem Mann stehen, der Sara Linton vergewaltigt und mit dem Mes-ser verletzt hatte.

»Verdammt«, sagte Wright und schürzte die Lippen. »Da hat sich wohl wieder einer irgendwo ein Mädchen geschnappt, was? Ihr klopft doch immer sofort an meine Tür, wenn so ein junges Ding verloren gegangen ist.«

»Gehen wir ins Haus«, sagte Jeffrey.

»Das glaube ich nicht«, entgegnete Wright. Er lehnte sich rücklings gegen sein Auto. »Ist sie 'ne Hübsche, die weg ist?« Er hielt inne, als würde er mit einer Antwort rechnen. Er leckte sich langsam über die Lippen. »Ich greif mir immer nur die Hübschen.«

»Es geht um einen älteren Fall«, sagte Jeffrey, der den Köder nicht schlucken wollte.

»Amy? Ist es meine süße kleine Amy?«

Jeffrey sah ihn durchdringend an. Er hatte den Namen in Wrights Akte gelesen. Amy Baxter hatte sich das Leben genommen, nachdem sie von Jack Wright vergewaltigt worden war. Sie war Krankenschwester gewesen und aus Alexander City nach Atlanta gezogen.

»Nein, nicht Amy«, sagte Wright und stützte das Kinn in die Hand, als müsste er nachdenken. »War es dann diese süße Kleine …« Er unterbrach sich und warf einen Blick auf Jeffreys Wagen. »Grant County, hä? Warum hast du das nicht gleich gesagt?« Er grinste, und man sah, dass einer der beiden Schneidezähne abgebrochen war. »Wie geht's denn meiner kleinen Sara?«

Jeffrey ging einen Schritt auf den Mann zu, aber Wright ließ sich nicht einschüchtern.

Er sagte: »Na los, schlag mich doch. Ich hab's gern etwas grob.«

Jeffrey trat einen Schritt zurück und zwang sich, nicht zuzuschlagen.

Plötzlich hob Wright seine Brüste mit den Händen an. »Gefallen dir die hier, Daddy?« Er grinste, weil Jeffrey wohl höchst angeekelt aussah. »Ich nehm Depo, aber das weißt du ja wohl schon, mein Schnuckelchen? Du weißt auch, was das bei mir anrichtet, oder?« Er senkte die Stimme. »Macht ein Mädel aus mir. Gibt den Jungs das Beste beider Welten.«

»Schluss damit«, sagte Jeffrey und sah sich um. Wrights Nachbarn waren herausgekommen, um sich die Show nicht entgehen zu lassen.

»Meine Eier sind so klein wie Murmeln«, sagte Wright und fasste an den Bund seiner Jeans. »Soll ich sie dir mal zeigen?«

Jeffrey knurrte nur noch: »Wenn Sie unbedingt möchten, dass es nicht bei einer *chemischen* Kastration bleibt.«

Wright kicherte. »Du bist 'n großer, starker Mann, weißt du das?«, fragte er. »Und du sollst jetzt auf meine Sara aufpassen?«

Jeffrey konnte nur schlucken.

»Die Mädels wollen immer nur wissen, warum ich gerade sie ausgesucht hab. ›Warum ich?‹, ›Warum ich?‹«, trällerte er mit besonders hoher Stimme. »Bei ihr, da wollte ich eigentlich nur sehen, ob sie ein echter Rotfuchs ist.«

Jeffrey war wie versteinert.

»Wahrscheinlich weißt du schon längst, dass sie echt ist, hä? Das kann ich in deinen Augen lesen.« Wright kreuzte die Arme über der Brust. Er ließ den Blick nicht von Jeffrey. »Und richtig klasse Titten hat sie auch. Hat viel Spaß gemacht, daran zu nuckeln.« Er leckte sich die Lippen. »Ich wünschte, du hättest die Angst in ihrem Gesicht gesehen. Ich hab sofort gemerkt, dass sie so was nicht gewohnt war. Hat vorher wohl noch nie 'nen richtigen Mann gehabt.«

Jeffrey packte den Mann am Hals und stieß ihn gegen den Wagen. Das geschah so schnell, dass Jeffrey erst merkte, was er eigentlich tat, als er spürte, wie sich Jack Wrights lange Fingernägel in seinen Handrücken gruben.

Jeffrey ließ Wright widerwillig los. Der spuckte, hustete und rang nach Atem. Jeffrey ging ein paar Schritte auf und ab, um nach den Nachbarn zu sehen. Keiner von ihnen hatte sich gerührt, und sie schauten alle wie hypnotisiert herüber.

»Du meinst, du kannst mir Angst einjagen?«, fragte Wright mit rauer Stimme. »Im Knast hab ich's schon mit Größeren aufgenommen, sogar mit zweien gleichzeitig.«

»Wo waren Sie am vergangenen Montag?«, fragte Jeffrey.

»Bei der Arbeit, Bruder. Fragen Sie ruhig meine Bewährungshelferin.«

»Vielleicht tue ich das auch.«

»Sie hat mich vor Ort besucht, sagen wir mal um«, Wright gab vor, als müsse er nachdenken, »so um zwei, halb drei. Ist das die Zeit, um die es dir geht?«

Jeffrey antwortete nicht. Der Todeszeitpunkt von Sibyl Adams hatte im *Observer* gestanden.

»Da hab ich gerade gefegt und aufgewischt und den Müll rausgebracht«, fuhr Wright fort.

Jeffrey deutete auf die Tätowierung. »Wie ich sehe, sind Sie ein religiöser Mensch.«

Wright sah auf seinen Arm. »Das hat mich ja mit Sara zusammengebracht.«

»Und Sie bleiben bei Ihren Mädchen wohl auch gern auf dem Laufenden, hm?«, fragte Jeffrey. »Lesen in den Zeitungen nach, nicht wahr? Oder bleiben vielleicht sogar per Internet am Ball?«

Wright wirkte zum ersten Mal nervös. »Bist du in meinem Haus gewesen?«

»Mir gefällt sehr, wie Sie die Wände geschmückt haben«, sagte er. »All diese kleinen Kruzifixe. Die Blicke von Jesus folgen einem ja richtig, wenn man durchs Zimmer geht.«

Wrights Miene veränderte sich. Er zeigte Jeffrey eine Seite von sich, die nur eine Handvoll bedauernswerter Frauen zu Gesicht bekommen hatte, als er schrie: »Das ist mein persönliches Eigentum! Sie hatten da drinnen nichts zu suchen.«

»Ich war aber drin«, sagte Jeffrey, der jetzt, als Wright es nicht mehr war, ruhig blieb. »Ich habe alles durchsucht.«

»Du Arschloch«, brüllte Wright und wollte zuschlagen. Jeffrey machte einen Schritt zur Seite, packte den Arm des Mannes und drehte ihn nach hinten. Wright taumelte vorwärts und fiel kopfüber zu Boden. Jeffrey war über ihm und presste dem Mann die Knie in den Rücken.

»Was wissen Sie?«, fragte Jeffrey.

»Lass mich los«, bettelte Wright. »Bitte, lass mich los!«

Jeffrey legte Wright mit Gewalt in Handschellen. Das Klicken der Schlösser löste sofort Hyperventilation aus.

»Ich hab gerade erst davon gelesen«, sagte Wright. »Bitte, bitte, lass mich doch los.«

Jeffrey beugte sich hinunter und flüsterte dem Mann ins Ohr: »Sie gehen wieder ins Gefängnis.«

»Schick mich nicht dahin zurück«, flehte Wright. »Bitte nicht.«

Jeffrey fasste nach der Knöchelmanschette und zerrte daran. Da er wusste, wie die Dinge in Atlanta liefen, wusste er auch, dass dies schneller ging als ein Notruf über 911. Als die Manschette nicht nachgeben wollte, sprengte Jeffrey sie mit dem Absatz seines Schuhs.

»Das können Sie doch nicht machen«, kreischte Wright.

Jeffrey blickte auf und erinnerte sich wieder an die Nachbarn. Wortlos sah er zu, wie sie sich umdrehten und in ihren Häusern verschwanden.

»O Gott, bitte schicken Sie mich nicht zurück«, bettelte Wright aufs Neue. »Bitte, ich tu alles, was Sie wollen.«

»Die Neunmillimeter unter der Matratze wird denen auch gefallen, Jack.«

»O mein Gott«, schluchzte der zitternde Mann.

Jeffrey lehnte sich gegen den Nova und holte die Visitenkarte hervor, die Keith ihm gegeben hatte. Der Name auf der Karte lautete Mary Ann Moon. Jeffrey warf einen Blick auf seine Uhr. Er hatte ernsthafte Zweifel, dass die Dame ihn um zehn vor acht an einem Freitagabend mit Freuden begrüßen würde.

23

Lena schloss die Augen vor der Sonne, die auf ihr Gesicht brannte. Das Wasser war warm und einladend, und bei jeder Welle, die sich sanft unter ihr brach, strich auch eine leichte Brise über ihren Körper. Sie konnte sich nicht entsinnen, wann sie das letzte Mal am Meer gewesen war, aber diese Ferien waren wohlverdient, um das Mindeste zu sagen.

»Sieh mal«, sagte Sibyl und zeigte nach oben.

Lena folgte der Richtung, in die der Finger ihrer Schwester wies. Sie erkannte eine Möwe am Himmel über dem Wasser. Aber sie studierte lieber die Wolken. Sie sahen aus wie Wattebäusche in einem babyblauen Theaterprospekt.

»Wolltest du das hier zurück?«, fragte Sibyl und reichte Lena ein rotes Schwimmbrett.

Lena lachte. »Hank hat mir erzählt, dass du es verloren hättest.«

Sibyl lächelte. »Ich hab's da hingelegt, wo er es nicht sehen konnte.«

Mit plötzlicher Deutlichkeit wurde Lena bewusst, dass Hank es gewesen war, der sein Augenlicht verloren hatte, und nicht Sibyl. Sie konnte sich nicht erklären, wie sie die beiden hatte verwechseln können, aber da saß Hank nun am Strand, die Augen durch dunkle Gläser geschützt. Auf die Hände gestützt lehnte er sich zurück, sodass die Sonne ungehindert auf seine Brust scheinen konnte. Er war so braun gebrannt, wie Lena ihn noch nie gesehen hatte. Bisher war Hank immer, wenn sie ans Meer gefahren waren, allein im Hotelzimmer geblieben, statt mit den Mädchen an den Strand zu gehen. Was er dort den ganzen Tag tat, wusste Lena nicht. Manchmal gesellte sich Sibyl zu ihm, um für eine Weile aus der Sonne zu kommen, aber Lena liebte es am Strand. Sie liebte es, im Wasser zu tollen oder Ausschau nach Leuten zu halten, die Volleyballspiele improvisierten. Dann flirtete sie so lange, bis man sie in eine Mannschaft aufnahm.

So hatte Lena auch Greg Mitchell kennengelernt, ihren letzten erwähnenswerten Freund. Greg spielte mit Freunden Volleyball. Er war ungefähr achtundzwanzig Jahre alt, aber seine Freunde waren viel jünger und fanden es weitaus interessanter, die Mädchen zu beobachten, als auf ihr Spiel zu achten. Lena war zu ihnen hinübergegangen, hatte genau gewusst, dass die jungen Männer sie wie ein Stück Fleisch begutachteten, und gefragt, ob sie mitspielen dürfe. Greg hatte ihr den Ball direkt aus Brusthöhe zugeworfen, und Lena hatte ihn aufgefangen.

Nach einer Weile waren die Jungs auf der Suche nach Alkohol oder Mädchen oder beidem abgezogen. Lena und Greg spielten weiter, stundenlang, wie es ihnen vorkam. Wenn er erwartet hatte, dass Lena in Anerkennung seiner Männlichkeit freiwillig verloren hätte, so musste er sich eines anderen belehren lassen. Sie hatte ihn zum Ende des dritten Spiels so vernichtend geschlagen, dass er aufgegeben und sie als Belohnung zum Abendessen eingeladen hatte.

Er führte sie in einen billigen mexikanischen Laden, bei dessen Anblick Lenas Großvater umgekippt wäre, wenn er nicht schon lange das Zeitliche gesegnet hätte. Sie tranken zuckersüße Margaritas, und dann tanzten sie. Schließlich schenkte Lena Greg nur ein hintergründiges Lächeln statt eines Gutenachtkusses. Am nächsten Tag stand er dann vor ihrem Hotel, diesmal mit einem Surfboard. Sie hatte schon immer das Wellenreiten lernen wollen, und ohne dass sie zweimal gefragt werden musste, nahm sie sein Angebot an, es ihr beizubringen.

Jetzt konnte sie das Brett unter sich spüren, und die Wellen trugen ihren Körper empor, ließen ihn wieder sinken. Gregs Hand lag auf ihrem Kreuz und rutschte dann weiter nach unten und noch weiter, bis er ihren Hintern in der Hand hatte. Sie drehte sich langsam herum, ließ ihn ihren nackten Körper sehen und berühren. Die Sonne brannte, und ihre Haut fühlte sich warm und lebendig an.

Er träufelte Sonnenöl in seine Hände und massierte ihr die Füße. Seine Hände umfingen ihre Knöchel und spreizten ihre Beine. Sie trieben noch immer auf dem Meer, und irgendwie trug das Wasser ihren Körper Greg entgegen. Seine Hände arbeiteten sich an ihren Schenkeln hinauf, streichelten sie und wanderten an ihrer intimsten Stelle vorüber, bis sie schließlich auf ihren Brüsten lagen. Er benutzte seine Zunge, küsste und biss ihre Brustwarzen und Brüste, arbeitete sich vor bis zu ihrem Mund. Gregs Küsse waren fordernd und grob, wie Lena es von ihm nie erwartet hätte. Und sie spürte, dass sie so auf ihn reagierte, wie sie es sich nie hätte vorstellen können.

Als sich sein Körper auf ihren presste, entflammten alle ihre Sinne auf erschreckende Weise. Seine Hände waren schwielig, seine Berührungen unsanft, und er machte mit ihr, was er wollte. Zum ersten Mal in ihrem Leben behielt Lena nicht die Kontrolle. Zum ersten Mal in ihrem Leben war sie völlig hilflos diesem einen Mann ausgeliefert. Sie empfand eine Leere, die nur von ihm ausgefüllt werden konnte. Was auch immer er verlangte, sie würde es tun. Jeden Wunsch, den er äußerte, würde sie ihm erfüllen.

Sein Mund bewegte sich an ihrem Körper hinab, seine Zunge ging zwischen ihren Beinen auf Erkundung, seine Zähne taten ihr ein wenig weh. Sie wollte ihn mit den Händen erreichen und ihn dichter an sich ziehen, aber sie stellte fest, dass sie wie gelähmt war. Plötzlich war er auf ihr, legte ihre Arme neben ihren Körper, als wollte er sie unter sich festnageln, als er in sie eindrang. Sie wurde von einer Welle der Lust überschwemmt, die stundenlang anzudauern schien, bis schließlich, plötzlich die heftige Erlösung kam. Ihr ganzer Körper öffnete sich ihm, und sie krümmte sich ihm entgegen.

Dann war es vorüber. Lena spürte, dass sie sich von seinem Körper löste und wieder klar zu denken begann. Sie bewegte den Kopf hin und her, genoss die Nachwirkung. Sie leckte sich die Lippen und öffnete die Augen nur ein wenig, um in den dunklen Raum zu sehen. Aus der Ferne drang ein Klicken an ihr Ohr. Ein anderes und deutlicheres Geräusch kam von allen Seiten, ein unregelmäßiges Ticktack wie von einer Uhr, das jedoch von Wasser hervorgerufen wurde. Merkwürdig, sie konnte sich nicht mehr an das Wort für Wasser erinnern, das aus den Wolken fiel.

Lena versuchte sich zu bewegen, aber ihre Hände schienen sich zu widersetzen. Sie sah sich um, nahm ihre Fingerspitzen wahr, obwohl es kein Licht gab. Da zwängte etwas ihre Handgelenke ein, eng und unerbittlich fest. Mit dem Verstand befahl sie ihren Fingern, sich zu bewegen, und sie spürte eine raue Holzoberfläche unter ihrem Handrücken. Entsprechend umschnürte auch etwas ihre Knöchel und presste ihre Füße an den Boden. Sie konnte weder Beine noch Arme bewegen. Sie war mit ausgebreiteten Armen an den Boden gefesselt. Eine Erkenntnis durchfuhr elektrisierend ihren Körper: Sie war gefangen in einer Falle.

Lena befand sich wieder in dem dunklen Raum, wohin man sie vor Stunden gebracht hatte. Oder war es vor Tagen gewesen? Vor Wochen? Das Klicken war da, der langsame Takt der Wasserfolter, die ihr Hirn marterte. Der Raum hatte weder Fenster noch Licht. Da gab es nur Lena und das, was sie am Boden gefesselt hielt.

Plötzlich ging ein Licht an, ein blendendes Licht, das in ihren Augen schmerzte. Lena versuchte wieder, sich aus ihren Fesseln zu befreien, aber sie war hilflos. Jemand war da; jemand, von dem sie wusste, dass er ihr helfen müsste. Aber er tat es nicht. Sie wand sich unter den Stricken, wand ihren Körper, versuchte sich zu befreien. Doch es war zwecklos. Ihr Mund öffnete sich, aber Worte wollten nicht kommen. In Gedanken formte sie mit aller Kraft die Worte – Bitte, hilf mir doch! –, aber mit dem Klang ihrer Stimme wurde sie nicht belohnt.

Sie drehte den Kopf zur Seite, blinzelte und versuchte, an dem Licht vorbeizusehen, als sie einen ganz leichten Druck auf ihrer Handfläche spürte. Es war nur ein dumpfes Gefühl, aber Lena konnte im Licht sehen, dass die Spitze eines langen Nagels in ihre Handfläche gepresst wurde. Und im Licht wurde auch ein Hammer erhoben.

Lena schloss die Augen. Schmerz spürte sie nicht.

Sie befand sich wieder am Strand. Diesmal nicht auf dem Wasser. Diesmal flog sie.

24

Eine angenehme Frau war Mary Ann Moon nicht.

Ihre Miene drückte ganz deutlich aus: »Kommen Sie mir bloß mit keinem Scheiß«, noch ehe Jeffrey sich vorstellen konnte. Sie hatte einen Blick auf Wrights zerrissene Überwachungsmanschette geworfen.

»Wissen Sie eigentlich, wie viel diese Dinger kosten?« Und von da an war es nur noch bergab gegangen. Jeffreys größtes Problem mit Moon, wie sie genannt werden wollte, war die Sprachbarriere. Moon stammte von irgendwoher oben im Osten, aus einem jener Orte, wo die Konsonanten ein Eigenleben führten. Außerdem sprach sie laut und abgehackt, was in den Ohren von Südstaatlern sehr ungehörig klang. Im Fahrstuhl auf dem Weg von der zentralen Aufnahme zu den Verhörräumen stand sie zu dicht neben ihm. Ihr Mund war eine schmale Linie der Missbilligung, die Arme hatte sie unterhalb der Brust gekreuzt. Moon war ungefähr vierzig Jahre alt, aber diese vierzig Jahre waren von zu viel Rauchen und zu viel Trinken geprägt. Sie hatte dunkelblondes Haar mit ein paar grauen Strähnen. Von ihren Lippen gingen zahllose tief gefurchte Falten aus.

Ihr nasaler Tonfall und das rasante Tempo, mit dem sie sprach, vermittelten Jeffrey den Eindruck, er unterhielte sich mit einem Waldhorn. Jede Erwiderung Jeffreys brauchte ihre

Zeit, weil er erst darauf warten musste, dass sein Hirn ihre Worte übersetzt hatte. Er merkte schon sehr bald, dass Moon diese Langsamkeit für ein Zeichen von Beschränktheit hielt, aber daran konnte er auch nichts ändern.

Als sie durchs Dezernat gingen, sagte sie über ihre Schulter etwas zu ihm. Er spulte ihre Worte nochmals in Zeitlupe ab und kam zu dem Schluss, dass sie gesagt haben musste: »Erzählen Sie mir von Ihrem Fall, Chief.«

Er lieferte ihr eine Kurzzusammenfassung der Ereignisse, seit Sibyl Adams gefunden worden war, wobei er seine Verbindung zu Sara nicht erwähnte. Er nahm wahr, dass seine Schilderung nicht schnell genug vorankam, denn Moon unterbrach ihn immer wieder mit Fragen, die er gleich darauf ohnehin beantwortet hätte, wenn sie ihm Zeit gelassen hätte, seinen Satz zu Ende zu bringen.

»Sie sind also in das Haus meines Jungen eingedrungen«, sagte sie. »Haben Sie auch die ganze Jesus-Scheiße gesehen?« Sie verdrehte die Augen. »Die Neunmillimeter ist nicht zufällig in ihre Hosentasche reinmarschiert, oder, Sheriff Tolliver?«

Jeffrey warf ihr einen – wie er hoffte – drohenden Blick zu. Sie reagierte mit einem Lachanfall, der ihm die Trommelfelle zu sprengen drohte. »Der Name kommt mir bekannt vor.«

»Wie meinen Sie?«

»Linton. Tolliver ebenfalls.« Sie stemmte ihre winzigen Hände in die schmalen Hüften. »Ich bin sehr gewissenhaft mit Benachrichtigungen, Chief. Ich habe Sara vielleicht fünf-, sechsmal angerufen, um sie wissen zu lassen, wo sich Jack Allen Wright befindet. Es ist mein Job, die Opfer einmal im Jahr zu benachrichtigen. Ihr Fall ereignete sich doch vor zehn Jahren?«

»Zwölf.«

»Dann habe ich also mindestens sechsmal mit ihr gesprochen.«

Er rückte mit der Wahrheit heraus, denn er wusste, dass er erwischt worden war. »Sara ist meine Ex-Frau. Sie war eines der ersten Opfer von Wright.«

»Und trotzdem lässt man Sie diesen Fall bearbeiten?«

»Dieser Fall untersteht mir, Miss Moon«, antwortete er.

Sie musterte ihn mit einem Blick, der wahrscheinlich bei ihren auf Bewährung Entlassenen Eindruck machte, aber Jeffrey kaltließ. Er war über einen halben Meter größer als Mary Ann Moon und würde sich von dieser kleinen Portion Yankee-Hass nicht einschüchtern lassen.

»Wright ist ein Depo-Freak. Wissen Sie, was ich damit sagen will?«

»Er nimmt es offenbar gern.«

»Das reicht weit zurück bis in seine Anfangszeit, gleich nach Sara. Haben Sie Fotos von ihm gesehen?«

Jeffrey schüttelte den Kopf.

»Folgen Sie mir«, sagte Moon.

Er kam ihrer Aufforderung nach und gab sich alle Mühe, ihr nicht in die Fersen zu treten. Sie war in allen Dingen schnell, außer beim Gehen, seine Schrittlänge war mindestens das Doppelte von ihrer. Sie blieb vor einem kleinen Büroraum stehen, der zum Bersten mit Aktenkartons gefüllt war. Sie stieg über einen Stapel Handbücher und nahm eine Akte von ihrem Schreibtisch.

»Hier drin herrscht das reine Chaos«, sagte sie, als ob das mit ihr nichts zu tun hätte. »Hier.«

Jeffrey öffnete den Aktenordner und sah das Foto eines

jüngeren, schlankeren und weniger weiblichen Jack Allen Wright. Es war an das Deckblatt geheftet. Er hatte mehr Haare auf dem Kopf, und sein Gesicht war hager. Seine Figur entsprach der eines Mannes, der täglich drei Stunden lang Gewichte stemmt, und seine Augen waren von einem durchdringenden Blau. Jeffrey musste an die wässrigen Augen denken, in die er noch vor Kurzem geblickt hatte. Und ihm fiel außerdem ein, dass man ihn unter anderem auch deswegen hatte identifizieren können, weil Sara sich an seine klaren blauen Augen erinnert hatte. Wrights aussehen hatte sich sehr verändert, seit er Sara überfallen hatte. Das hier war der Mann, den Jeffrey erwartet hatte, als er Wrights Haus durchsuchte. Das hier war der Mann, der Sara vergewaltigt hatte, der sie der Möglichkeit beraubt hatte, Jeffrey ein Kind zu schenken.

Moon blätterte die Akte durch. »So sah er bei seiner Entlassung aus«, sagte sie und zog ein weiteres Foto hervor.

Jeffrey nickte, denn er sah den Mann vor sich, den er als Wright kannte.

»Er hat unter verschärften Haftbedingungen gesessen, wussten Sie das?«

Jeffrey nickte abermals.

»Viele Männer versuchen, dagegen anzukämpfen. Andere geben einfach auf.«

»Mir bricht das Herz«, murmelte Jeffrey. »Hatte er viele Besucher im Gefängnis?«

»Nur seine Mutter.«

Jeffrey schloss die Akte und gab sie zurück. »Und was war, als er aus dem Gefängnis kam? Offenbar hat er das Depo abgesetzt. Und er hat wieder vergewaltigt.«

»Er sagt, er hat es nicht getan, und bei der ihm verordneten Dosis hätte er beim besten Willen keinen mehr hochbekommen.«

»Wer hat ihn kontrolliert?«

»Er hat in Eigenverantwortung gehandelt.« Sie hielt ihn zurück, bevor er etwas erwidern konnte. »Hören Sie, ich weiß, das ist keine ideale Lösung, aber manchmal müssen wir ihnen auch vertrauen. Und manchmal irren wir uns. Bei Wright haben wir uns geirrt.« Sie warf den Ordner auf den Schreibtisch. »Inzwischen geht er in die Klinik und bekommt einmal die Woche sein Depo injiziert. Alles sauber und ordentlich. Die Überwachungsmanschette, die Sie freundlicherweise kaputtgemacht haben, sorgte dafür, dass er immer unter Aufsicht stand. Er war auf Vordermann.«

»Und er hat die Stadt nicht verlassen?«

»Nein«, antwortete sie. »Ich hab am vergangenen Montag an seinem Arbeitsplatz einen Kontrollbesuch gemacht. Er war im Bank Building.«

»Ist ja sehr aufmerksam von Ihnen, dass er so nahe bei all diesen Studentinnen arbeiten darf.«

»Passen Sie auf, was Sie sagen«, mahnte sie.

Er streckte ihr die erhobenen Handflächen entgegen.

»Schreiben Sie mir alle Fragen auf, die Sie gestellt haben möchten«, sagte sie. »Ich werde mit Wright sprechen.«

»Ich muss dann aber von seinen Antworten ausgehend arbeiten.«

»Theoretisch bräuchte ich Sie hier gar nicht hereinzulassen. Sie können froh sein, dass ich Sie nicht mit einem Tritt in den Hintern zurück nach Mayberry befördere.«

Er biss sich auf die Zunge, um nicht barsch zu kontern.

Sie hatte ja recht. Er konnte am nächsten Morgen ein paar Freunde bei der Polizei von Atlanta anrufen und würde besser behandelt werden, aber im Augenblick saß Mary Ann Moon am längeren Hebel.

Jeffrey sagte: »Darf ich vielleicht mal?« Er deutete auf ihren Schreibtisch. »Ich muss mich mit meinen Leuten in Verbindung setzen.«

»Ich kann von hier keine Ferngespräche führen.«

Er hielt sein Handy in die Höhe. »Es geht mir eher darum, ungestört zu sein.«

Sie nickte und wandte sich um.

»Danke«, sagte er höflich, aber sie reagierte nicht. Er wartete, bis sie ein Stück den Flur hinuntergegangen war, und schloss dann die Tür. Nachdem er über Kartons gestiegen war, setzte er sich an ihren Schreibtisch. Jeffrey sah auf seine Uhr, bevor er Saras Nummer wählte. Sie ging immer früh zu Bett, aber er musste sie unbedingt sprechen. Er war plötzlich sehr aufgeregt, als das Freizeichen ertönte.

Sie nahm beim vierten Klingeln ab. Ihre Stimme klang schlaftrunken. »Hallo?«

Er merkte, dass er den Atem angehalten hatte. »Sara?«

Sie blieb stumm, und einen Moment lang dachte er, sie hätte wieder aufgelegt. Er hörte Stoff rascheln und dass sie sich bewegte: Sie lag im Bett. Er hörte, dass es draußen regnete und in der Ferne der Donner grollte. Plötzlich musste Jeffrey an eine Nacht denken, die sie vor langer Zeit miteinander verbracht hatten. Sara mochte keine Gewitter, und sie hatte ihn geweckt, damit er sie von Blitz und Donner ablenkte.

»Was willst du denn?«, fragte sie.

Er überlegte, was er sagen sollte. Plötzlich dämmerte es

ihm, dass er zu lange gewartet hatte, bis er sich wieder mit ihr in Verbindung gesetzt hatte. Er konnte an ihrem Tonfall erkennen, dass sich in ihrer Beziehung etwas verändert hatte. Er wusste nicht so recht, was und warum.

»Ich habe schon versucht, dich zu erreichen«, sagte er, und es kam ihm wie eine Lüge vor, obwohl es keine war. »In der Klinik«, sagte er.

»Tatsächlich?«

»Habe mit Nelly gesprochen«, sagte er.

»Hast du ihr gesagt, es sei wichtig?«

Jeffrey spürte ein flaues Gefühl im Magen, und er antwortete nicht.

Was von Sara kam, hielt er für ein Lachen.

Er sagte: »Ich wollte nicht mit dir reden, bevor ich nicht etwas in der Hand hatte.«

»Und was?«

»Ich bin in Atlanta.«

Sie schwieg einen Moment und sagte dann: »Lass mich raten, 633 Ashton Street.«

»Da war ich vorher«, antwortete er. »Jetzt bin ich im Polizeipräsidium. Er sitzt hier in einem Verhörraum.«

»Jack?«, fragte sie.

Die Selbstverständlichkeit, mit der sie ihn beim Vornamen nannte, ließ Jeffrey mit den Zähnen knirschen.

»Moon hat mich angerufen, als der Monitor ausgefallen ist, der an seine Überwachung gekoppelt ist«, informierte ihn Sara beinahe teilnahmslos. »Ich hatte schon so eine Ahnung, wo du bist.«

»Ich wollte mit ihm über die Situation reden und erst dann den Freund und Helfer rufen.«

Sie seufzte tief. »Schön für dich.«

Die Leitung war wieder stumm, und Jeffrey fehlte es wieder an Worten. Sara unterbrach das Schweigen.

Sie fragte: »Hast du mich deswegen angerufen? Um mir zu sagen, dass du ihn verhaftet hast?«

»Um mich zu erkundigen, ob bei dir alles in Ordnung ist.«

Sie lachte leise. »Aber ja doch. Mir geht es prächtig, Jeff. Danke für deinen Anruf.«

»Sara?«, fragte er voller Angst, dass sie auflegen würde. »Ich hab's doch vorher auch schon versucht.«

»Offenbar hast du dir aber nicht sonderlich viel Mühe gegeben«, sagte sie.

Jeffrey spürte ihre Verbitterung. »Ich wollte dir etwas berichten können, wenn ich anrufe. Etwas Konkretes.«

Sie gebot ihm Einhalt, schroff, aber auch niedergeschlagen. »Du wusstest nicht, was du sagen solltest, und statt zwei Straßen weiter zur Klinik zu gehen oder dafür zu sorgen, dass du mich am Telefon erreichst, bist du nach Atlanta abgedüst, um Jack Auge in Auge gegenüberzustehen.« Sie hielt inne. »Erzähl mir, was du dabei empfunden hast, Jeff.«

Er konnte ihr nicht antworten.

»Und was hast du gemacht? Ihn zusammengeschlagen?« Ihr Tonfall wurde vorwurfsvoll. »Vor zwölf Jahren hätte ich das gebrauchen können. Jetzt habe ich mir nur gewünscht, dass du für mich da sein würdest. Dass du mir eine Stütze sein würdest.«

»Ich versuche doch, dir eine Stütze zu sein, Sara«, entgegnete Jeffrey, der sich zu Unrecht überrumpelt fühlte. »Was denkst du denn, was ich hier mache? Ich versuche herauszubekommen, ob der Kerl noch immer unterwegs ist und Frauen vergewaltigt.«

»Moon sagt, er hat in den letzten zwei Jahren die Stadt nicht verlassen.«

»Vielleicht hat Wright mit dem zu tun, was in Grant geschehen ist. Hast du daran schon mal gedacht?«

»Eigentlich nicht«, antwortete sie gleichgültig. »Ich habe nur daran gedacht, dass ich dir heute Morgen das Gerichtsprotokoll gezeigt habe, dass ich meine Seele vor dir offenbart habe, aber dass du nichts Besseres zu tun hattest, als aus der Stadt zu verschwinden.«

»Ich wollte doch ...«

»Du wolltest vor mir davonlaufen. Du wusstest nicht, wie du dich verhalten solltest, und deswegen bist du lieber verschwunden. Das ist nicht so raffiniert, wie mich nach Hause kommen und dich mit einer anderen Frau in unserem Bett erwischen zu lassen, aber irgendwie bedeutet beides doch das Gleiche, oder?«

Er schüttelte den Kopf, verstand nicht, wie es so weit kommen konnte. »Wieso bedeutet es das Gleiche? Ich versuche doch nur, dir zu helfen.«

Danach änderte sich ihr Tonfall, nun klang sie nicht mehr zornig, sondern zutiefst verletzt. Nur ein einziges Mal hatte sie so mit ihm gesprochen, und zwar kurz nachdem sie seinen Betrug entdeckt hatte. Damals war er sich vorgekommen wie jetzt auch: wie ein egoistisches Arschloch.

Sie sagte: »Wie kannst du mir helfen, wenn du in Atlanta bist? Was soll es mir helfen, dass du vier Stunden weit weg bist? Weißt du, wie ich mir den ganzen Tag lang vorgekommen bin, wenn ich bei jedem Telefonläuten aufgesprungen bin, in der Hoffnung, du würdest dran sein?« Sie antwortete für ihn. »Wie eine Bescheuerte bin ich mir vorgekommen. Ist dir eigentlich klar, wie schwierig es für mich gewesen ist, dich einzuweihen? Dir zu sagen, was mir widerfahren ist?«

»Ich hab ja nicht …«

»Ich bin fast vierzig Jahre alt, Jeffrey. Ich habe mich entschieden, meinen Eltern eine gute Tochter zu sein und für Tessa eine Schwester, die für sie da ist. Ich habe mich damals entschieden, mich so zu fordern, dass ich an einer der renommiertesten Universitäten Amerikas als Beste meines Semesters den Studienabschluss gemacht habe. Ich entschied mich, Kinderärztin zu werden, um den Kids zu helfen. Ich entschied mich, wieder nach Grant zu ziehen, um in der Nähe meiner Familie sein zu können. Ich entschloss mich, sechs Jahre lang deine Ehefrau zu sein, weil ich dich sehr liebte, Jeffrey. Ich habe dich sehr geliebt.« Sie hielt inne, und er merkte, dass sie weinte. »Ich habe mich aber nie entschieden, vergewaltigt zu werden.«

Er wollte etwas sagen, aber sie kam ihm zuvor.

»Was mir passiert ist, hat fünfzehn Minuten gedauert. Fünfzehn Minuten, und alles andere war ausgelöscht. Nichts von alledem bedeutet noch etwas, wenn man an diese fünfzehn Minuten denkt.«

»Das stimmt nicht.«

»Nein?«, fragte sie. »Und warum hast du mich dann heute Morgen nicht angerufen?«

»Ich hab's doch versucht …«

»Du hast nicht angerufen, weil du in mir ein Opfer siehst. Du siehst mich so wie Julia Matthews und Sibyl Adams.«

»Nein, Sara«, entgegnete er, schockiert, weil sie ihn dessen beschuldigte. »Ich sehe dich ...«

»Zwei Stunden lang habe ich damals auf dem Fußboden der Toilette gesessen, bevor sie mich losgebunden haben. Ich wäre beinahe verblutet«, sagte sie. »Als er mit mir fertig war, war nichts mehr übrig. Absolut nichts. Ich musste mein Leben neu aufbauen. Ich musste mich damit abfinden, dass ich wegen dieses Hundesohns niemals Kinder haben könnte. Und daran, je wieder Sex zu haben, mochte ich absolut nicht denken. Und nach dem, was er mir angetan hatte, konnte ich auch nicht glauben, dass mich jemals wieder ein Mann berühren wollte.« Sie unterbrach sich. Er hätte so unendlich gerne etwas zu ihr gesagt, aber ihm fehlten die Worte.

Mit leiser Stimme sagte sie dann: »Du meinst, dass ich mich dir nie anvertraut habe? Nun, dies ist der Grund dafür. Ich eröffne dir mein tiefstes und dunkelstes Geheimnis, und was tust du? Du verschwindest nach Atlanta, um dem Mann gegenüberzutreten, der das alles getan hat, anstatt mit mir zu sprechen. Anstatt mich zu trösten.«

»Ich dachte, du wolltest, dass ich etwas unternehme.«

»Ich wollte, dass du etwas unternimmst«, antwortete sie voller Traurigkeit. »Ja, das wollte ich.«

Es klickte, als sie auflegte. Er wählte ihre Nummer noch einmal, aber es war besetzt. Noch fünf Mal benutzte er die Wahlwiederholung, aber Sara hatte den Hörer danebengelegt.

Hinter dem Spiegel im Beobachtungsraum vergegenwärtigte sich Jeffrey noch einmal sein Gespräch mit Sara. Unsagbare Traurigkeit erfasste ihn. Er wusste, dass sie recht hatte, was das Anrufen betraf. Er hätte darauf bestehen sollen, dass

Nelly ihn durchstellte. Er hätte zur Klinik gehen sollen, um ihr zu sagen, dass er sie noch immer liebte, dass sie noch immer die wichtigste Frau in seinem Leben war. Er hätte auf die Knie fallen und sie anflehen sollen, wieder zu ihm zurückzukehren. Er hätte sie nicht verlassen sollen. Nicht noch einmal.

Jeffrey dachte daran, wie Lena vor ein paar Tagen das Wort Opfer gebraucht hatte, um damit die Beute von Sexualverbrechern zu beschreiben. Sie hatte dem Wort einen negativen Beigeschmack gegeben und es so ausgesprochen, als hätte sie von »schwach« oder »dumm« geredet. Jeffrey hatte diese Einstufung durch Lena nicht gefallen, und besonders ungern hörte er sie von Sara. Er kannte Sara wahrscheinlich besser als jeder andere Mann, der ihr begegnet war, und er wusste, dass Sara höchstens Opfer ihrer vernichtenden Selbstkritik war. Als Opfer in dem anderen Kontext sah er sie nicht. Viel eher sah er in ihr eine Überlebende. Jeffrey war zutiefst getroffen, dass Sara so wenig von ihm zu halten schien.

Moon unterbrach seine Gedanken und fragte: »Können wir langsam anfangen?«

»Ja«, antwortete Jeffrey. Er verbannte Sara aus seinen Gedanken. Unabhängig davon, was sie gesagt hatte, könnte Wright doch noch immer bedenkenswerte Anhaltspunkte in Bezug auf das liefern, was sich in Grant County abspielte. Jeffrey war bereits in Atlanta. Es gab keinen Grund, wieder zurückzufahren, bevor er aus dem Mann nicht alles herausbekommen hatte, was er brauchte. Jeffrey biss die Zähne zusammen und zwang sich, seine ganze Konzentration auf die bevorstehende Aufgabe zu richten. Gespannt blickte er durch die Scheibe.

Ziemlich geräuschvoll betrat Moon den Verhörraum,

knallte die Tür hinter sich zu und zog einen Stuhl zu sich heran, dass die Stuhlbeine über den gekachelten Boden kratzten. Trotz des vielen Geldes und der Sonderetats, die dem Police Department von Atlanta zur Verfügung standen, waren die Verhörräume der Stadt nicht annähernd so sauber wie die in Grant County. Der Raum, in dem Jack Allen Wright saß, war schäbig und schmutzig. Die Wände waren nicht gestrichen, sondern nur grau verputzt. Es herrschte eine derart bedrückende Atmosphäre, dass man sich nicht wundern durfte, wenn jemand allein schon deswegen ein Geständnis ablegte, um hier wieder wegzukommen. Jeffrey ließ all das auf sich wirken, während er Moon dabei zusah, wie sie Wright bearbeitete. Sie machte ihre Sache nicht annähernd so gut wie Lena Adams, aber es ließ sich nicht leugnen, dass sie Zugang zu dem Vergewaltiger zu finden wusste. Sie redete mit ihm wie eine ältere Schwester.

Sie fragte: »Der blöde Hinterwäldler ist Ihnen doch nicht zu nahegetreten, oder?«

Jeffrey wusste, dass sie ein Vertrauensverhältnis zu Wright herzustellen versuchte, aber trotzdem hörte er es nicht gern, so charakterisiert zu werden, zumal er annehmen musste, dass Mary Ann Moon ihrer Überzeugung Ausdruck verliehen hatte.

»Er hat meine Manschette kaputt gemacht«, sagte Wright. »Meine Schuld war das nicht.«

»Jack«, seufzte Moon, die ihm gegenübersaß. »Das weiß ich, okay? Wir müssen herausbekommen, wie die Pistole unter Ihre Matratze geraten sein kann. Das ist ein ganz klarer Gesetzesverstoß und wäre für Sie dann schon der dritte Streich. Stimmt's?«

Wright warf einen Blick auf den Spiegel und wusste wahrscheinlich ganz genau, dass sich Jeffrey dahinter befand. »Ich weiß auch nicht, wie die da hingekommen ist.«

»Ihre Fingerabdrücke hat er wohl auch darauf hinterlassen, hm?«, fragte Moon. Sie verschränkte die Arme.

Wright schien darüber nachzudenken. Jeffrey wusste, dass die Pistole Wright gehörte, aber er wusste auch, dass Moon die Waffe im Leben nicht so schnell forensisch hätte überprüfen lassen und dann auch noch eine positive Identifikation der Fingerabdrücke hätte bekommen können.

»Ich hatte Angst«, antwortete Wright schließlich. »Meine Nachbarn wissen Bescheid, okay? Sie wissen, was ich für einer bin.«

»Was sind Sie denn für einer?«

»Die wissen von meinen Mädchen.«

Moon erhob sich. Sie wandte Wright den Rücken zu und schaute aus dem Fenster. Ein Drahtgeflecht wie im Haus von Wright war über den Rahmen gespannt. Verblüfft stellte Jeffrey fest, dass der Mann sein Heim wie ein Gefängnis ausgestattet hatte.

»Erzählen Sie mir von Ihren Mädchen«, sagte Moon. »Ich spreche von Sara.«

Jeffrey ballte die Fäuste bei der Erwähnung von Saras Namen.

Wright lehnte sich zurück und leckte sich die Lippen. »Das war jedenfalls mal 'ne enge Muschi.« Er grinste. »Sie war gut zu mir.«

Moons Stimme klang gelangweilt. Sie hatte derartige Verhöre oft genug geführt und war nicht mehr schockiert. Sie fragte: »War sie das?«

»Sie war so süß.«

Moon drehte sich um und lehnte sich mit dem Rücken gegen das Drahtnetz. »Sie wissen, was dort, wo sie wohnt, los ist, nehme ich an. Sie wissen, was den Mädchen zugestoßen ist?«

»Ich weiß nur, was ich in der Zeitung gelesen hab«, sagte Wright achselzuckend. »Sie werden mich doch wegen der Pistole nicht hinter Gitter schicken, oder, Boss? Ich musste mich schützen. Ich hatte Angst um mein Leben.«

»Reden wir erst von Grant County«, schlug Moon vor. »Danach unterhalten wir uns dann über die Waffe.«

Wright betastete sich das Gesicht und sah sie forschend an. »Sind Sie auch ehrlich zu mir?«

»Aber natürlich doch, Jack. Wann bin ich mal nicht ehrlich zu Ihnen gewesen?«

Wright schien seine Möglichkeiten abzuwägen. Soweit Jeffrey das beurteilen konnte, gab es nichts zu deuten: Zusammenarbeit oder Gefängnis. Aber er konnte sich trotzdem vorstellen, dass Wright das Gesicht nicht ganz verlieren wollte.

»Das, was man mit ihrem Wagen gemacht hat«, sagte Wright.

»Was denn?«, fragte Moon.

»Das Wort auf ihrem Auto«, erläuterte Wright. »Das war ich nicht.«

»Das waren Sie nicht?«

»Ich hab's meinem Anwalt gesagt, aber er meinte, das wäre egal.«

»Jetzt ist es aber nicht egal, Jack«, sagte sie mit genau dem richtigen Maß an Bestimmtheit im Ton.

»Ich würde so was auf kein Auto kratzen.«

»Fotze?«, fragte sie. »Auf der Toilette haben Sie sie aber so genannt.«

»Das war was anderes«, sagte er. »Das war in der Hitze des Gefechts.«

Darauf reagierte Moon nicht. »Wer hat es denn dann in den Lack geritzt?«

»Das weiß ich nicht«, antwortete Wright. »Ich war den ganzen Tag im Krankenhaus und hab gearbeitet. Ich wusste ja nicht mal, was sie für einen Wagen fuhr. Hätte ich mir aber natürlich denken können. So war sie nämlich, tat immer so, als wär sie was Besseres.«

»Darauf gehen wir jetzt nicht weiter ein, Jack.«

»Verstehe«, sagte er und senkte den Blick. »Tut mir leid.«

»Wer, meinen Sie, hat denn ihr Auto so verunstaltet?«, fragte Moon. »Jemand aus dem Krankenhaus?«

»Jemand, der sie kannte und wusste, was für ein Auto sie fuhr.«

»Vielleicht ein Arzt?«

»Keine Ahnung.« Er zuckte mit den Achseln. »Möglich.«

»Sie machen mir hier nichts vor?«

Er reagierte überrascht auf die Frage. »Scheiße, nein, tu ich nicht.«

»Sie glauben also, jemand aus dem Krankenhaus könnte das Wort in den Lack gekratzt haben. Und warum?«

»Vielleicht war jemand wütend auf sie.«

»Hat sie oft Leute wütend gemacht?«

»Nein«, sagte er und schüttelte heftig den Kopf. »Sara war eine nette Frau. Sie hat immer mit allen geredet.« Er schien vergessen zu haben, dass er gerade noch behauptet hatte, Sara sei eingebildet gewesen. Wright fuhr fort: »Sie hat mich auf dem Flur immer gegrüßt. Sie müssen wissen, nicht nur ›Wie geht's?‹ oder so was Ähnliches, sondern: ›Ach, da sind Sie ja‹. Die meisten Leute, die sehen einen, sehen einen aber dann doch nicht. Wissen Sie, was ich meine?«

»Sara ist eine nette Frau«, sagte Moon, weil sie nicht wollte, dass er zu sehr abschweifte. »Wer würde denn ihren Wagen so zerkratzen?«

»Kann sein, dass jemand wegen irgendwas sauer auf sie war?«

Jeffrey legte die Hand auf die Scheibe und spürte, wie sich seine Nackenhaare sträubten. Moon schien ebenfalls hellhörig zu werden.

Sie fragte: »Weswegen?«

»Ich weiß nicht«, antwortete Wright. »Ich sag ja nur, dass ich das nicht auf ihren Wagen geschrieben hab.«

»Da sind Sie ganz sicher?«

Wright musste schlucken. »Sie haben doch gesagt, für das hier vergessen Sie die Pistole?«

Moon sah ihn erbost an. »Kommen Sie mir nicht so, Jack. Ich habe Ihnen im Voraus gesagt, das sei der Deal. Also, was haben Sie für uns?«

Wright schielte zum Spiegel. »Das ist alles, was ich weiß. Dass ich ihren Wagen nicht zerkratzt hab.«

»Und wer war es dann?«

Wright zuckte die Achseln. »Ich hab doch gesagt, das weiß ich nicht.«

»Meinen Sie, derselbe Kerl, der ihren Wagen zerkratzt hat, macht diese Sachen auch in Grant County?«

Wieder ein Achselzucken. »Ich bin doch kein Detektiv. Ich sag Ihnen nur, was ich weiß.«

Moon verschränkte die Arme über der Brust. »Wir lassen Sie übers Wochenende hinter Schloss und Riegel. Wenn wir uns am Montag unterhalten, können Sie ja sehen, ob Sie eine Ahnung haben, wer die Person sein könnte.«

Wright kamen die Tränen. »Ich sage Ihnen die Wahrheit.«

»Wir werden ja sehen, ob es Montagmorgen noch dieselbe Wahrheit ist.«

»Schicken Sie mich nicht dahin zurück, bitte nicht.«

»Ist doch nur vorläufige Haft, Jack«, erklärte Moon. »Ich werde dafür sorgen, dass Sie ihre eigene Zelle bekommen.«

»Lassen Sie mich doch einfach nach Hause.«

»Nein«, entgegnete Moon. »Wir lassen Sie einen Tag schmoren. Da haben Sie Zeit, sich zu besinnen, worauf es ankommt.«

»Das weiß ich doch. Ganz bestimmt.«

Moon wartete nicht länger. Sie ließ Wright in dem Raum zurück. Er stützte den Kopf in die Hände und weinte.

SONNABEND

25

Sara schreckte aus dem Schlaf hoch, und für eine Schrecksekunde wusste sie nicht, wo sie sich befand. Sie sah sich im Schlafzimmer um und ließ den Blick nicht von den bleibenden Dingen, von Dingen, die Bestand hatten und Trost spendeten. Die alte Kommode, die ihrer Großmutter gehört hatte, der Spiegel, den sie bei einem privaten Garagenflohmarkt gefunden hatte, der Schrank, der so breit gewesen war, dass ihr Vater ihr geholfen hatte, die Schlafzimmertür aus den Angeln zu heben, damit sie ihn reinbekommen konnten.

Sie setzte sich im Bett auf und sah durch die Fensterfront auf den See hinaus. Vom Unwetter der letzten Nacht waren kabbelige Wellen geblieben, die die Wasseroberfläche unruhig machten. Der Himmel war von einem matten Grau, das die Sonne verbarg und sich mit dem Nebel mischte. Im Haus war es kalt, und Sara stellte sich vor, dass es draußen noch kälter sein musste. Sie nahm den Quilt vom Bett mit in die Küche und rümpfte die Nase, als sie barfuß über den kalten Fußboden huschte.

Dort stellte sie die Kaffeemaschine an und wartete, bis eine Tasse gefüllt war. Sie ging zurück ins Schlafzimmer und schlüpfte in ein Paar kurze Jogginghosen, über die sie noch eine alte Trainingshose streifte. Der Hörer lag seit Jeffreys

Anruf noch neben der Gabel, und Sara legte ihn zurück. Fast im selben Moment klingelte das Telefon.

Sara atmete tief durch und antwortete: »Hallo.«

»He, Baby«, sagte Eddie Linton. »Wo hast du dich denn rumgetrieben?«

»Ich hab aus Versehen das Telefon runtergeworfen«, log Sara.

Entweder hatte ihr Vater die Lüge nicht bemerkt, oder er ließ sie ihr durchgehen. Er sagte: »Wir machen uns gerade Frühstück. Willst du nicht rüberkommen?«

»Nein danke«, antwortete Sara, obwohl ihr leerer Magen im selben Augenblick protestierte. »Ich wollte gerade meinen Morgenlauf machen.«

»Und wie wär's mit danach?«

»Vielleicht«, antwortete Sara auf dem Weg zum Schreibtisch in der Diele. Sie öffnete die oberste Schublade und holte zwölf Postkarten hervor. Zwölf Jahre seit der Vergewaltigung, eine Postkarte für jedes Jahr. Zusammen mit ihrer Adresse war stets ein Bibelvers auf die Rückseite getippt.

»Baby?«, brachte sich Eddie in Erinnerung.

»Ja, Paps«, antwortete Sara und hörte ihm wieder zu. Sie legte die Karten in die Schublade zurück und schob sie mit der Hüfte zu.

Sie unterhielten sich über das Unwetter. Eddie berichtete ihr, dass ein Ast das Haus der Lintons nur um wenige Meter verfehlt hatte, und Sara bot an, später vorbeizukommen und bei den Aufräumarbeiten zu helfen. Während er sprach, überkam Sara die Erinnerung an die erste Zeit nach der Vergewaltigung. Sie lag im Krankenhausbett, die Beatmungsmaschine ächzte, und der Monitor für die Herztätigkeit hatte ihr die Gewissheit vermittelt, dass sie noch nicht gestorben war, obwohl sie sich gut daran erinnerte, dass sie diese Gewissheit als nicht im Geringsten tröstlich empfunden hatte.

Sie war eingeschlafen, und als sie aufwachte, war Eddie bei ihr, hielt ihre Hand in den seinen. Sie hatte ihren Vater zuvor noch nie weinen sehen, aber in dem Moment weinte er, schluchzte leise und Mitleid erregend. Cathy stand hinter ihm, hatte die Arme um seine Taille geschlungen und den Kopf an seinen Rücken gelegt. Sara war es so vorgekommen, als sei sie fehl am Platz, und hatte sich gefragt, was die beiden wohl bedrückte. Erst dann war ihr eingefallen, was ihr passiert war.

Nach einer Woche Krankenhausaufenthalt hatte Eddie sie nach Grant zurückgefahren. Sara hatte während des gesamten Weges den Kopf an seine Schulter gelehnt. Sie saß auf der vorderen Bank seines alten Pick-up, zwischen ihre Mutter und ihren Vater gedrängt, so wie es eigentlich vor Tessas Geburt immer gewesen war. Ihre Mutter hatte ein Kirchenlied, das Sara noch nie zuvor gehört hatte, ziemlich falsch gesungen. Irgendwas von Seelenheil. Etwas von Erlösung. Etwas von Liebe.

»Baby?«

»Ja, Daddy«, antwortete Sara. Sie wischte sich eine Träne aus dem Augenwinkel. »Ich gucke später rein, okay?« Sie hauchte einen Kuss in den Hörer. »Ich liebe dich.«

Er antwortete entsprechend, aber sie bemerkte die Besorgnis in seiner Stimme. Sara ließ die Hand auf dem Hörer ruhen, wünschte mit aller Kraft, dass er sich nicht aufregte. Das Schlimmste an ihrer Genesung von dem, was Jack Allen Wright ihr angetan hatte, war das Wissen darum, dass ihr

Vater über alle Einzelheiten der Vergewaltigung Bescheid wusste. Sie fühlte sich seither ihm gegenüber so entblößt, dass sich ihr Verhältnis verändert hatte. Die Sara, mit der er spontan irgendwelche Spiele gespielt hatte, die gab es nicht mehr. Nicht mehr erwähnt wurden auch Eddies Scherze, dass er wünschte, sie würde Gynäkologin werden, damit er sagen könnte, seine beiden Töchter hätten sich aufs Klempnern verlegt. Er sah sie nicht mehr als seine unverwundbare Sara. Er sah sie als jemanden, den er beschützen musste. Ja, er sah sie so, wie Jeffrey sie jetzt sah.

Sara zog die Schnürsenkel an ihren Tennisschuhen zu fest zu, kümmerte sich aber nicht darum. Letzte Nacht hatte sie aus Jeffreys Stimme Mitleid herausgehört. Sofort und instinktiv wusste sie, dass sich alles unwiderruflich verändert hatte. Von jetzt an würde er in ihr immer nur das Opfer sehen. Sara hatte zu verbissen darum gekämpft, dieses Gefühl zu überwinden, als dass sie sich ihm jetzt wieder ergeben würde.

Nachdem sie eine leichte Jacke übergezogen hatte, trat Sara aus dem Haus. Sie joggte die Auffahrt hinunter zur Straße und bog nach links, weg vom Haus ihrer Eltern. Sara joggte nicht gern auf Straßenbelag, denn sie hatte zu viele Knie gesehen, die von dem ständigen Stauchen Verletzungen davongetragen hatten. Wenn sie Fitnesstraining machte, dann mit den Geräten im YMCA von Grant, oder sie schwamm dort im Pool. Im Sommer ging sie frühmorgens im See schwimmen, um ihren Kopf frei zu bekommen und sich auf den bevorstehenden Tag zu konzentrieren. Heute wollte sie sich jedoch ohne Rücksicht auf ihre Gelenke bis an die Grenze ihrer Leistungsfähigkeit treiben. Sara war schon immer ein körperbewusster Mensch gewesen, und durch Schwitzen fand sie ihre Mitte wieder.

Nach ungefähr zwei Meilen verließ sie die Hauptstraße und nahm einen Seitenpfad, um am See entlanglaufen zu können. Stellenweise war der Boden holprig, aber der Ausblick war herrlich. Die Sonne gewann endlich ihren Kampf gegen die dunklen Wolken, als Sara feststellte, dass sie bei Jeb McGuires Haus war. Sie war stehen geblieben, um sich das schnittige schwarze Boot anzusehen, das an seinem Steg vertäut war, als sie begriff, wo sie war. Sie hielt sich gegen die Sonne die Hand vor Augen, um die Rückseite von Jebs Haus zu betrachten.

Er wohnte in dem alten Tanner-Haus, das erst kürzlich zum Verkauf angeboten worden war. Die Leute gaben ihre Seegrundstücke nicht gern auf, aber die Tanner-Kinder, die schon vor Jahren aus Grant weggezogen waren, hatten nur zu gern das Geld eingesackt, als ihr Vater schließlich einem Emphysem erlegen war. Russell Tanner war ein netter Mann gewesen, aber er hatte wie die meisten alten Leute auch seine Macken gehabt. Jeb hatte ihm seine Medikamente persönlich vorbeigebracht, und das hatte wahrscheinlich auch dazu beigetragen, dass er das Haus nach dem Tod des alten Mannes relativ günstig bekommen hatte.

Sara ging den steil ansteigenden Rasen zum Haus empor. Eine Woche nach seinem Einzug hatte Jeb eine große Renovierungsaktion gestartet, die alten windschiefen Fenster durch Doppelglasscheiben ersetzt und die Asbestschindeln vom Dach und die Asbestplatten der Seitenverkleidung entfernt. Solange sich Sara erinnern konnte, war das Haus dunkelgrau gewesen, aber Jeb hatte es in einem heiteren Gelb gestrichen. Sara war die Farbe zu grell, aber zu Jeb passte sie.

»Sara?«, fragte Jeb, als er aus dem Haus kam. Er trug einen Werkzeuggürtel, an dem ein Schindelhammer hing.

»He«, antwortete sie und ging auf ihn zu. Je näher sie dem Haus kam, desto stärker fiel ihr ein Tropfgeräusch auf. »Was ist denn das für ein Geräusch?«, fragte sie.

Jeb deutete auf eine Dachrinne, die vom Dachvorsprung herunterhing. »Ich wollte gerade darangehen«, erklärte er. Er kam auf sie zu und stützte die Hand auf den Hammer. »Ich hatte so viel im Geschäft zu tun, dass ich kaum zum Luftholen gekommen bin.«

Sie nickte, denn sie verstand sein Dilemma. »Kann ich dir irgendwie helfen?«

»Danke, geht schon«, erwiderte Jeb und hob eine zwei Meter lange Leiter an. Er trug sie zu der Stelle, wo die Rinne herunterhing, hörte dabei aber nicht zu reden auf. »Hörst du, wie laut das ist? Das verdammte Ding leitet das Wasser so langsam ab, dass es wie ein Dampfhammer auf den Sockel des Fallrohrs prallt.«

Sie hörte das Geräusch noch deutlicher, als sie Jeb zum Haus folgte. Es war ein an den Nerven zerrendes, sich ständig wiederholendes dumpfes Geräusch. Als würde Wasser aus einem Hahn in ein Becken aus Gusseisen tropfen. Sie fragte: »Was ist denn passiert?«

»Altes Holz vermutlich«, sagte er und stellte die Leiter auf. »Dieses Haus ist der reinste Geldfresser. Ich repariere das Dach, und die Dachrinnen fallen ab. Ich versiegele das Deck, und schon sinken die Stützpfähle ab.«

Sara blickte unter die Deckterrasse und sah den Wasserspiegel. »Ist dein Keller überflutet?«

»Gott sei Dank habe ich keinen, sonst würde da unten Hochwasser herrschen«, sagte Jeb und griff in einen der Lederbeutel an seinem Gürtel. Er holte mit der einen Hand einen Dachrinnennagel heraus und nahm mit der anderen den Hammer.

Sara sah gebannt auf den Nagel und brachte ihn mit etwas in Verbindung. »Darf ich den mal sehen?«

Er sah sie irritiert an und antwortete dann: »Sicher.«

Sie nahm den Nagel und wog ihn in der Hand. Mit seinen fünfundzwanzig Zentimetern war er bestimmt lang genug, um eine Dachrinne zu halten, aber hätte jemand diese Art Nagel auch benutzen können, um Julia Matthews auf dem Fußboden festzunageln?

»Sara?« Jeb streckte die Hand nach dem Nagel aus. »Ich hab noch mehr davon im Lagerschuppen«, sagte er und deutete auf den Blechschuppen. »Wenn du einen behalten möchtest?«

»Nein, danke«, antwortete sie und reichte ihm den Nagel. Sie musste dringend in ihr Haus zurück, um Frank Wallace wegen dieser Sache anzurufen. Jeffrey befand sich wahrscheinlich noch in Atlanta, aber jemand musste herausfinden, wer in letzter Zeit diese Sorte Nägel gekauft hatte. Das war doch eine gute Spur.

Sie fragte: »Hast du die im Haushaltswarengeschäft gekauft?«

»Ja«, sagte er und sah sie neugierig an. »Wieso?«

Sara lächelte und gab sich alle Mühe, ihn zu besänftigen. Wahrscheinlich hielt er es für eigentümlich, dass sie so interessiert an Nägeln für die Dachrinnenhalterung war. Und sie konnte ihm ja auch nicht einfach sagen, warum es so war.

Saras Verehrerreservoir war schon klein genug, sodass sie nicht auch noch Jeb McGuire vor den Kopf stoßen musste, indem sie andeutete, dass seine Dachrinnennägel hervorragend dazu geeignet wären, eine Frau an den Fußboden zu nageln, wenn man sie vergewaltigen will.

Sie sah ihm dabei zu, wie er die lose Dachrinne am Haus befestigte. Sara ertappte sich dabei, dass sie sich Jeffrey und Jack Wright zusammen in einem Raum vorstellte. Moon hatte gesagt, dass Wright sich im Gefängnis habe gehenlassen und dass sein wie in Marmor gemeißelt wirkender Körper in schwabbeliges Fett übergegangen war, aber Sara sah ihn noch immer wie an jenem Tag vor zwölf Jahren vor sich. Die Haut spannte über seinen Knochen, und die Venen traten an seinen Armen überdeutlich hervor. Holzschnittartig war sein Gesicht eine Studie des Hasses, und seine Kiefermuskeln spielten, sodass sein Grinsen zur grässlichen Bedrohung wurde, als er sie vergewaltigte.

Unwillkürlich erschauerte Sara. Sie hatte die vergangenen zwölf Jahre ihres Lebens damit verbracht, die Erinnerung an Wright aus ihrem Kopf zu verbannen; und dass er jetzt wieder gegenwärtig war, sei es durch Jeffrey oder durch eine dämliche Postkarte, weckte in ihr von Neuem das Gefühl, missbraucht zu werden. Dafür hasste sie Jeffrey, hauptsächlich aber deswegen, weil er der Einzige war, der unter ihrem Hass wirklich litt.

»Horch mal«, sagte Jeb und riss sie aus ihren Gedanken. Er legte die Hand ans Ohr und lauschte. Das dumpf pochende Geräusch war noch immer da, denn Wasser tropfte stetig ins Fallrohr.

»Das macht mich noch verrückt«, sagte er.

»Das kann ich gut verstehen«, sagte Sara. Schon nach fünf Minuten tat ihr der Kopf weh.

Jeb kam von der Leiter herunter und befestigte den Hammer wieder an seinem Gürtel. »Ist was?«

»Nein«, antwortete sie, »ich war nur in Gedanken.«

»Und woran hast du gedacht?«

Sie holte tief Luft und sagte: »Unsere verschobene Verabredung.« Sie sah in den Himmel hinauf. »Warum kommst du nicht gegen zwei zu einem späten Lunch bei mir zu Hause vorbei? Ich besorge uns was aus dem Feinkostladen in Madison.«

Er lächelte, aber in seiner Stimme schwang unerwartete Nervosität mit. »Ja«, antwortete er. »Das hört sich toll an.«

26

Jeffrey versuchte, sich aufs Fahren zu konzentrieren, aber dazu ging ihm zu viel durch den Kopf. Er hatte die ganze Nacht nicht geschlafen, und langsam machte sich die Erschöpfung bemerkbar. Sogar nachdem er an den Straßenrand gefahren war und ein halbstündiges Nickerchen gemacht hatte, fühlte er sich noch nicht wieder klar im Kopf. Es war einfach zu viel. Zu viele Dinge zerrten ihn gleichzeitig in verschiedene Richtungen.

Mary Ann Moon hatte versprochen, sich unter Strafandrohung die Personalakten des Grady Hospital aus der Zeit, als Sara dort gearbeitet hatte, aushändigen zu lassen. Jeffrey konnte nur beten, dass die Frau auch ihr Wort hielt. Sie hatte vermutet, dass die Akten Jeffrey irgendwann am Sonntagnachmittag zur Einsicht vorliegen würden. Jeffreys einzige Hoffnung bestand darin, dass ein Name aus dem Krankenhaus vertraut klingen würde. Sara hatte nie jemanden aus Grant erwähnt, der in jenen Tagen mit ihr zusammengearbeitet hatte, aber er musste sie trotzdem fragen. Drei Anrufe bei ihr zu Hause hatten ihn nur mit dem Anrufbeantworter verbunden. Ihr eine Nachricht zu hinterlassen, sie möge ihn zurückrufen, erschien ihm sinnlos. Ihr Ton in der vergangenen Nacht hatte gereicht, ihn davon zu überzeugen, dass sie wahrscheinlich nie wieder mit ihm sprechen würde.

Jeffrey lenkte den Town Car auf den Parkplatz seiner Dienststelle. Eigentlich hätte er dringend nach Hause gemusst, um zu duschen und sich umzuziehen, aber er musste sich auch bei der Arbeit sehen lassen. Sein Ausflug nach Atlanta hatte länger gedauert als geplant, und Jeffrey hatte die morgendliche Lagebesprechung verpasst.

Frank Wallace trat aus der Vordertür, als Jeffrey die Automatik auf »Park« stellte. Frank winkte ihm kurz zu, bevor er um den Wagen herumging und einstieg.

Er sagte: »Die Kleine ist verschwunden.«

»Lena?«

Frank nickte, als Jeffrey den Gang einlegte.

Jeffrey fragte: »Was war los?«

»Ihr Onkel Hank hat angerufen, weil er sie sucht. Er sagte, er hat sie das letzte Mal in der Küche gesehen, kurz nachdem diese Matthews das Zeitliche gesegnet hat.«

»Das war vor zwei Tagen«, entgegnete Jeffrey. »Wie zum Teufel konnte das nur passieren?«

»Ich habe eine Nachricht auf ihrem Anrufbeantworter hinterlassen. Ich dachte, sie hält sich bedeckt. Hatten Sie ihr nicht freigegeben?«

»Hatte ich«, antwortete Jeffrey voller Schuldbewusstsein. »Hank ist bei ihr zu Hause?«

Frank nickte abermals und legte den Sicherheitsgurt an, als Jeffrey den Wagen auf über 130 Stundenkilometer hochjagte. Auf dem Weg zu Lenas Haus wurde die Anspannung im Wagen immer größer. Als sie ankamen, saß Hank Norton auf der Veranda und wartete.

Er kam zum Auto gelaufen. »Ihr Bett ist unbenutzt«, sagte er zur Begrüßung. »Ich war bei Nan Thomas. Keiner von uns hat etwas von ihr gehört. Deswegen haben wir angenommen, sie sei bei Ihnen.«

»War sie aber nicht«, formulierte Jeffrey das Naheliegende. Er betrat Lenas Haus und suchte im vorderen Zimmer nach Anhaltspunkten. Das Haus hatte zwei Stockwerke, wie die meisten in der Nachbarschaft. Küche, Esszimmer und Wohnzimmer befanden sich im Parterre, zwei Schlafzimmer und das Bad waren oben.

Jeffrey nahm zwei Stufen auf einmal, obwohl sein Bein gegen diese Bewegung protestierte. Er betrat ein Zimmer, das er für Lenas Schlafzimmer hielt, und suchte nach etwas, das allem einen Sinn geben könnte. Seine Augen brannten, und alles, was er betrachtete, hatte eine leicht rote Färbung. Er durchsuchte die Schubladen und schob die Kleidung im Wandschrank zur Seite und hatte nicht die geringste Ahnung, was er zu finden erwartete. Er fand nichts.

Unten in der Küche redete Hank Norton mit Frank. Seine Worte klangen wie ein lautes Stakkato aus Anschuldigung und Abwehr. »Sie sollte doch mit Ihnen zusammenarbeiten«, sagte Hank. »Sie sind schließlich ihr Partner.«

Jeffrey erkannte in der Stimme ihres Onkels Lena wieder. Er sprach zornig und anklagend. Da war dieselbe unterschwellige Feindseligkeit, die er schon immer aus Lenas Tonfall herausgehört hatte.

Jeffrey wollte Frank aus der Schusslinie nehmen. »Ich habe ihr freigegeben, Mister Norton«, sagte er. »Wir nahmen an, sie wäre zu Hause.«

»Da bläst sich so 'n Mädchen direkt vor den Augen meiner Nichte den Kopf weg, und Sie nehmen einfach an, dass es ihr gut geht?«, zischte er. »Herr im Himmel, sind Sie aus jeder Verantwortung raus, wenn Sie ihr einen Tag freigeben?«

»Das habe ich nicht gemeint, Mister Norton.«

»Scheiße, hören Sie doch auf, mich Mister Norton zu nennen«, brüllte er und riss die Arme in die Luft.

Jeffrey wartete darauf, dass der Mann noch mehr sagte, aber er drehte sich abrupt um und verließ die Küche. Die Tür knallte er hinter sich zu.

Frank wirkte bestürzt und sagte langsam: »Ich hätte nach ihr sehen sollen.«

»Das war meine Aufgabe«, sagte Jeffrey. »Ich trage die Verantwortung für sie.«

»Alle tragen die Verantwortung für sie«, entgegnete Frank. Er fing an, die Küche zu durchsuchen, öffnete und schloss Schubladen, stöberte in den Schränken. Aber augenfällig schenkte Frank dem, was er tat, gar keine Aufmerksamkeit. Mehr um seine Wut abzureagieren, als nach etwas Konkretem zu suchen, öffnete er die Schranktüren und schlug sie wieder zu. Jeffrey sah ihm eine Weile zu und trat ans Fenster. Lenas schwarzer Celica stand in der Auffahrt.

Jeffrey sagte: »Ihr Wagen ist noch da.«

Frank schob mit Wucht eine Schublade zu. »Hab ich gesehen.«

»Ich werde mal nachsehen«, erbot sich Jeffrey. Er ging durch die Hintertür hinaus und kam an Hank Norton vorbei, der auf den Stufen zum Hinterhof saß. Mit unbeholfenen und fahrigen Bewegungen rauchte er eine Zigarette.

Jeffrey fragte: »Stand der Wagen die ganze Zeit hier, als Sie fort waren?«

»Woher soll ich das denn wissen?«, brummte Norton.

Jeffrey beließ es dabei und ging zum Wagen. Beide Türen waren verriegelt. Die Reifen auf der Beifahrerseite sahen gut aus, und die Kühlerhaube fühlte sich kalt an.

»Chief?«, rief Frank von der Küchentür. Hank Norton stand auf, als Jeffrey zum Haus ging.

»Was gibt es denn?«, fragte Norton. »Haben Sie was gefunden?«

Jeffrey ging in die Küche zurück und sah sofort, was Frank gefunden hatte. Das Wort Fotze war innen in die Küchenschranktür über dem Herd geritzt.

»Dass es Vorschriften gibt, schert mich einen Scheißdreck«, sagte Jeffrey zu Mary Ann Moon, als er zum College raste. Das Telefon hielt er in der einen Hand, mit der anderen lenkte er.

»Ein Detective ist verschwunden, sie ist eine Frau, und die einzige Spur, die ich habe, ist diese Liste.« Er atmete tief durch, versuchte sich zu beruhigen. »Ich brauche Zugang zu diesen Personallisten.«

Moon reagierte diplomatisch. »Chief, hier müssen wir uns an die Dienstvorschriften halten. Wir sind nicht in Grant County. Wenn wir allen möglichen Leuten auf die Zehen treten, können wir das beim nächsten geselligen Beisammensein der Kirchengemeinde nicht einfach wiedergutmachen.«

»Wissen Sie eigentlich, was dieser Kerl den Frauen angetan hat?«, fragte er. »Wollen Sie es verantworten, dass mein Detective vielleicht in diesem Moment vergewaltigt wird? Denn ich kann Ihnen garantieren, dass ihr genau das zustößt.« Er hielt für einen Moment den Atem an, um zu verhindern, dass sich diese Vorstellung seiner bemächtigte.

Als sie nichts erwiderte, sagte er: »Jemand hat etwas in eine Schranktür in ihrer Küche geritzt.« Er hielt inne, damit sie seine Worte verinnerlichen konnte. »Möchten Sie vielleicht raten, um welches Wort es sich handelt, Ms. Moon?«

Moon schwieg und dachte offenbar nach. »Ich könnte mich mal mit jemandem unterhalten, den ich im Archiv kenne. Zwölf Jahre sind eine lange Zeit. Da kann ich nicht garantieren, dass man die entsprechenden Unterlagen gleich zur Hand hat. Wahrscheinlich sind sie auf Mikrofilm im Bundesstaatsarchiv.«

Er gab ihr seine Handynummer, bevor er das Gespräch beendete.

»Welche Zimmernummer hat sie im Wohnheim?«, fragte Jeffrey, als sie durch das Eingangstor des College fuhren.

Frank zog sein Notizbuch hervor und blätterte darin. »Zwölf«, sagte er. »Sie ist in Jefferson Hall.«

Das Heck des Town Car geriet ins Schleudern, als sie vor das Wohnheim kurvten und hielten. Jeffrey sprang aus dem Auto und rannte die Treppen hinauf. Er schlug mit der Faust an die Tür von Zimmer zwölf und stieß sie auf, als niemand öffnete.

»O mein Gott«, sagte Jenny Price und griff nach dem Laken, um sich zuzudecken. Ein junger Mann sprang aus dem Bett und zog sich in Windeseile seine Hose an.

»Raus mit dir«, forderte Jeffrey ihn auf und ging auf die Seite des Zimmers, die Julia Matthews bewohnt hatte. Seit er das letzte Mal hier gewesen war, hatte man nichts verändert. Jeffrey konnte sich auch nicht vorstellen, dass Matthews' Eltern sonderlich danach zumute gewesen war, in den Habseligkeiten ihrer toten Tochter zu kramen.

Jenny Price war angezogen weitaus selbstbewusster als am Tag zuvor. »Was tun Sie denn hier?«, verlangte sie zu wissen.

Jeffrey beachtete ihre Frage nicht, sondern durchsuchte Kleider und Bücher.

Jenny wiederholte ihre Frage, diesmal an Frank gerichtet.

»Polizeiangelegenheit«, murmelte er vom Flur her.

In Sekundenschnelle hatte Jeffrey das Zimmer auf den Kopf gestellt. Viel zu durchsuchen hatte es ohnehin nicht gegeben, und wie bei der Durchsuchung vorhin fand sich auch jetzt nichts Neues. Er hielt inne, sah sich im Zimmer um und fragte sich, ob er vielleicht etwas übersehen hatte. Als er sich daranmachen wollte, nochmals den Wandschrank zu durchstöbern, bemerkte er neben der Tür einen Stapel Bücher. Eine dünne Schicht Erde bedeckte die Buchrücken. Beim ersten Mal, als Jeffrey das Zimmer durchsucht hatte, waren sie noch nicht da gewesen. Daran hätte er sich erinnert.

Er fragte: »Woher kommen die?«

Jenny folgte seinem Blick. »Die Campuspolizei hat sie vorbeigebracht«, erklärte sie. »Sie gehörten Julia.«

Jeffrey ballte die Faust und hätte am liebsten auf irgendetwas eingeschlagen. »Die haben sie hierhergebracht?«, fragte er und wusste eigentlich auch nicht, warum ihn das so überraschte. Die Leute vom Sicherheitsdienst am Grant Tech Campus waren fast allesamt ziemlich hirnlose und ausgemusterte Hilfssheriffs mittleren Alters.

Die Studentin klärte ihn auf: »Die Bücher sind vor der Bibliothek gefunden worden.«

Mit großer Anstrengung öffnete Jeffrey die Fäuste und ging in die Knie, um die Bücher zu untersuchen. Er dachte noch daran, Handschuhe anzuziehen, bevor er sie berührte, aber sie waren ohnehin nicht mit der erforderlichen Sorgfalt behandelt worden, um als Beweismittel zugelassen zu werden.

Biologie der Mikroorganismen lag oben auf dem Stapel, über den Schutzumschlag waren Matschflecken verteilt. Jeffrey nahm das Buch zur Hand und blätterte die Seiten durch. Auf Seite 23 fand er, wonach er gesucht hatte. Das Wort Fotze war mit rotem Filzschreiber in Druckbuchstaben quer über die Seite geschrieben worden.

»Mein Gott«, hauchte Jenny hinter vorgehaltener Hand.

Jeffrey ließ Frank zurück, um das Zimmer zu versiegeln. Statt zum naturwissenschaftlichen Labor zu fahren, in dem Sibyl gearbeitet hatte, eilte er im Laufschritt über den Campus. Dabei schlug er die entgegengesetzte Richtung zu der ein, die er noch vor ein paar Tagen mit Lena gegangen war. Wieder nahm er zwei Stufen auf einmal, wieder wartete er nicht erst eine Reaktion ab, nachdem er an die Tür von Sibyls Laboratorium geklopft hatte, sondern stürmte hinein.

»Oh«, sagte Richard Carter und sah von seinen Notizen auf. »Was kann ich für Sie tun?«

Jeffrey stützte sich mit der Hand auf den erstbesten Tisch und versuchte, wieder ruhiger zu atmen. »Gab es irgendetwas Ungewöhnliches«, fragte er, »an dem Tag, als Sibyl Adams ermordet wurde?«

Carter wirkte verärgert. Jeffrey hätte ihm diesen Ausdruck am liebsten aus dem Gesicht geprügelt, aber er riss sich zusammen.

Selbstgerecht plusterte sich Carter auf: »Ich hab's Ihnen doch schon mal gesagt: Es gab nichts Außergewöhnliches.

Sie ist tot, Chief Tolliver, meinen Sie da nicht, dass ich etwas Ungewöhnliches erwähnt hätte?«

»Vielleicht war irgendwo etwas draufgeschrieben worden«, deutete Jeffrey an. Er wollte nicht zu viel preisgeben, es war verblüffend, an was sich die Leute zu erinnern meinten, wenn man ihnen nur die entsprechend formulierten Fragen stellte. »Haben Sie gesehen, dass auf einer ihrer Kladden etwas geschrieben stand? Vielleicht hatte sie irgendetwas immer bei sich, und daran hat sich jemand zu schaffen gemacht?«

Carter klappte der Unterkiefer runter. Offenbar erinnerte er sich an etwas. »Jetzt, wo Sie es erwähnen«, fing er an, »also kurz vor ihrem ersten Seminar am Montag sah ich, dass jemand etwas an die Wandtafel geschrieben hatte.« Er verschränkte die Arme über seinem massigen Oberkörper. »Die Kids finden es lustig, solche Streiche zu spielen. Sie war blind, daher konnte sie natürlich nicht mitbekommen, was die gemacht haben.«

»Was war das denn?«

»Na ja, jemand, ich weiß nicht wer, hatte das Wort *Fotze* an die Tafel geschrieben.«

»Und das war am Montagmorgen?«

»Ja.«

»Bevor sie starb?«

»Ja.«

Jeffrey blickte einen Moment lang von oben auf Richards Scheitel. Dabei kämpfte er gegen das Bedürfnis an, den Mann mit Fäusten zu traktieren. Er sagte: »Ist Ihnen klar, dass Julia Matthews noch am Leben sein könnte, wenn Sie mir das am vergangenen Montag erzählt hätten?«

Darauf wusste Richard Carter keine Antwort.

Jeffrey ging und knallte die Tür hinter sich zu. Er war auf der Treppe, als sein Handy klingelte. Beim ersten Ton antwortete er: »Tolliver.«

Mary Ann Moon kam sofort zur Sache. »Ich bin jetzt im Archiv und habe die Liste vor mir. Sie enthält alle, die in der Notaufnahme im ersten Stock gearbeitet haben, von den Ärzten bis zum Aufsichtspersonal.«

»Legen Sie los«, bat Jeffrey und schloss die Augen. Er gab sich alle Mühe, ihren näselnden Yankeeakzent zu überhören, als sie die Vornamen, die zweiten Vornamen und die Nachnamen aller Männer vorlas, die mit Sara zusammengearbeitet hatten. Sie brauchte dafür geschlagene fünf Minuten. Nach dem letzten Namen blieb Jeffrey stumm.

Moon fragte: »Kommt Ihnen einer bekannt vor?«

»Nein«, erwiderte Jeffrey. »Wenn es Ihnen nichts ausmacht, faxen Sie mir doch bitte die Liste in mein Büro.« Er gab ihr die Nummer. Dabei kam es ihm vor, als hätte ihm jemand einen Schlag in den Magen versetzt. Und dann hatte er wieder Lena vor Augen, auf den Kellerflur genagelt und in Todesangst.

Moon machte sich bemerkbar: »Chief?«

»Ich lasse die Liste dann durch einige meiner Leute mit Wählerlisten und dem Telefonbuch abgleichen.« Er hielt inne und rang mit sich, ob er fortfahren sollte. Schließlich behielt die Höflichkeit die Oberhand. »Danke Ihnen«, sagte er, »dass Sie die Liste herausgesucht haben.«

Moon bedachte ihn nicht wie gewohnt mit ihrem brüsken Abschiedsgruß. Sie sagte: »Tut mir leid, dass keiner der Namen Ihnen bekannt vorkommt.«

»Ja«, antwortete er und sah dabei auf die Uhr. »Hören Sie,

ich könnte in ungefähr vier Stunden wieder in Atlanta sein. Meinen Sie, ich könnte mich dann mit Wright allein unterhalten?«

Sie zögerte und sagte dann: »Sie sind heute Morgen über ihn hergefallen.«

»Was?«

»Scheint so, als hätten die Wärter beschlossen, dass er keine Einzelzelle verdient.«

»Sie haben versprochen, dass er nicht unters gemeine Volk gerät.«

»Das weiß ich«, blaffte sie. »Aber ich kann nicht kontrollieren, was geschieht, wenn er wieder hinter Gitter kommt. Sie sollten doch am besten wissen, dass diese Jungs ihre eigenen Regeln haben.«

Wenn er bedachte, wie er sich gestern gegenüber Jack Wright verhalten hatte, fiel ihm nicht viel zu seiner eigenen Verteidigung ein.

»Er wird für eine Weile aus dem Verkehr gezogen sein«, sagte Moon. »Sie haben ihn ziemlich böse aufgeschlitzt.«

Er fluchte unhörbar. »Er hat Ihnen nichts mehr gesagt, nachdem ich weggefahren war?«

»Nein.«

»Ist er sicher, dass es jemand ist, der im Krankenhaus gearbeitet hat?«

»Nein, ist er nicht.«

»Es ist jemand, der sie im Krankenhaus gesehen hat«, sagte Jeffrey. »Und wer würde sie im Krankenhaus sehen, der nicht auch dort arbeitet?« Mit der freien Hand bedeckte er die Augen und dachte nach. »Können Sie von dort aus Patientenakten einsehen?«

»Krankenblätter?« Sie klang skeptisch. »Das wäre wahrscheinlich zu viel verlangt.«

»Nur Namen«, sagte er. »Und nur von dem Tag. Vom 23. April.«

»Ich weiß, welcher Tag.«

»Geht das?«

Sie hatte offenbar die Sprechmuschel mit der Hand abgedeckt, aber trotzdem konnte er hören, dass sie mit jemandem redete. Kurz darauf war sie wieder da: »Geben Sie mir eine bis anderthalb Stunden.«

Jeffrey unterdrückte einen Klagelaut. Eine Stunde war eine Ewigkeit. Aber stattdessen sagte er: »Ich werde pünktlich sein.«

27

Lena hörte, wie irgendwo eine Tür geöffnet wurde.

Sie lag auf dem Boden und wartete auf ihn, weil sie nichts anderes tun konnte. Als Jeffrey ihr gesagt hatte, dass Sibyl tot war, hatte Lena danach kein anderes Ziel vor Augen gehabt, als denjenigen zu finden, der Sibyl umgebracht hatte. Sie wollte ihn seiner gerechten Strafe zuführen. Nichts wünschte sie sich mehr, als diesen Schweinehund zu finden und auf den elektrischen Stuhl zu bringen. Von diesem Gedanken war sie vom ersten Tag an so besessen, dass sie nicht einmal die Zeit gefunden hatte, innezuhalten und zu trauern. Nicht einen Tag hatte sie damit verbracht, den Verlust ihrer Schwester zu betrauern. Nicht eine einzige Stunde war vergangen, in der sie sich die Zeit genommen hatte, über ihren Verlust nachzudenken.

Jetzt, da sie in diesem Haus gefangen war, festgenagelt an den Fußboden, hatte Lena gar keine andere Wahl, als nachzudenken. Sie dachte an Sibyl. Sogar als sie unter Drogen gesetzt und ihr ein Schwamm auf die Lippen gepresst wurde und ihr bittersüßes Wasser in den Rachen rann und sie gezwungen war, es zu schlucken, trauerte Lena um Sibyl. Da gab es Schultage, die ihr auf einmal so gegenwärtig waren, dass sie meinte, das Holz des Bleistifts zu spüren, den sie in der Hand hielt. Neben Sibyl hinten im Klassenraum sitzend konnte sie die Tinte des Hektografen riechen. Da gab es Spazierfahrten im Auto und Ferienerlebnisse, Fotos aus der Abschlussklasse und Wandertage. Sie durchlebte all das noch einmal mit Sibyl an ihrer Seite, und es war so, als sei es real.

Das Licht war wieder da, als er den Raum betrat. Ihre Pupillen waren so erweitert, dass sie nichts sah außer Schatten, aber trotzdem benutzte er die Taschenlampe, um ihr die Sicht zu nehmen. Der Schmerz war so intensiv, dass sie die Augen schließen musste. Warum er das tat, konnte sie sich nicht zusammenreimen. Lena wusste, wer sie gefangen hatte. Auch wenn sie seine Stimme nicht erkannt hatte, konnte das, was er sagte, nur vom Apotheker der Stadt stammen.

Jeb setzte sich zu ihren Füßen und legte die Lampe auf den Boden. Der Raum war bis auf diesen kleinen Lichtstrahl stockdunkel. Irgendwie empfand Lena es als tröstlich, wieder etwas sehen zu können, nachdem sie sich so lange in völliger Dunkelheit befunden hatte.

Jeb fragte: »Geht es dir besser?«

»Ja«, antwortete Lena, die sich gar nicht daran erinnerte, dass sie sich vorher schlechter gefühlt hatte. Ungefähr alle vier Stunden spritzte er ihr irgendetwas. So wie sich ihre Muskeln kurz danach entspannten, vermutete sie, dass es sich um eine Art Schmerzmittel handeln musste. Die Droge war so stark, dass sie keinen Schmerz spürte, aber sie raubte ihr nicht das Bewusstsein. Er sorgte nur dafür, dass sie über Nacht ohnmächtig war, und zwar durch etwas, das er dem Wasser beigab. Er hielt einen nassen Schwamm an ihre Lippen und zwang sie, das bittere Wasser zu schlucken. Sie betete zu Gott, dass es kein Belladonna war. Lena hatte Julia Matthews mit eigenen Augen gesehen. Sie wusste, dass die

Droge tödlich sein konnte. Außerdem bezweifelte Lena, dass Sara zur Stelle sein würde, um sie zu retten. Nicht dass Lena sich sicher war, überhaupt gerettet werden zu wollen. Im Stillen kam sie nämlich immer mehr zu der Überzeugung, es sei am besten, wenn sie hier stürbe.

»Ich hab versucht, das Tropfen abzustellen«, sagte Jeb, als wolle er sich entschuldigen. »Ich weiß einfach nicht, woran es liegt.«

Lena leckte sich die Lippen und zog die Zunge nicht zurück.

»Sara ist vorbeigekommen«, sagte er. »Kannst du dir vorstellen, dass sie wirklich nicht weiß, wer ich bin?«

Wieder blieb Lena stumm. In seiner Stimme schwang Einsamkeit mit, auf die sie nicht reagieren wollte. Es war, als wünschte er sich Trost.

»Möchtest du wissen, was ich mit deiner Schwester gemacht hab?«, fragte er.

»Ja«, antwortete Lena, bevor sie sich davon abhalten konnte.

»Sie hatte Halsschmerzen«, begann er und zog sich das Oberhemd aus. Aus dem Augenwinkel beobachtete Lena ihn dabei, wie er sich weiter entkleidete. Er sprach ganz entspannt, als würde er ein frei erhältliches Hustenmittel oder irgendwelche Vitaminpräparate empfehlen.

Er sagte: »Sie wollte eigentlich keine Medikamente nehmen, nicht einmal Aspirin. Und sie fragte mich, ob ich ein gutes Hustenmittel auf pflanzlicher Basis hätte.« Inzwischen war er völlig nackt und rückte näher an Lena heran. Sie versuchte, sich loszureißen, als er sich neben sie legte, aber es war sinnlos. Ihre Hände und Füße waren so am Boden befestigt, dass sie sich fast wie gelähmt vorkam.

Jeb fuhr fort: »Sara sagte mir, sie würde um zwei ins Diner gehen. Ich wusste, dass Sibyl auch dort sein würde. Ich hab sie nämlich jeden Montag dabei beobachtet, wie sie zum Mittagessen dorthin ging. Sie war sehr hübsch, Lena. Aber nicht so wie du. Sie besaß nicht dein Feuer.«

Lena zuckte zusammen, als er ihren Bauch zu streicheln begann. Seine Finger spielten auf ihrer Haut und ließen ihren Körper vor Angst erbeben.

Er legte den Kopf an ihre Schulter und betrachtete seine Hand, während er sprach. »Ich wusste, dass Sara dort sein würde und dass Sara sie auch hätte retten können, aber natürlich wurde daraus nichts, wie wir wissen. Denn Sara kam zu spät. Sie kam zu spät und ließ deine Schwester sterben.«

Lenas Körper zitterte unkontrollierbar. Während der vorangegangenen Attacken hatte er sie unter Drogen gesetzt, darum waren sie einigermaßen erträglich gewesen. Wenn er sie jetzt aber unter diesen Umständen vergewaltigte, würde sie das nicht überleben. Lena erinnerte sich an Julia Matthews' letzte Worte. Sie hatte gesagt, dass Jeb mit ihr die Liebe gemacht hatte. Eben das hatte Julia umgebracht. Lena wusste, wenn er sanft mit ihr umgehen würde, wenn er sie küssen und liebkosen würde wie ein Liebhaber, dann würde sie sich nie wieder von diesem Erlebnis befreien können. Was auch immer er ihr antat – wenn sie den morgigen Tag überlebte, wenn sie diese Tortur überstand, würde ein Teil von ihr tot sein.

Jeb beugte sich vor, ließ seine Zunge über ihren Unterleib bis in ihren Bauchnabel wandern. Er lachte selbstzufrieden. »Du bist so süß, Lena«, flüsterte er und tastete sich mit der Zunge hinauf zu ihrer Brustwarze. Sanft saugte er daran und betastete mit der Handfläche ihre andere Brust. Sein Körper presste sich an sie, und sie fühlte sein hartes Glied an ihrem Schenkel.

Lenas Lippen zitterten, als sie ihn aufforderte: »Erzähl mir von Sibyl.«

Mit den Fingerspitzen drückte er leicht ihre Brustwarze. An einem anderen Ort und unter anderen Umständen wäre es beinahe spielerisch gewesen. Seine Stimme nahm den säuselnden Tonfall eines verzückten Liebhabers an, und das weckte eine Abscheu in ihr, die durch Mark und Bein ging.

Jeb sagte: »Ich ging hinten um das Gebäude herum und versteckte mich auf der Toilette. Ich wusste, der Tee würde bewirken, dass sie die Toilette aufsuchen musste, und daher habe ich …« Er strich mit dem Finger über ihren Bauch bis fast hinunter zum Schamhaar. »Ich habe mich in der angrenzenden Kabine eingeschlossen. Alles ging sehr schnell. Ich hätte mir denken können, dass sie noch Jungfrau war.« Er stieß einen zufriedenen Seufzer aus. »Sie war so warm und feucht, als ich in ihr war.«

Lena erschauerte, als sie seinen Finger zwischen ihren Beinen spürte. Er massierte sie und sah ihr dabei fest in die Augen, weil er ihre Reaktion sehen wollte. Die direkte Stimulierung veranlasste ihren Körper, völlig anders zu reagieren als mit dem Entsetzen, das sie verspürte. Er beugte sich vor und küsste die Seiten ihrer Brüste. »Mein Gott, was für einen schönen Körper du hast«, stöhnte er. Mit seinem Finger spreizte er ihre Lippen, sodass sie ihren Mund öffnen musste. Sie konnte sich selbst schmecken, als er seinen Finger tiefer hineingleiten ließ; rein und raus, rein und raus.

Er sagte: »Julia war auch hübsch, aber nicht so hübsch wie du.« Er ließ seine Hand wieder zwischen ihre Beine gleiten und stieß seinen Finger tief in sie hinein. Sie spürte, wie er sie weitete, um einen zweiten Finger hineingleiten zu lassen.

»Ich könnte dir etwas geben«, sagte er. »Etwas, um dich zu weiten. Dann könnte meine ganze Faust in dich hinein.«

Ein Schluchzen erfüllte den Raum, ihr Schluchzen. In ihrem ganzen Leben hatte sie noch nie einen solchen Schmerzenslaut gehört. Der Laut war viel erschreckender als das, was Jeb ihr antat. Ihr ganzer Körper bewegte sich auf und ab, als sie fickte. Die Ketten, durch die sie zusätzlich festgehalten wurde, schrammten über den Boden, und ihr Hinterkopf schurrte über das harte Holz.

Dann lag er dicht an sie gepresst neben ihr. Sie konnte jeden Körperteil spüren und ahnen, wie sehr ihn das erregte. Ein Geruch von Sex war im Raum und ließ sie nur sehr schwer atmen.

Er legte die Lippen dicht an ihr Ohr und flüsterte: »Sehet, ich habe euch Macht gegeben, zu treten auf Schlangen und Skorpione, und über alle Gewalt des Feindes; und nichts wird euch beschädigen.«

Lenas Zähne klapperten. Sie spürte ein Zwicken im Oberschenkel und wusste, dass er ihr wieder eine Spritze gegeben hatte.

»Ich habe dich einen kurzen Augenblick verlassen, aber mit großer Barmherzigkeit will ich dich sammeln.«

»Bitte«, flehte Lena, »bitte tun Sie das nicht.«

»Sara konnte Julia retten. Deine Schwester aber nicht«, sagte Jeb. Er setzte sich auf und schlug wieder die Beine übereinander. Während er sprach, berührte er sich, und er sprach fast im Plauderton. »Ich weiß nicht, ob es ihr auch gelingen wird, dich zu retten, Lena. Was meinst du?«

Lena konnte den Blick nicht von ihm wenden. Auch als er seine Hose vom Boden aufhob und etwas aus der Gesäßtasche herauszog, sah sie ihm unverwandt in die Augen. Er hob die Zange so hoch, dass sie in ihr Blickfeld geriet. Es war eine große Zange, ungefähr zwanzig Zentimeter lang, und der rostfreie Stahl blitzte im Licht auf.

»Ich bin zum Mittagessen verabredet«, sagte er, »und dann muss ich in die Stadt, um ein bisschen Papierkram zu erledigen. Bis dahin müsste die Blutung aufgehört haben. Ich habe dem Percodan ein wenig Gerinnungsmittel beigemischt. Außerdem noch etwas gegen Brechreiz und Übelkeit. Es wird dennoch etwas wehtun. Da will ich dir nichts vormachen.«

Lena warf den Kopf hin und her. Sie begriff nicht. Sie spürte nur die Wirkung der Drogen einsetzen. Ihr Körper schien mit dem Boden zu verschmelzen.

»Blut ist ein großartiges Gleitmittel. Wusstest du das?«

Lena hielt den Atem an. Sie wusste zwar nicht, was kommen würde, aber sie ahnte die Gefahr.

Sein Penis strich über ihre Brust, als er sich rittlings auf sie setzte. Er hielt mit starker Hand ihren Kopf fest und öffnete ihr den Mund, indem er seine Finger zwischen Ober- und Unterkiefer presste. Alles verschwamm vor ihren Augen, aber dann sah sie mit extremer Schärfe, wie er mit der Zange in ihren Mund griff.

28

Sara drosselte den Motor, als sie sich dem Steg näherte. Jeb stand schon dort, zog seine orange Schwimmweste aus und wirkte so trottelig wie beim letzten Mal. Wie Sara trug er einen dicken Pullover und Jeans. Das Unwetter der letzten Nacht hatte die Temperaturen beträchtlich sinken lassen, und sie konnte sich nicht vorstellen, warum jemand heute auf den See hinauswollte, wenn es nicht unbedingt sein musste.

»Lass mich dir helfen«, bot er an und streckte die Hand nach dem Boot aus. Er griff eine Leine, ging den Steg entlang und zog das Boot zur Winde.

»Mach's einfach hier fest«, sagte Sara und kletterte vom Boot auf den Steg. »Ich muss später noch zu meinen Eltern rüber.«

»Hoffentlich keine Probleme?«

»Nein«, antwortete Sara, die die andere Leine festmachte. Sie warf einen Seitenblick auf Jebs Seil und den stümperhaften Knoten, mit dem er es am Poller befestigt hatte. Wahrscheinlich würde sich das Boot innerhalb von zehn Minuten losgerissen haben, aber Sara fehlte der Mut, ihm Nachhilfeunterricht im Vertäuen zu geben.

Sie griff ins Boot und nahm zwei Plastiktüten heraus. »Ich musste mir den Wagen meiner Schwester leihen, um zum Einkaufen zu fahren«, erläuterte sie. »Meiner ist immer noch beschlagnahmt.«

»Von …« Er hielt inne und blickte über Saras Schulter in die Ferne.

»Ja«, antwortete sie. Sie fragte: »Hast du deine Dachrinne repariert?«

Er schüttelte den Kopf, als er sie eingeholt hatte und ihr die Tüten abnahm. »Ich weiß einfach nicht, wo das Problem liegt.«

»Hast du schon mal daran gedacht, einen Schwamm oder so was unten reinzulegen?«, fragte sie. »Vielleicht lässt sich das Geräusch dadurch dämpfen.«

»Das ist eine prima Idee«, sagte er. Sie hatten das Haus erreicht, und sie öffnete ihm die Hintertür.

Er warf ihr einen besorgten Blick zu, als er die Tüten neben seine Bootsschlüssel auf den Küchentresen stellte. »Du solltest wirklich lieber abschließen, Sara.«

»Ich war doch nur ein paar Minuten weg.«

»Ist mir ja klar«, sagte Jeb, »aber man kann nie wissen. Besonders bei den Vorfällen in letzter Zeit. Du weißt schon – mit den jungen Frauen.«

Sara seufzte. Er hatte ja gar nicht so unrecht. Sie konnte und wollte aber nicht das, was in der Stadt geschah, auch auf ihre Privatsphäre beziehen. Es war, als fühlte sie sich durch die alte Regel »Ein Blitz schlägt nicht zweimal an derselben Stelle ein« irgendwie beschützt. Aber natürlich hatte Jeb recht. Sie sollte viel vorsichtiger sein.

Sie ging zum Anrufbeantworter und fragte: »Was macht das Boot?« Das Licht blinkte zwar nicht, aber das Display verriet, dass Jeffrey in der vergangenen Stunde dreimal angerufen hatte. Was immer er zu sagen hatte, Sara würde es sich nicht anhören. Sie dachte schon daran, den Job als Leichenbeschauerin zu kündigen. Es musste schließlich einen Weg geben, Jeffrey aus ihrem Leben zu verbannen. Es bedurfte der Konzentration auf die Gegenwart, und sie durfte nicht mehr der Vergangenheit nachtrauern. Und um ehrlich zu sein – die Vergangenheit war gar nicht so wunderbar gewesen, wie sie es sich vormachte.

»Sara?« Jeb reichte ihr ein Glas Wein.

»Oh.« Sara nahm es, fand aber, es sei für sie ein wenig zu früh, um Alkohol zu trinken.

Jeb hob sein Glas. »Prost.«

»Prost«, erwiderte Sara und setzte das Glas an die Lippen. Vom Geschmack des Weins musste sie würgen. »O Gott«, stieß sie aus und fasste sich an den Mund. Der scharfe Geschmack lag wie ein feuchter Stofffetzen auf ihrer Zunge.

»Was ist denn los?«

»Bäh«, stöhnte Sara und beugte den Kopf unter den Wasserhahn. Mehrere Male spülte sie sich den Mund aus, bevor sie sich wieder Jeb zuwandte. »Er ist umgekippt. Der Wein ist umgekippt.«

Er schwenkte das Glas unter der Nase und verzog das Gesicht. »Riecht ja wie Essig.«

»Ja«, sagte sie und nahm noch einen kräftigen Schluck Wasser.

»Mensch, das tut mir aber leid. Hab ihn wohl ein bisschen zu lange aufbewahrt.«

Das Telefon klingelte, als sie den Wasserhahn zudrehte. Sara lächelte Jeb entschuldigend zu und ging durchs Zimmer, um nachzusehen, wer anrief. Es war schon wieder Jeffrey. Sie nahm nicht ab.

»Hier ist Sara«, ertönte ihre Stimme vom Anrufbeantworter. Sie wusste nie genau, auf welchen Knopf sie drücken musste, als der Piepton kam und Jeffreys Stimme zu hören war.

»Sara«, sagte Jeffrey. »Ich bekomme Patientenakten vom Grady zur Durchsicht, dann können wir ...«

Sara zog das Stromkabel aus dem Apparat und unterbrach Jeffrey mitten im Satz. Sie wandte sich wieder Jeb zu und hoffte, dass ihrem Lächeln anzusehen war, wie leid ihr die Störung tat. »Entschuldigung«, sagte sie.

»Stimmt etwas nicht?«, fragte er. »Hast du nicht mal im Grady gearbeitet?«

»In einem früheren Leben«, antwortete sie.

»Oh«, sagte Jeb.

Sie schmunzelte über den verwirrten Blick, mit dem er sie ansah, und kämpfte gegen den Drang auszuspucken. Der Geschmack war scheußlich. Sie ging zur Küchenanrichte und begann, die Einkaufstüten auszupacken. »Ich hab im Feinkostgeschäft Aufschnitt gekauft«, sagte sie. »Roastbeef, Huhn, Pute, Kartoffelsalat.« Sie hielt inne, weil er sie eigenartig ansah. »Was?«

Er schüttelte den Kopf. »Wie schön du bist.«

Sara merkte, dass sie bei dem Kompliment rot wurde. »Danke«, brachte sie heraus und packte das Brot aus. »Möchtest du Mayonnaise?«

Er nickte und lächelte noch immer. Er himmelte sie regelrecht an, und das war ihr unbehaglich.

»Mach doch mal Musik«, schlug sie vor, um die Situation aufzulockern. Er widmete sich der Stereoanlage. Sara bereitete die Sandwiches zu, während er mit dem Zeigefinger an ihrer CD-Sammlung entlangfuhr.

438

Er sagte: »Wir haben denselben Musikgeschmack.«

Sara unterdrückte ein »toll«, als sie Teller aus dem Küchenschrank nahm. Sie halbierte die Sandwiches, als die Musik anfing. Sie kam von einer alten Robert-Palmer-CD, die sie schon seit Jahren nicht mehr gehört hatte.

»Klasse Anlage«, sagte Jeb. »Ist das Surround-Sound?«

»Ja«, antwortete Sara. Die Lautsprecher hatte Jeffrey installiert, damit man im ganzen Haus Musik hören konnte. Sogar im Bad gab es einen Lautsprecher. Manchmal hatte sie spätabends noch gebadet, bei Kerzenlicht und sanfter Musik.

»Sara?«

»Entschuldige«, sagte sie, als sie merkte, dass sie in Gedanken versunken war.

Sara stellte die Teller einander gegenüber auf den Küchentisch und wartete, bis Jeb zu Tisch kam. Dann setzte sie sich und winkelte ein Bein an. »Das habe ich schon lange nicht mehr gehört.«

»Ist auch ziemlich alt«, sagte er und biss von seinem Sandwich ab. »Meine Schwester hat sich den Song immerzu angehört.« Er lächelte. *Sneakin' Sally Through the Alley.* So hieß sie, Sally.«

Sara leckte Mayonnaise von ihrem Finger. Sie hoffte, dass der Geschmack den des Weins überdecken würde. »Ich wusste gar nicht, dass du eine Schwester hast.«

Er setzte sich auf und zog seine Brieftasche aus der Hose. »Sie ist vor einer Weile gestorben«, sagte er und ging die Bilder durch, die vorne steckten. Aus einer der Plastikhüllen zog er ein Foto heraus und hielt es Sara hin. »So geht's eben manchmal.«

Sara empfand das als einen etwas sonderbaren Kommentar zum Tod seiner Schwester. Sie nahm das Foto, das ein junges Mädchen im Cheerleader-Kostüm zeigte. Lächelnd hielt sie die Pompons nach links und rechts weggestreckt. Das Mädchen sah genau aus wie Jeb. »Sie war sehr hübsch«, sagte Sara und gab ihm das Foto zurück. »Wie alt ist sie denn geworden?«

»Gerade dreizehn«, antwortete er und betrachtete einige Sekunden lang das Foto. Er schob es in die Plastikhülle zurück und steckte die Brieftasche dann wieder in seine Gesäßtasche. »Sie war ein Nachkömmling. Ich war schon fünfzehn, als sie geboren wurde. Mein Vater hatte gerade seine erste Pfarrstelle bekommen.«

»Er war Pfarrer?«, fragte Sara und wunderte sich, dass sie das nicht gewusst hatte, obwohl sie mit Jeb ausgegangen war. Sie hätte schwören können, dass er ihr einmal erzählt hatte, sein Vater sei Elektriker.

»Er war Baptistenprediger«, stellte Jeb richtig. »Er war stark und sicher in seinem Glauben, dass es in der Macht des Herrn liegt zu heilen, was den Menschen schmerzt. Ich bin froh, dass er seinen Glauben hatte, um den Verlust zu bewältigen, aber ...« er zuckte mit den Achseln. »Manche Dinge wird man einfach nicht los. Manche Dinge kann man nicht vergessen.«

»Tut mir sehr leid, dass du sie verloren hast«, sagte Sara. Sie wusste genau, was er damit meinte, etwas nicht loszuwerden. Sie senkte den Blick auf ihr Sandwich. Es gehörte sich nicht, gerade jetzt davon abzubeißen. Ihr Magen knurrte, aber sie achtete nicht darauf.

»Es ist schon sehr lange her«, antwortete Jeb schließlich.

»Ich habe gerade heute an sie gedacht – bei alldem, was so passiert ist.«

Sara wusste nicht, was sie sagen sollte. Sie war es leid, an den Tod erinnert zu werden. Sie wollte Jeb auch nicht trösten. Auf diese Verabredung war sie eingegangen, um sich von dem abzulenken, was in letzter Zeit geschehen war, nicht, um wieder daran erinnert zu werden.

Sie stand vom Tisch auf und fragte: »Möchtest du vielleicht etwas anderes trinken?« Dabei ging sie zum Kühlschrank. »Ich habe Coke, ein bisschen Kool-Aid, Orangensaft.« Sie öffnete die Tür, und das schmatzende Geräusch erinnerte sie an etwas. Sie konnte nur nicht genau sagen, was es war. Aber plötzlich ging ihr ein Licht auf. Das Gummifutter an den Türen der Notaufnahme im Grady hatte genau dasselbe Geräusch verursacht, wenn sie geöffnet wurden. Noch nie zuvor war ihr die Ähnlichkeit bewusst geworden, aber sie war unbestreitbar.

Jeb sagte: »Coke ist prima.«

Sara griff in den Kühlschrank und tastete nach den Getränkedosen. Sie hielt inne, als ihre Hand eine der bekannten roten Dosen berührte. Leichter Schwindel erfasste sie, als hätte sie zu viel Luft in den Lungen. Sie schloss die Augen, bemüht, nicht das Gleichgewicht zu verlieren. Sara befand sich wieder in der Notaufnahme, die Türen öffneten sich mit diesem schmatzenden Geräusch. Ein junges Mädchen wurde auf einer Krankentrage hereingefahren. Die Sanitäter machten ihre Angaben, erste Zugänge wurden gelegt, und das Mädchen wurde intubiert. Es befand sich im Schockzustand, die Pupillen waren geweitet, der Körper fühlte sich warm an. Die Temperatur wurde genannt: vierzig Grad. Der Blutdruck stieg immer höher. Zwischen den Beinen blutete das Mädchen sehr stark.

Sara übernahm die Patientin und versuchte sofort, die Blutung zu stoppen. Das Mädchen krampfte und krümmte sich, riss sich die Schläuche heraus und stieß mit den Füßen das Instrumententablett von der Trage. Sara beugte sich über das Mädchen und versuchte zu verhindern, dass es noch mehr Schaden anrichtete. Von einer Sekunde zur anderen hörten die Zuckungen auf, und Sara dachte schon, die Kleine sei gestorben. Doch ihr Puls war stabil. Ihre Reflexe waren hingegen schwach, aber registrierbar.

Eine Vaginaluntersuchung ergab, dass an dem Mädchen erst kürzlich eine Abtreibung vorgenommen worden war, die jedoch kein qualifizierter Arzt durchgeführt hatte. Ihre Gebärmutter war übel zugerichtet, ihre Scheidewände waren zerkratzt und so gut wie zerfetzt. Sara rettete, was zu retten war, doch der Schaden war angerichtet. Ob das Mädchen wieder gesund wurde, lag jetzt an ihren Selbstheilungskräften.

Sara ging hinaus zum Auto um ihr Shirt zu wechseln, bevor sie sich mit den Eltern der Kleinen unterhielt. Sie fand sie im Wartebereich und formulierte ihre Prognose. Dabei benutzte sie die entsprechenden Floskeln, sprach von »verhaltenem Optimismus« und von »kritisch, aber stabil«. Nur überlebte die Kleine die nächsten drei Stunden nicht, sie hatte weitere Fieberkrämpfe bekommen.

Zu dem Zeitpunkt ihrer ärztlichen Laufbahn war das dreizehnjährige Mädchen die jüngste Patientin, die Sara verloren hatte. Die anderen Patienten, die unter Saras Obhut nicht überlebt hatten, waren älter oder schlimmer krank gewesen. Es war zwar traurig, sie zu verlieren, doch ihr Tod kam nicht unerwartet. Sara war noch völlig entsetzt über die Tragödie, als sie zum Wartebereich ging. Die Eltern des Mädchens wirkten nicht minder schockiert. Sie hatten nicht die geringste Ahnung von der Schwangerschaft ihrer Tochter gehabt. Soweit sie wussten, hatte die Kleine noch nicht einmal einen Freund gehabt. Sie konnten einfach nicht verstehen, wie ihre Tochter schwanger gewesen sein konnte, und noch viel weniger, wieso sie tot sein sollte.

»Mein Baby«, flüsterte der Vater. Mit einer Stimme, die vor Kummer beinahe versagte, wiederholte er ständig den Satz: »Sie war aber doch mein Baby.«

»Sie müssen sich irren«, sagte die Mutter. Sie kramte in ihrer Handtasche und förderte eine Brieftasche zutage. Bevor Sara sie davon abhalten konnte, war ein Foto gefunden – das Schulfoto eines jungen Mädchens in Cheerleader-Uniform. Sara wollte sich das Foto nicht anschauen, aber die Frau war anders nicht zu trösten. Sara sah sich das Foto ein zweites Mal an, diesmal aufmerksamer. Das Mädchen hielt die Pompons seitlich von sich gestreckt. Sie lächelte. Dieser Gesichtsausdruck stand in komplettem Kontrast zu dem des leblosen Mädchens, das auf der Bahre lag und darauf wartete, ins Leichenschauhaus gebracht zu werden.

Der Vater griff nach Saras Händen. Er beugte den Kopf und flüsterte ein Gebet, in dem er um Vergebung bat. Außerdem beteuerte er seinen immerwährenden Glauben an Gott. Sara war absolut kein religiöser Mensch, aber etwas an diesem Gebet rührte sie. In der Lage zu sein, angesichts eines so furchtbaren Verlusts derart Trost zu finden, erstaunte sie.

Nach dem Gebet war Sara zu ihrem Wagen gegangen, um sich zu sammeln, vielleicht sogar eine Fahrt um den Block zu machen, damit sich ihr Verstand mit diesem tragischen und unnötigen Tod beschäftigen konnte. Da hatte sie den Schaden an ihrem Auto vorgefunden. Und war zurück ins Haus und auf die Toilette gegangen. Und da hatte Jack Allen Wright sie vergewaltigt.

Das Bild, das Jeb ihr zeigte, war dasselbe gewesen, das sie vor zwölf Jahren in dem Warteraum gesehen hatte.

»Sara?«

Ein neuer Song begann. Sara wurde beinahe übel, als sie die Worte »he, he, Julia« aus den Lautsprechern hörte.

»Stimmt was nicht?«, fragte Jeb und zitierte darauf den Song: »›You're acting so peculiar.‹«

Sara hielt eine Dose hoch und schloss den Kühlschrank. »Das hier ist die letzte Coke«, sagte sie und machte einen ersten kleinen Schritt Richtung Garagentür. »Draußen hab ich aber noch welche.«

»Lass nur.« Er zuckte die Achseln. »Mir reicht Wasser.« Er hatte sein Sandwich beiseitegelegt und starrte sie an.

Sara machte die Coke-Dose auf. Ihre Hände zitterten ein wenig, aber sie glaubte nicht, dass Jeb es bemerkte. Sie setzte die Dose an den Mund und ließ beim Trinken etwas Coke auf ihren Pullover tropfen.

»Oh«, sagte sie und tat, als sei sie überrascht. »Ich geh mich mal eben umziehen. Bin gleich wieder da.«

Sara erwiderte sein Lächeln, auch wenn ihre Lippen dabei bebten. Sie zwang sich dazu, sich in Bewegung zu setzen und langsam die Diele hinunterzugehen. In ihrem Zimmer griff sie nach dem Telefon, sah zum Fenster hinaus und war überrascht, dass strahlender Sonnenschein hereinfiel. Das wollte so gar nicht zu dem Entsetzen passen, das sie ergriffen hatte.

Sara gab Jeffreys Nummer ein, aber es waren keine Töne zu hören, als sie die Tasten drückte. Sie starrte auf das Telefon, wollte mit reiner Willenskraft bewirken, dass es funktionierte.

»Du hast doch den Stecker rausgezogen«, sagte Jeb.

Sara sprang vom Bett auf. »Hab nur eben meinen Dad angerufen. Er kommt in ein paar Minuten vorbei.«

Gegen den Rahmen gelehnt stand Jeb in der Tür. »Ich dachte, du hättest gesagt, dass du später bei deinen Eltern vorbeischaust?«

»Stimmt«, antwortete Sara. Langsam bewegte sie sich rückwärts auf die andere Seite des Zimmers zu. Nun war das Bett zwischen ihnen, aber Sara, die mit dem Rücken zum Fenster stand, war gefangen. »Er kommt mich abholen.«

»Bist du da so sicher?«, fragte Jeb. Er hatte sein typisches Lächeln aufgesetzt, eher ein schräges Grinsen wie bei einem Kind. Irgendwie wirkte er so ungezwungen und so wenig bedrohlich, dass sich Sara eine halbe Sekunde lang fragte, ob sie vielleicht falsche Schlüsse gezogen hatte. Ein Blick hinunter auf seine Hand belehrte sie aber sofort eines Besseren. In ihr hielt er ein langes Ausbeinmesser.

»Wie bist du darauf gekommen?«, fragte er. »Durch den Essig? Es war höllisch schwer, ihn durch den Korken zu kriegen. Dem Himmel sei Dank für Herzkanülen.«

Sara tastete und spürte die kalte Fensterscheibe hinter sich. »Du hast sie mir alle präsentiert«, sagte sie und ging in Gedanken die letzten Tage durch. Jeb hatte von ihrem Mittagessen mit Tessa gewusst. Jeb hatte gewusst, dass sie in der Nacht, als Jeffrey angeschossen wurde, im Krankenhaus war. »Darum war Sibyl also auf der Toilette. Und darum lag Julia auf meinem Wagen. Du wolltest, dass ich sie rette.«

Er lächelte und nickte bedächtig. In seinem Blick lag eine gewisse Traurigkeit, als bedauerte er, dass das Spiel vorüber war. »Ich wollte dir die Gelegenheit dazu geben.«

»Hast du mir deswegen ihr Bild gezeigt?«, fragte sie. »Weil du wissen wolltest, ob ich mich an sie erinnere?«

»Ich bin überrascht, dass du es tust.«

»Wieso?«, fragte Sara. »Glaubst du, ich könnte so etwas vergessen? Sie war noch ein Kind.«

Er zuckte die Achseln.

»Hast du ihr das angetan?«, fragte Sara, die sich an die Brutalität der amateurhaften Abtreibung erinnerte. Derrick Lange, ihr Supervisor, hatte vermutet, dass ein Metallkleiderbügel benutzt worden war.

Sie sagte: »Warst du derjenige, der es getan hat?«

»Woher wusstest du das?«, fragte Jeb in leicht defensivem Tonfall. »Hat sie es dir gesagt?«

Hinter dem, was er sagte, steckte mehr. Ein düsteres Geheimnis verbarg sich hinter seinen Worten. Als Sara sprach, kannte sie die Antwort bereits, bevor sie ihren Satz zu Ende gebracht hatte. Sie hatte ja gesehen, wozu Jeb fähig war, und wenn sie das einbezog, war ihr Schluss völlig logisch.

Sie fragte: »Du hast deine Schwester vergewaltigt, nicht wahr?«

»Ich habe meine Schwester geliebt«, entgegnete er, noch immer in dem defensiven Ton.

»Sie war noch ein Kind.«

»Sie kam zu mir«, sagte er, als könne das als Entschuldigung gelten. »Sie wollte mit mir zusammen sein.«

»Sie war dreizehn Jahre alt.«

»Wenn jemand seine Schwester nimmt, seines Vaters Tochter, und sieht ihre Scham, und sie sieht die seine, so ist es eine Schandtat.« Sein Lächeln schien zu sagen, dass er mit sich zufrieden war. »Nenn mich einfach einen Schandtäter.«

»Sie war deine Schwester.«

»Wir alle sind Gottes Kinder, oder etwa nicht? Wir haben alle denselben Vater.«

»Kannst du auch einen Bibelvers zitieren, um Vergewaltigung zu rechtfertigen? Um Mord zu rechtfertigen?«

»Sara, das Gute an der Bibel ist ja gerade, dass sie Raum für Auslegungen lässt. Gott schickt uns Zeichen, zeigt Möglichkeiten, und entweder folgen wir ihnen, oder wir tun es nicht. Wir können uns aussuchen, was uns widerfährt. Wir denken nicht gerne daran, aber wir sind unseres Schicksals Schmied. Wir treffen die Entscheidungen, die den Lauf unseres Lebens bestimmen.« Er sah sie durchdringend an und schwieg einen Moment. »Ich hatte eigentlich gedacht, dass du diese Lektion schon vor zwölf Jahren gelernt hättest.«

Sara hatte das Gefühl, im Erdboden zu versinken, als ihr ein Gedanke kam. »Warst du das? In der Toilette?«

»Mein Gott, nein«, sagte Jeb und winkte ab. »Das war Jack Wright. Er ist mir wohl zuvorgekommen. Hat mich aber auf eine Idee gebracht.« Jeb lehnte sich an den Türrahmen, und dasselbe wohlgefällige Lächeln verzog seine Lippen. »Wir sind beide Männer des Glaubens, musst du wissen. Wir lassen uns beide vom Heiligen Geist leiten.«

»Ihr seid beide nichts als wilde Tiere.«

»Ich schulde ihm etwas dafür, dass er uns zusammengebracht hat«, sagte Jeb. »Was er für dich getan hat, diente mir als Beispiel, Sara. Dafür möchte ich mich bei dir bedanken. Im Namen der vielen Frauen, die seither gekommen sind, und ich meine ›kommen‹ im biblischen Sinn, entbiete ich dir meinen aufrichtigen Dank.«

»O mein Gott«, hauchte Sara und hielt sich den Mund zu. Sie hatte gesehen, was er seiner Schwester angetan hatte, Sibyl Adams und Julia Matthews. Das sollte seinen Anfang genommen haben, als sie von Jack Wright vergewaltigt worden war? Bei dem Gedanken drehte Sara sich der Magen um. »Du Ungeheuer«, zischte sie. »Du Mörder.«

Er richtete sich auf, und sein Gesicht war plötzlich vor Wut verzerrt. Jeb verwandelte sich von dem stillen und bescheidenen Apotheker in den Mann, der mindestens zwei Frauen vergewaltigt und ermordet hatte. Seine Körperhaltung spiegelte die Wut wider. »Du hast sie sterben lassen. Du hast sie umgebracht.«

»Sie war bereits tot, als sie zu mir gebracht wurde«, entgegnete Sara, darauf bedacht, mit fester Stimme zu sprechen. »Sie hatte zu viel Blut verloren.«

»Das ist nicht wahr.«

»Du hast nicht alles rausbekommen«, sagte sie. »Sie ist innerlich verfault.«

»Du lügst doch!«

Sara schüttelte den Kopf. Hinter ihrem Rücken bewegte sie die Hand, suchte den Griff am Fenster. »Du hast sie umgebracht.«

»Das ist nicht wahr«, wiederholte er. Sie bemerkte jedoch an der Veränderung in seiner Stimme, dass er ihr irgendwo auch glaubte.

Sara fand den Knauf und bemühte sich, das Fenster zu öffnen. Doch es gab nicht nach. »Auch Sibyl ist durch deine Schuld gestorben.«

»Es ging ihr gut, als ich sie verließ.«

»Sie hatte einen Herzanfall«, klärte Sara ihn auf und drückte dabei gegen den Knauf. »Sie starb an einer Überdosis. Sie bekam einen Krampfanfall, genau wie deine Schwester.«

Im Schlafzimmer klang seine Stimme furchterregend laut, und die Scheibe hinter Sara vibrierte, als er schrie: »Das ist nicht wahr!«

Sara ließ von dem Griff ab, als er einen Schritt auf sie zukam. Noch hielt er das Messer gesenkt, aber die Bedrohung war eindeutig. »Ich möchte mal wissen, ob deine Fotze noch immer so süß ist, wie sie es für Jack war«, sagte er leise. »Ich weiß noch, wie ich Tag für Tag bei deinem Prozess anwesend war und mir alle Einzelheiten angehört habe. Zuerst wollte ich mir Notizen machen, aber nach dem ersten Tag stellte ich fest, dass das nicht nötig war.« Er griff in seine Hosentasche und zog ein Paar Handschellen hervor. »Hast du noch den Schlüssel, den ich dir dagelassen habe?«

Sie gebot ihm mit Worten Einhalt. »Ich werde das nicht noch einmal mitmachen«, sagte sie mit Bestimmtheit. »Vorher musst du mich umbringen.«

Er blickte zu Boden. Seine Schultern waren entspannt. Für einen kurzen Moment empfand sie Erleichterung, bis er wieder zu ihr aufsah. Ein Lächeln lag auf seinen Lippen. »Wieso meinst du, dass es für mich interessant ist, ob du tot bist oder nicht?«

»Du willst mir also ein Loch in den Bauch schneiden?«

Vor Schreck ließ er die Handschellen fallen. »Was?«, flüsterte er.

»Dann hast du also keine Sodomie mit ihr getrieben?«

Sie sah, dass ein Schweißtropfen an seiner Schläfe hinunterrann. Er fragte: »Mit wem?«

»Mit Sibyl. Wie sonst hätte Scheiße in ihre Vagina gelangen sollen?«

»Das ist ekelhaft.«

»So?«, fragte Sara. »Hast du sie auch gebissen, während du sie in das Loch in ihrem Bauch gefickt hast?«

Heftig schüttelte er den Kopf. »Das hab ich nicht getan.«

»Die Abdrücke deiner Zähne befanden sich auf ihrer Schulter, Jeb.«

»Kann gar nicht sein.«

»Ich habe sie aber gesehen«, widersprach Sara. »Ich habe alles gesehen, was du ihnen angetan hast. Ich habe gesehen, dass du ihnen allen wehgetan hast.«

»Sie hatten keine Schmerzen«, beharrte er. »Ihnen hat gar nichts wehgetan.«

Sara ging auf ihn zu, bis ihre Knie das Bett berührten. Er stand auf der anderen Seite und sah sie beinahe verzweifelt an. »Sie haben gelitten, Jeb. Sie haben beide gelitten, genau wie deine Schwester, ebenso wie Sally.«

»Ich hab ihnen nie wehgetan«, flüsterte er. »Ich hab ihnen nicht wehgetan. Du bist diejenige, die sie hat sterben lassen.«

»Du hast ein dreizehnjähriges Mädchen vergewaltigt, eine blinde Frau und eine labile Zweiundzwanzigjährige. Ist es das, was dir den Kick verschafft, Jeb? Über hilflose Frauen herzufallen? Sie unter deine Kontrolle zu bringen?«

Seine Kiefermuskeln spannten. »Du machst es für dich nur noch schlimmer.«

»Fick dich, du krankes Schwein.«

»Nein«, sagte er. »Andersrum wird es sein.«

»Dann komm doch«, höhnte Sara und ballte die Fäuste. »Versuch's doch, wenn du dich traust.«

Jeb wollte sich auf sie stürzen, aber Sara war schon in Bewegung. Mit voller Wucht warf sie sich gegen das große Panoramafenster und zog den Kopf ein, als das Glas splitterte. Schmerz betäubte all ihre Sinne, Scherben schnitten ihr ins Fleisch. Sie landete im Garten, kauerte sich zusammen und rollte ein Stück den Abhang hinunter.

Sara rappelte sich eilig wieder auf und blickte sich gar nicht erst um, als sie zum See rannte. Sie hatte eine Schnittwunde am Oberarm und eine klaffende Wunde auf der Stirn, aber das war ihre geringste Sorge. Als sie am Steg war, hatte Jeb bereits stark aufgeholt. Ohne nachzudenken, hechtete sie in das kalte Wasser und tauchte so lange, bis sie wieder Luft holen musste. Zehn Meter vom Steg entfernt kam sie schließlich wieder an die Oberfläche. Dann sah Sara Jeb in ihr Boot springen, und zu ihrem Schrecken fiel ihr ein, dass sie den Zündschlüssel stecken gelassen hatte.

Wieder tauchte Sara, nahm all ihre Kraft zusammen und schwamm so weit sie nur konnte, bevor sie wieder an die Oberfläche kam. Das Boot kam auf sie zu. Sie tauchte, berührte den Grund des Sees, als das Boot über sie hinwegraste. Sara wendete unter Wasser und schwamm auf die Felsen zu, die in der anderen Richtung lagen. Sie waren kaum zehn Meter entfernt, aber Sara spürte, dass ihre Arme immer schwerer wurden. Die Kälte des Wassers lähmte ihre Muskeln, und sie wusste, dass sie bei dieser niedrigen Temperatur stetig langsamer werden würde.

Sie kam an die Oberfläche und sah sich nach dem Boot um. Wieder kam Jeb mit Vollgas auf sie zu. Wieder tauchte sie ab. Sie kam gerade rechtzeitig wieder hoch, um zu sehen, wie das Boot auf die überspülten Felsen zuflog. Der Bug traf frontal auf den ersten Felsen und schoss in die Höhe. Das Boot wirbelte durch die Luft, Jeb wurde hinausgeschleudert und klatschte ins Wasser. Seine Hände verkrampften sich hilflos, als er versuchte, sich vor dem Ertrinken zu bewahren. Sein Mund stand offen, seine Augen waren in Todesangst weit aufgerissen, und er ruderte mit den Armen, als er unter die Wasseroberfläche gezogen wurde. Sie hielt die Luft an und wartete, aber er tauchte nicht wieder auf.

Jeb war ungefähr drei Meter weit aus dem Boot geschleudert worden, weg von den Felsen. Sara wusste, dass sie es nur ans Ufer schaffen konnte, wenn sie zwischen den Felsen hindurchschwamm. Sie konnte auch nur eine begrenzte Zeit Wasser treten, bevor die Kälte sie völlig umfing und hilflos machte. Die Entfernung zum Steg war zu groß. Das würde sie nie schaffen. Der sicherste Weg ans Ufer führte an dem kieloben schwimmenden Boot vorbei.

Am liebsten wäre sie geblieben, wo sie war, aber Sara wusste sehr wohl, dass das kalte Wasser allmählich ihre Sinne betäuben würde. Die Wassertemperatur war zwar noch nicht nahe am Gefrierpunkt, aber das Wasser war kalt genug, um eine leichte Unterkühlung hervorzurufen, wenn sie nicht bald herauskam.

Sie schwamm mit langsamen Kraulbewegungen, um Körperwärme zu bewahren. Nur ihr Kopf war über Wasser, als sie sich den Weg zwischen den Felsen suchte. Ihr Atem stieg in einer Wolke vor ihrem Gesicht auf, doch sie versuchte, an etwas Warmes zu denken, zum Beispiel daran, vor dem Kaminfeuer zu sitzen und Marshmallows zu rösten. An den Hot Tub im YMCA. An die Sauna. An den warmen Quilt auf ihrem Bett.

Sie änderte die Richtung und schwamm um die andere

Seite des Boots herum, abseits von der Stelle, wo Jeb untergegangen war. Sie hatte zu viele Filme gesehen. Sie fürchtete, dass er an die Oberfläche kam, ihr Bein packte und sie mit sich in die Tiefe zerrte. Als sie am Boot vorüberschwamm, konnte sie das große Loch erkennen, das der Fels in den Bug gerissen hatte. Es war gekentert und lag kieloben. Jeb befand sich auf der anderen Seite und hielt sich am zerfetzten Bug fest. Seine Lippen waren schon dunkelblau; ein starker Kontrast zu seinem kreidebleichen Gesicht. Er zitterte unkontrolliert, und seinen Atem stieß er in kleinen weißen Wölkchen aus. Er hatte in Panik seine Kräfte verschwendet, um seinen Kopf über Wasser zu halten. Die Kälte verringerte seine Kerntemperatur von Minute zu Minute.

Sara schwamm weiter, bewegte sich aber langsamer. Außer Jebs Atem und den Geräuschen, die ihre Hände im Wasser machten, war auf dem stillen See nichts zu hören.

»Ich ka-ka-kann nicht schwimmen«, sagte er.

»Was für ein Pech«, antwortete Sara, deren Stimme fast versagte. Sie hatte das Gefühl, ein verwundetes, aber noch immer gefährliches Tier zu umkreisen.

»Du kannst mich doch nicht hier zurücklassen«, kriegte er zähneklappernd hervor. Sie drehte sich im Wasser, um ihm nicht den Rücken zuzukehren. »Und ob ich das kann.«

»Du bist Ärztin.«

»Ja, das bin ich«, sagte sie und entfernte sich immer weiter von ihm.

»Du wirst Lena niemals finden.«

Sara hatte das Gefühl, von einer zentnerschweren Last getroffen zu werden. Sie schwamm auf der Stelle und ließ Jeb nicht aus den Augen. »Was ist mit Lena?«

»I-i-ich hab sie«, sagte er. »Sie ist an einem sicheren Ort.«

»Das glaube ich dir nicht.«

Soweit sie erkennen konnte, reagierte er mit einem Achselzucken.

»Was heißt ein sicherer Ort?«, wollte Sara wissen. »Was hast du mit ihr gemacht?«

»Ich hab sie für dich zurückgelassen, Sara«, sagte er. Seine Stimme war wieder da, aber sein Körper begann zu schlottern. Sie wusste, dass die zweite Phase einer Hypothermie von unkontrollierbarem Zittern und irrationalen Gedankengängen geprägt war.

Er sagte: »Ich hab sie irgendwo zurückgelassen.«

Sara schwamm ein wenig näher heran. Sie traute ihm nicht. »Wo hast du sie zurückgelassen?«

»Du mu-mu-musst sie retten«, stammelte er leise und schloss die Augen. Sein Gesicht sank nach vorn, und sein Mund war plötzlich unter der Wasseroberfläche. Er prustete, als er Wasser in die Nase bekam, und klammerte sich noch verzweifelter an das Boot. Ein Knirschen war zu hören, als das Boot am Felsen entlangstreifte.

Sara wurde es plötzlich ganz heiß. »Wo ist sie, Jeb?« Als er nicht antwortete, sagte sie zu ihm: »Du kannst hier draußen sterben. Das Wasser ist kalt genug. Dein Herzschlag wird immer langsamer werden, bis er ganz aufhört. Ich würde sagen, dir bleiben noch zwanzig Minuten, allerhöchstens«, sagte sie, obwohl sie wusste, dass es eher ein paar Stunden sein würden. »Ich werde dich hier sterben lassen«, warnte Sara, und sie war in ihrem ganzen Leben noch nie entschlossener gewesen. »Sag mir, wo sie ist.«

»Ich sag's dir a-a-am Ufer«, flüsterte er.

»Sag es mir jetzt«, forderte sie ihn auf. »Ich weiß, dass du sie nicht irgendwo allein sterben lassen würdest.«

»Würde ich auch nicht«, sagte er, und so etwas wie Empathie schien in seinen Augen aufzublitzen. »Ich würde sie niemals allein lassen, Sara. Ich würde sie nicht allein sterben lassen.«

Sara streckte die Arme seitlich aus, um ihren Körper in Bewegung zu halten, damit sie nicht erfror. »Wo ist sie, Jeb?«

Es schüttelte ihn so sehr, dass auch das Boot im Wasser bebte und kleine Wellen in Saras Richtung schickte. Er flüsterte. »Du musst sie retten, Sara. Du musst sie retten.«

»Sag es mir, oder ich lasse dich sterben, Jeb. Ich schwöre bei Gott, ich lasse dich hier ertrinken.«

Sein Blick wurde leer, und ein leichtes Lächeln trat auf seine blauen Lippen. »Es ist vollbracht«, flüsterte er und ließ den Kopf wieder sinken. Sara sah, wie er das Boot losließ und wie sein Kopf unter Wasser versank.

»Nein«, schrie sie und schwamm zu ihm. Sie packte ihn am Hemdkragen und versuchte, ihn wieder hochzuziehen. Instinktiv setzte er sich zur Wehr und zog sie hinunter, statt sich von ihr nach oben ziehen zu lassen. Sie rangen miteinander. Jeb packte ihre Hose, ihren Pullover, wollte an ihr emporklettern wie auf einer Leiter, um Luft zu bekommen. Seine Fingernägel glitten über die Schnittwunde an ihrem Arm, und unwillkürlich stieß sie sich von ihm ab. Um Halt zu finden, griff er nach ihrem Pullover.

Sara wurde nach unten gezogen, als er sich in die Höhe stemmte. Mit einem dumpfen Knall stieß sein Kopf gegen das Boot. Überrascht riss er den Mund auf und rutschte dann geräuschlos zurück unter Wasser. Hinter ihm färbte ein

Streifen hellrotes Blut den Bug des Bootes. Sara gab sich alle Mühe, nicht auf den Druck in ihren Lungen zu achten, sondern griff nach ihm und wollte ihn wieder in die Höhe ziehen. Das Sonnenlicht reichte gerade aus, ihn auf den Grund sinken zu sehen. Sein Mund stand offen, die Hände hatte er nach ihr ausgestreckt.

Sie kam an die Oberfläche, rang nach Luft und tauchte erneut. Das tat sie mehrere Male hintereinander, hielt nach Jeb Ausschau. Sie fand ihn schließlich an einen größeren Felsbrocken gelehnt, die Arme ausgestreckt. Seine offenen Augen schienen sie anzustarren. Sara umfasste sein Handgelenk, um zu prüfen, ob er noch lebte. Sie schwamm an die Oberfläche, um Luft zu holen, bewegte sich auf der Stelle, streckte die Arme zur Seite aus. Ihre Zähne klapperten, aber sie zählte laut.

»Eins – eintausend«, sagte sie zähneklappernd. »Zwei – eintausend.« Sara zählte weiter und trat wie wild Wasser. Sie erinnerte sich daran, als Kind im Wasser ein Fangspiel namens Marco Polo gespielt zu haben. Entweder sie oder Tessa traten dabei Wasser, hatten die Augen geschlossen und zählten wie vorher verabredet bis zu einer Zahl, bevor sie einander suchten.

Bei fünfzig atmete sie tief ein und tauchte dann wieder hinab. Jeb war noch immer an derselben Stelle, hielt den Kopf im Nacken. Sie schloss ihm die Augen und fasste ihn unter den Armen. An der Oberfläche schlang sie einen Arm um seinen Hals und benutzte den anderen zum Schwimmen. Sie hielt Jeb fest und schwamm in Richtung Ufer.

Obwohl es nur eine Minute war, kam es ihr so vor, als seien Stunden vergangen, und Sara hielt Wasser tretend inne, um wieder zu Atem zu kommen. Das Ufer war nicht näher gekommen, sondern schien sich sogar weiter entfernt zu haben. Ihre Beine schienen sich vom Körper gelöst zu haben, obwohl sie ihnen doch befahl, Wasser zu treten. Jeb war nur noch Ballast und zog sie in die Tiefe. Ihr Kopf tauchte unter die Wasseroberfläche, aber sie riss sich zusammen, hustete das Seewasser aus und versuchte, einen klaren Kopf zu bekommen. Es war so kalt, und sie fühlte sich so schläfrig. Sie blinzelte und gab sich große Mühe, die Augen nicht zu lange geschlossen zu halten. Eine kurze Ruhepause wäre jedoch gut. Sie würde sich hier ausruhen und ihn danach ans Ufer schleppen.

Sara legte den Kopf in den Nacken und wollte sich auf dem Rücken treiben lassen. Jeb machte das jedoch unmöglich, und wieder sackte sie langsam unter die Wasseroberfläche. Sie würde Jeb loslassen müssen, das sah Sara ein. Aber sie konnte sich einfach nicht dazu zwingen, es zu tun. Obwohl das Gewicht seines Körpers sie allmählich wieder hinunterzog, brachte Sara es nicht fertig, ihn loszulassen.

Eine Hand packte sie, dann legte sich ein Arm um ihre Taille. Sara war zu schwach, um sich zu wehren, und ihr Gehirn arbeitete zu langsam, um zu verstehen, wie ihr geschah. Für einen Sekundenbruchteil dachte sie, es sei Jeb, aber die Kraft, mit der sie an die Oberfläche gezogen wurde, war zu stark. Sie ließ Jeb los und öffnete die Augen. Sie sah, wie seine Leiche langsam auf den Grund des Sees sank.

Ihr Kopf durchbrach die Wasseroberfläche, und ihr Mund öffnete sich weit, als sie nach Luft rang. Ihre Lungen schmerzten bei jedem Atemzug, ihre Nase lief. Sara fing zu husten an und bekam einen jener Hustenanfälle, die ein Herz zum

Stillstehen bringen konnten. Wasser kam aus ihrem Mund, dann Galle, als sie an der frischen Luft zu ersticken drohte. Sie merkte, dass ihr jemand auf den Rücken klopfte, als wolle er das Wasser aus ihr hinausprügeln. Ihr Kopf kippte wieder ins Wasser, aber an den Haaren wurde sie mit einem Ruck hochgerissen.

»Sara«, sagte Jeffrey, eine Hand um ihren Unterkiefer, die andere um ihren Arm, um sie hochzuhalten. »Sieh mich an«, verlangte er. »Sara!«

Ihr Körper erschlaffte, aber sie war sich bewusst, dass Jeffrey sie in Richtung Ufer zog. Unter ihren Achseln umklammerte er ihren Oberkörper und schwamm auf dem Rücken, was mühsam war.

Sara legte ihre Hände auf Jeffreys Arm, lehnte den Kopf an seine Brust und ließ sich von ihm nach Hause bringen.

29

Lena brauchte Jeb. Sie wollte, dass er ihr die Schmerzen nahm. Sie wollte, dass er sie wieder an den Ort schickte, an dem Sibyl und ihre Mutter und ihr Vater waren. Sie wollte bei ihrer Familie sein. Es war ihr egal, welchen Preis sie dafür würde zahlen müssen; sie wollte einfach nur bei ihnen sein.

Blut tröpfelte ihr in einem steten Rinnsal die Kehle hinunter, deswegen musste sie ab und zu husten. Er hatte recht gehabt mit dem pochenden Schmerz in ihrem Mund, aber das Percodan machte ihn erträglich. Sie vertraute Jeb, dass die Blutung bald aufhören würde. Sie wusste, dass er mit ihr noch nicht fertig war. Nach all der Mühe, die er sich gegeben hatte, um sie hier gefangen zu halten, würde er sie niemals an ihrem eigenen Blut ersticken lassen. Lena wusste, dass er sich für sie etwas Besonderes ausgedacht hatte.

Wenn sie ihre Gedanken schweifen ließ, malte sie sich aus, dass sie vor dem Haus von Nan Thomas lag. Irgendwie gefiel ihr das. Hank würde sehen, was Lena angetan worden war. Er würde wissen, was Sibyl angetan worden war. Er würde sehen, was Sibyl nicht hatte sehen können. Das schien ihr richtig zu sein.

Ein vertrautes Geräusch erklang von unten, Schritte auf dem harten Holzfußboden. Sie wurden gedämpft, als er über den Teppich ging. Lena nahm an, dass er durchs Wohnzimmer ging. Sie kannte zwar die Aufteilung des Hauses nicht, aber wenn sie auf die verschiedenen Geräusche achtete und den Übergang von den hohl klingenden Schritten, die er in Schuhen machte, und dem dumpfen Aufschlag registrierte, der zu hören war, wenn er seine Schuhe ausgezogen hatte, um sie zu besuchen, dann konnte sie im Allgemeinen sehr wohl sagen, wo er sich befand.

Nur waren diesmal anscheinend noch die Schritte einer zweiten Person zu hören.

»Lena?« Sie konnte seine Stimme kaum hören, aber instinktiv wusste sie, dass Jeffrey Tolliver ihren Namen gerufen hatte. Eine Sekunde lang fragte sie sich verwirrt, was er hier zu suchen hatte.

Ihr Mund öffnete sich, aber sie sagte kein Wort. Sie befand sich oben auf dem Boden. Vielleicht würde es ihm nicht einfallen, hier zu suchen. Vielleicht würde er sie hier liegen lassen. Sie könnte hier sterben, und niemand würde je erfahren, was ihr angetan worden war.

»Lena?«, rief eine weitere Stimme. Die von Sara Linton.

Ihr Mund stand noch immer offen, aber sprechen konnte sie nicht.

Stundenlang gingen sie unten umher. So kam es ihr zumindest vor. Sie hörte die lauten Geräusche von Möbelstücken, die verschoben oder umgestellt wurden. Sie hörte, wie Wandschränke durchsucht wurden. Die gedämpften Stimmen klangen in ihren Ohren völlig disharmonisch. Sie lächelte und dachte, die beiden hörten sich so an, als schlügen sie Töpfe und Pfannen aneinander. In einer Küche hätte Jeb sie jedenfalls nicht verstecken können.

Diesen Gedanken fand sie komisch. Ein Lachen brach aus

ihr heraus, eine unwillkürliche Reaktion, die ihren Oberkörper schüttelte und einen Hustenanfall zur Folge hatte. Bald lachte sie so sehr, dass ihr Tränen in die Augen schossen. Dann begann sie zu schluchzen, und vor Schmerzen schnürte es ihr die Brust zusammen, als sie wieder all das vor Augen hatte, was ihr in der vergangenen Woche passiert war. Sie sah Sibyl auf dem Tisch im Leichenschauhaus. Sie sah Hank um seine Nichte trauern. Sie sah Nan Thomas, verzweifelt und mit rot geränderten Augen. Sie sah Jeb auf sich, wie er mit ihr die Liebe machte.

Ihre Finger krümmten sich um die langen Nägel, die sie an den Fußboden fesselten, und bei dem Wissen um die Misshandlungen, die sie hatte erleiden müssen, bäumte sich ihr Körper auf.

»Lena?«, rief Jeffrey. Seine Stimme klang lauter als zuvor. »Lena?«

Sie hörte ihn näher kommen, hörte ein Stakkatoklopfen, gefolgt von einer Pause und neuerlichem Klopfen.

Sara sagte: »Die Wandverkleidung ist vorgetäuscht.«

Wieder wurde geklopft, und dann waren ihre Schritte auf der Bodentreppe zu hören. Die Tür sprang auf, licht explodierte in die Dunkelheit. Lena schloss die Augen so fest es ging, denn die Lichtstrahlen schmerzten wie Nadeln, die in ihre Augäpfel drangen.

»O mein Gott«, stieß Sara hervor. »Hol ein paar Handtücher. Laken. Was du finden kannst.«

Lena öffnete ihre Augen zu schmalen Schlitzen, als sich Sara vor sie kniete. Ihr Körper brachte Kälte mit, und obendrein war sie nass.

»Ist alles in Ordnung«, flüsterte Sara. Ihre Hand lag auf Lenas Stirn. »Es wird dir wieder gut gehen.«

Lena öffnete die Augen noch weiter, damit sich ihre Pupillen an das Licht gewöhnten. Dann sah sie zur Tür, hielt Ausschau nach Jeb.

»Er ist tot«, sagte Sara. »Wehtun kann er dir ...« Sie hielt inne, aber Lena wusste, was sie sagen wollte. Den Schluss von Saras Satz hörte sie aber nur im Geist. Wehtun kann er dir nie mehr, hatte sie sagen wollen.

Lena sah zu Sara auf. Deren Augen signalisierten etwas, und Lena wusste, dass Sara sie irgendwie verstand. Jeb war jetzt ein Teil von Lena. Er würde ihr an jedem Tag ihres restlichen Lebens von Neuem wehtun.

SONNTAG

30

Auf der Rückfahrt vom Krankenhaus in Augusta fühlte sich Jeffrey wie ein Soldat, der aus dem Krieg heimkehrt. Physisch würde sich Lena von ihren Verletzungen erholen, aber er hatte nicht die geringste Ahnung, ob sie je über den emotionalen Schaden hinwegkommen würde, den Jeb McGuire angerichtet hatte. Wie Julia Matthews wollte auch Lena mit niemandem sprechen, nicht einmal mit ihrem Onkel Hank. Jeffrey wusste nicht, was er für sie tun sollte. Außer ihr Zeit lassen.

Mary Ann Moon hatte ihn exakt eine Stunde und zwanzig Minuten nach ihrem Gespräch angerufen. Der Name von Saras Patientin war Sally Lee McGuire gewesen. Moon hatte sich die Zeit genommen, den Computer unter der Gesamtbelegschaft des Krankenhauses nach diesem Nachnamen suchen zu lassen. Es dauerte nur wenige Sekunden, bis Jeremy »Jeb« McGuires Name auf dem Monitor erschien. Er machte sein Praktikum in der Apotheke des Grady im dritten Stock, und zwar zu der Zeit, als auch Sara in dem Krankenhaus gearbeitet hatte. Sara hätte wohl keinen Grund gehabt, mit ihm zusammenzukommen, aber Jeb hätte es sicherlich darauf anlegen können, ihr zu begegnen.

Jeffrey würde niemals Lenas Gesichtsausdruck vergessen, als er die Tür zum Bodenraum eingetreten hatte. Vor seinem geistigen Auge sah er immer die Fotos von Sara, wenn er an Lena dachte, wie sie dort lag, festgenagelt an den Fußboden auf Jebs Dachboden. Der Raum war eine stockdunkle Höhle. Mattschwarze Farbe bedeckte alles, einschließlich der Sperrholzplatten, die vor die Fenster genagelt worden waren. Schrauben mit Ösen, durch die Ketten liefen, waren in den Fußboden gedreht, und Löcher in zwei Reihen, die von Nägeln stammten, eine oben, die andere unten, zeugten davon, dass die Opfer hier gekreuzigt worden waren.

Im Auto rieb Jeffrey sich die Augen und versuchte, nicht mehr an all das zu denken, was er gesehen hatte, seit Sibyl Adams ermordet worden war. Als er die Bezirksgrenze von Grant County überquerte, konnte er nur noch denken, dass jetzt alles ganz anders war. Niemals mehr würde er die Menschen in der Stadt, die Menschen, die seine Freunde und Nachbarn waren, mit demselben Vertrauen betrachten, das er am vergangenen Sonntag um diese Zeit noch besessen hatte. Er stand unter Schock, wie bei einer Schützengrabenpsychose.

Als er in Saras Auffahrt einbog, merkte Jeffrey, dass ihm sogar ihr Haus anders vorkam. Hier hatte Sara sich gegen Jeb wehren müssen. Hier war Jeb ertrunken. Sie hatten seine Leiche aus dem See gezogen, aber die Erinnerung an ihn würde nie verschwunden sein.

Jeffrey saß im Wagen und betrachtete das Haus. Sara hatte ihm gesagt, dass sie Zeit brauchte, aber die würde er ihr nicht geben. Er musste ihr erklären, was ihm durch den Kopf gegangen war. Er musste sich selbst genauso wie ihr klarmachen, dass es für ihn absolut nicht infrage kam, sich aus ihrem Leben rauszuhalten.

Die Haustür stand offen, aber trotzdem klopfte Jeffrey an, bevor er eintrat. Er konnte Paul Simon »have a Good Time« singen hören. Im Haus herrschte ein einziges Durcheinander. Kartons säumten den Flur, und von den Regalen waren die Bücher geräumt. Er fand Sara in der Küche, mit einer Rohrzange in der Hand. Sie trug ein ärmelloses weißes T-Shirt und eine zerschlissene graue Trainingshose, und er fand, dass sie noch nie schöner ausgesehen hatte. Sie blickte in den Abfluss, als er an den Türknauf klopfte.

Sie drehte sich um und wirkte gar nicht überrascht, dass er vor ihr stand. »Ist das deine Art, mir Zeit zu geben?«, fragte sie.

Er zuckte die Achseln, vergrub die Hände in den Hosentaschen. Ein grellgrünes Pflaster bedeckte die Verletzung auf Saras Stirn, und wo die Glasscherbe ihren Oberarm so tief aufgeschnitten hatte, dass sie hatte genäht werden müssen, trug sie einen weißen Verband. Wie es ihr gelungen war zu überleben, erschien Jeffrey wie ein Wunder. Ihr Mut und ihre Energie erstaunten ihn.

Der nächste Song von Paul Simon war »Fifty Ways to Leave Your Lover«. Jeffrey versuchte es mit einem Scherz und sagte: »Ist wohl unser Song.«

Sara warf ihm einen argwöhnischen Blick zu und griff nach der Fernbedienung. Abrupt hörte die Musik auf, und Stille erfüllte das Haus. Sie schienen beide ein paar Sekunden zu brauchen, um sich auf diese Veränderung einzustellen.

Sie sagte: »Was tust denn du hier?«

Jeffrey dachte, er sollte vielleicht etwas Romantisches sagen, etwas, das sie dahinschmelzen ließ. Er wollte ihr sagen, dass sie die schönste Frau war, die er je gesehen hatte, und dass er erst verstanden hatte, was Liebe eigentlich bedeutete, als er sie kennengelernt hatte. Da er aber nichts von alledem herausbrachte, entschied er sich, sie zu informieren.

»Ich habe die Protokolle von deinem Prozess, von Wrights Prozess, bei Jeb im Haus gefunden.«

»Tatsächlich?«

»Er hatte auch Zeitungsausschnitte und Fotos.« Er hielt inne und äußerte dann seine Vermutung: »Ich nehme an, Jeb ist hergezogen, um in deiner Nähe zu sein.«

Sie reagierte darauf mit einem leicht herablassenden »Nimmst du also an?«.

Er ließ sich von ihrem Tonfall nicht warnen. »Da gibt es noch ein paar weitere Überfälle auf Frauen in Pike County«, fuhr Jeffrey fort. Er konnte sich nicht zügeln, obwohl er an ihrem Gesichtsausdruck erkannte, dass er verdammt noch mal die Klappe halten sollte, dass sie von diesen Dingen nichts wissen wollte. Das Problem war nur, dass es Jeffrey viel leichter fiel, Sara mit Tatsachen zu kommen, als ihr etwas von sich zu erzählen.

Er redete weiter: »Der Sheriff da drüben hat vier Fälle, die er meint, Jeb anlasten zu können. Wir brauchen also ein paar Proben für das Labor, damit sie die mit den DNA-Proben vergleichen können, die sie an den Tatorten genommen haben. Und außerdem noch das, was wir von Julia Matthews haben.« Er räusperte sich. »Seine Leiche ist drüben im Leichenschauhaus.«

»Ich mache das nicht«, antwortete Sara.

»Wir können jemanden aus Augusta holen.«

»Nein«, stellte Sara klar. »Du verstehst nicht. Ich reiche morgen meine Kündigung ein.«

Etwas anderes als »Warum das denn?« fiel ihm nicht ein.

»Weil ich das hier nicht mehr aushalten kann«, sagte sie und deutete auf den Abstand zwischen ihnen beiden. »Ich kann einfach nicht mehr. Und deswegen sind wir auch geschieden.«

»Wir sind geschieden, weil ich einen dummen Fehler gemacht habe.«

»Nein«, sagte sie und wies ihn zurück. »Wir werden nicht immer wieder dieselbe Diskussion führen. Und deswegen kündige ich. Ich kann mir das nicht länger antun. Ich kann dich nicht länger im Dunstkreis meines Lebens ertragen. Ich muss mein eigenes Leben weiterleben.«

»Ich liebe dich«, sagte er, als sei das von Bedeutung. »Ich weiß, dass ich für dich nicht gut genug bin. Ich weiß, dass ich dich nie verstehen werde und dass ich immer das Falsche tue und die falschen Dinge sage und dass ich hier bei dir hätte sein sollen, statt nach Atlanta zu fahren, nachdem du mir erzählt hattest – nachdem ich gelesen hatte –, was geschehen war.« Nach einer Pause fügte er hinzu: »All das weiß ich. Aber ich kann nicht aufhören, dich zu lieben.« Sie antwortete nicht, und deshalb beschwor er sie: »Sara, ich kann ohne dich nicht sein. Ich brauche dich.«

»Welche Sara brauchst du?«, fragte sie. »Die von früher oder die, die vergewaltigt wurde?«

»Beide sind dieselbe Person«, entgegnete er. »Ich brauche sie beide. Ich liebe sie beide.« Er starrte sie an, suchte nach den richtigen Worten. »Ich will nicht ohne dich leben.«

»Da hast du aber keine Wahl.«

»Doch, habe ich«, antwortete er. »Was auch immer du sagst, Sara, es ist mir egal. Mir ist egal, ob du kündigst oder in eine andere Stadt ziehst oder deinen Namen änderst, ich werde dich trotzdem immer finden.«

»So wie Jeb?«

Diese Worte trafen ihn sehr. Von allen, die sie hätte wählen können, waren diese die grausamsten. Das schien sie auch zu merken, denn sie entschuldigte sich sofort. »Das war nicht fair«, sagte sie. »Entschuldigung.«

»Denkst du das etwa? Dass ich bin wie er?«

»Nein.« Sie schüttelte den Kopf. »Ich weiß, dass du nicht so bist wie er.«

Er blickte zu Boden, fühlte sich noch immer tief verletzt von ihren Worten. Hätte sie ihn angeschrien, dass sie ihn hasste, er hätte das leichter ertragen.

»Jeff«, sagte sie und ging zu ihm. Sie legte ihm die Hand auf die Wange. Er nahm sie und küsste die Handfläche.

Er sagte: »Ich will dich nicht verlieren, Sara.«

»Das hast du schon.«

»Nein«, sagte er, weil er es nicht akzeptieren konnte. »Das habe ich nicht. Ich weiß, dass es nicht so ist, denn sonst würdest du nicht hier bei mir stehen. Du würdest da drüben sein und mich auffordern zu gehen.«

Sara widersprach ihm nicht, aber sie ging zum Spülstein zurück. »Ich habe hier noch Arbeit«, sagte sie leise und nahm die Rohrzange zur Hand.

»Ziehst du um?«

»Ich mache sauber«, sagte sie. »Gestern Abend habe ich angefangen. Ich weiß schon gar nicht mehr, wo was ist. Ich musste auf dem Sofa schlafen, weil so viel Kram auf meinem Bett liegt.«

Er wollte die Stimmung auflockern. »Na, jedenfalls machst du deine Mama glücklich.«

Sie lachte widerwillig und kniete sich vor den Spülstein. Sie deckte das Rohr mit einem Handtuch ab und packte mit der Zange zu. Aus der Schulter heraus drückte sie auf die Zange. Jeffrey konnte sehen, dass sich das Gewinde nicht aufdrehen ließ.

»Lass mich dir helfen«, bot er an und zog seine Jacke aus. Bevor sie ihn zurückhalten konnte, kniete er neben ihr und drückte gegen die Zange. Das Rohr war alt, und das Gewinde wollte nicht nachgeben. Er gab auf und sagte: »Du musst es wahrscheinlich durchsägen.«

»Nein, muss ich nicht«, entgegnete sie und schob ihn sanft zur Seite. Sie stemmte einen Fuß gegen den Schrank hinter sich und drückte mit aller Kraft. Die Zange drehte sich langsam vorwärts.

Sie lächelte stolz, weil sie es geschafft hatte. »Siehst du?«

»Du bist erstaunlich«, sagte Jeffrey und meinte es auch. Er blieb hocken und schaute zu, wie sie das Rohr auseinandernahm. »Gibt es etwas, das du nicht kannst?«

»Eine lange Liste«, murmelte sie.

Ohne darauf einzugehen, fragte er: »War das Rohr verstopft?«

»Ich habe etwas reinfallen lassen«, antwortete sie und stocherte mit dem Finger im Knie des Rohrs. Sie holte etwas hervor, verbarg es aber in ihrer Faust, bevor er es sehen konnte.

»Was?«, fragte er und wollte nach ihrer Hand greifen.

Sie schüttelte den Kopf und öffnete die Faust nicht.

Er lächelte und wurde immer neugieriger. »Was ist das?«, wiederholte er.

Sie richtete sich auf, die Hände hielt sie hinter dem Rücken. Einen Augenblick runzelte sie die Stirn, schien sich zu konzentrieren und streckte dann beide Hände vor sich aus, zu Fäusten geballt.

Sie sagte: »Such dir eine aus.«

Er berührte ihre rechte Hand.

Sie sagte: »Such dir eine andere aus.«

Er lachte und berührte ihre linke Hand.

Sara drehte ihr Handgelenk und öffnete die Faust. Ein kleiner goldener Ring lag in ihrer Hand. Das letzte Mal gesehen hatte er diesen Ring, als Sara ihn sich vom Finger gezerrt hatte, um ihn ihm ins Gesicht zu werfen.

Jeffrey war so verblüfft, den Ring zu sehen, dass er nicht wusste, was er sagen sollte. »Mir hast du erzählt, du hättest ihn weggeworfen.«

»Ich kann eben besser lügen, als du denkst.«

Er schaute sie wissend an und nahm ihr den Ehering aus der Hand. »Was machst du denn noch immer damit?«

»Der ist wie Falschgeld«, sagte sie. »Taucht immer wieder auf.«

Er interpretierte das als Einladung und fragte: »Was machst du morgen Abend?«

Sie seufzte: »Weiß ich noch nicht. Wahrscheinlich das aufarbeiten, was liegengeblieben ist.«

»Und danach?«

»Bin ich zu Hause, nehme ich an. Wieso?«

Er ließ den Ring in seine Tasche gleiten. »Ich könnte mit einem Abendessen vorbeikommen.«

Sie schüttelte den Kopf. »Jeffrey ...«

»Vom Tasty Pig«, lockte er, denn er wusste, dass es eines von Saras Lieblingsrestaurants war. Er nahm sie bei den Händen und pries an: »Brunswickeintopf, gegrillte Rippchen,

Sandwiches mit Schweinebraten, mit Bier abgelöschte gebackene Bohnen.«

Sie schaute ihn fassungslos an, ohne zu antworten. Schließlich sagte sie: »Du weißt doch, dass es so nicht geht.«

»Was haben wir zu verlieren?«

Sie schien darüber nachzudenken. Er wartete, gab sich große Mühe, nicht ungeduldig zu werden. Sara ließ seine Hände los und stützte sich an seiner Schulter ab, um aufzustehen.

Jeffrey stand ebenfalls auf und sah zu, wie sie in einer von ihren vielen Schubladen mit Krimskrams räumte. Er wollte schon den Mund öffnen, um noch etwas zu sagen, besann sich aber eines Besseren. Er wusste nur zu gut, dass Sara Linton niemals einen Rückzieher machte, wenn sie sich einmal entschieden hatte.

Er trat hinter sie und küsste ihre bloße Schulter. Es musste doch eigentlich eine bessere Art geben, voneinander Abschied zu nehmen, aber ihm fiel keine ein. Jeffrey hatte sich nie besonders gut aufs Reden verstanden. Er verstand sich besser aufs Handeln. Zumindest meistens.

Er ging in die Diele, als Sara ihm etwas nachrief.

»Bring Besteck mit«, sagte sie.

Er drehte sich um, war sicher, dass er sich verhört hatte.

Sie beugte sich noch immer über die Schublade, in der sie stöberte. »Ich rede von morgen Abend«, klärte sie ihn auf. »Ich kann mich nämlich nicht erinnern, wo ich die Gabeln gelassen habe.«

DANK

Victoria Sanders, meine Agentin, erwies sich während der Fertigstellung des Manuskripts immer wieder als Rettungsanker. Ich weiß nicht, wie ich das hier ohne sie hätte schaffen sollen. Meine Lektorin, Meaghan Dowling, hat wesentlich dazu beigetragen, diesem Buch seine Konturen zu geben, und ich danke ihr von Herzen, dass sie mich angespornt hat, die Herausforderung anzunehmen. Captain Jo Ann Cain, Chief of Detectives in der Stadt Forest Park, Georgia, war so freundlich, ihre Geschichten von der Front mit mir zu teilen. Die Mitchell-Cary-Familie beantwortete alle meine Fragen über die Arbeit von Klempnern und inspirierte mich zudem zu einigen interessanten Ideen. Michael A. Rolnick, M.D., und Carol Barbier Rolnick verhalfen Sara zu ihrer Glaubwürdigkeit. Tamara Kennedy gab mir von Anfang an hervorragende Ratschläge. Alle Fehler in den oben erwähnten Fachbereichen sind ausschließlich meine eigenen.

Den Autorenkolleginnen Ellen Conford, Jane Haddam, Eileen Moushey und Katy Munger gilt mein Dank. Jede von ihnen weiß, weshalb ich mich bei ihr bedanke. Steve Hogan watete alltäglich durch den Morast meiner Neurosen, und dafür hat er einen Orden verdient. Chris Cash, Cecile Dozier, Melanie Hammet, Judy Jordan und Leigh Vanderels waren als Leser von unschätzbarem Wert. Greg Pappas, Schutzpatron der Beschilderung, erleichterte die Sache. S.S. war mein Fels in der Brandung. Zum Schluss Dank an D. A. – du hast mehr von mir als ich selbst.